LE MANAGEMENT DE LA PME

Colligé par:

Claude Choquette et Jean Brunelle

LE MANAGEMENT DE LA PME

ÉDITIONS BO·PRÉ

ÉDITIONS BO·PRÉ

742, rue Sabourin
Saint-Jean-sur-Richelieu
Québec, Canada J3B 4T8

Copyright© 1985 Éditions BO-PRÉ

Couverture: Martin Dufour

Photocomposition: Typographie Sajy inc.

Dépôts légaux: 2ᵉ trimestre 1985
Bibliothèque nationale du Québec
Bibliothèque nationale du Canada

ISBN: 2-89315-000-4
1 2 3 4 5 6 - 89 88 87 86 85

Données de catalogue avant publication (Canada)
Le Management de la PME
2-89315-000-4
1. Entreprises, Petites — Gestion — Discours, essais,
conférences.   I. Choquette, Claude   II. Brunelle, Jean
III. Titre.
HD62.7.M35 1985   658'.022   C85-0940486

Imprimé au Canada

TABLE DES MATIÈRES

Page

Introduction

Depuis décembre 1980, le bulletin PME GESTION de l'École des Hautes Études Commerciales a été publié au rythme de 10 parutions par année, soit plus de 150 articles, la plupart reproduits dans ces pages.

Les sujets traités sont très souvent le reflet de demandes exprimées par nos abonnés. Nous nous efforçons, quant à nous, de présenter des textes clairs et brefs constituant autant d'outils de gestion immédiatement utilisables par les dirigeants et cadres de PME.

Ces textes devraient aussi retenir l'attention de toute personne intéressée aux moyens à mettre en oeuvre pour permettre à l'entreprise de poursuivre son développement et de contribuer à la prospérité générale.

Nous tenons à remercier nos abonnés pour leur loyauté et leurs suggestions. Sans eux, PME GESTION n'entreprendrait pas sa cinquième année de publication.

Merci à nos nombreux rédacteurs pour leurs généreuses contributions. Nous présentons à la page suivante la liste de nos collaborateurs.

Nous remercions enfin la Direction de l'École des Hautes Études Commerciales pour la confiance et le support constants qu'elle nous a accordés.

Claude Choquette
Pour la Direction de PME GESTION

Nos collaborateurs

Fernand Amesse, École des Hautes Études Commerciales
Philippe Aubé, École des Hautes Études Commerciales
John F. Bulloch, président, Fédération Canadienne
de l'Entreprise Indépendante
Le Centre des Dirigeants d'Entreprise
Roger Charbonneau, École des Hautes Études Commerciales
Raymond Chaussé, École des Hautes Études Commerciales
Claude Choquette, École des Hautes Études Commerciales
François Colbert, École des Hautes Études Commerciales
Marcel Côté, École des Hautes Études Commerciales
Omer Croteau, École des Hautes Études Commerciales
Paul de Villers, Conseiller en automatisation
Mattio O. Diorio, École des Hautes Études Commerciales
René Doucet, École des Hautes Études Commerciales
Benoît Duchesne, École des Hautes Études Commerciales
Yvon Dufour, École des Hautes Études Commerciales
Claude R. Duguay, École des Hautes Études Commerciales
Eisenhower C. Étienne, École des Hautes Études Commerciales
Jacques Filion, Université du Québec à Trois-Rivières
Jacques Fortin, École des Hautes Études Commerciales
Gilles Gélinas, École des Hautes Études Commerciales
Jean Guertin, École des Hautes Études Commerciales
Pierre Hugron, École des Hautes Études Commerciales
Matthieu Lamarche, Gestionnaire Conseil
Pierre Langevin, École des Hautes Études Commerciales
Nancy Langlois, École des Hautes Études Commerciales
D. Claude Laroche, École des Hautes Études Commerciales
Jean-Pierre Le Golf, École des Hautes Études Commerciales
Marie-Françoise Marchis-Mouren, École des Hautes Études Commerciales
Maurice N. Marchon, École des Hautes Études Commerciales
Pierre Marcotte, vice-président, Mark Hot inc.
Roger G. Martin, Ecole des Hautes Etudes Commerciales
Jeannine David McNeil, École des Hautes Études Commerciales
Gaston Meloche, École des Hautes Études Commerciales
Louis Nadeau, président, Georges Nadeau inc.
Carmine Nappi, École des Hautes Études Commerciales
Pierre Paul Pilon, École des Hautes Études Commerciales
Journal Productividées, Institut National de Productivité
Alain Rondeau, École des Hautes Études Commerciales
Jean-Guy Rousseau, École des Hautes Études Commerciales
Pierre Royer, École des Hautes Études Commerciales
Marc Ruel, Gestion Marc Ruel Limitée
Roger Séguin, École des Hautes Études Commerciales
Roland Thériault, École des Hautes Études Commerciales
Jean-Marie Toulouse, École des Hautes Études Commerciales
Van The Nhut, École des Hautes Études Commerciales
Jacques Villeneuve, École des Hautes Études Commerciales

1

GESTION DE LA PME

QUELQUES CONSIDÉRATIONS GÉNÉRALES

Roger Charbonneau

Une infinité de situations

Le public auquel s'adresse notre revue est celui des chefs de moyennes et petites entreprises. À ce propos, nous considérons comme petite entreprise celle où l'autorité est exercée par un patron qui prend toutes les décisions importantes dans tous les champs d'activité; il est généralement le seul cadre supérieur et le propriétaire unique ou l'actionnaire fortement majoritaire de l'entreprise. La petite entreprise est donc caractérisée par la simplicité de l'appareil de décision et de son fonctionnement et la concentration entre les mêmes mains des pouvoirs de direction et de propriété. Les termes de moyenne et de grande entreprise seront employés de façon relative, en ce sens que plus une entreprise s'éloignera de notre description de la petite entreprise, plus elle aura les caractéristiques qu'on peut attribuer à des entreprises de grande taille, c'est-à-dire la complexité des structures et de l'exercice de la décision.

Taille et gestion

En matière de gestion, la raison pratique de chercher à distinguer les entreprises selon leur taille est qu'une petite entreprise ne s'administre pas comme une grande. S'il est vrai que la recherche du rendement maximum est généralement l'objectif principal de toutes les entreprises, il arrive, dans le cas de la petite entreprise, que le patron poursuive des objectifs personnels qui, à la longue, finissent par diverger de façon importante de ceux de l'entreprise. C'est le cas du propriétaire vieillissant qui bloque la croissance de l'entreprise parce qu'il fuit les problèmes nouveaux. Dans la grande entreprise, trop de forces sont en jeu pour que les objectifs personnels du grand patron puissent s'imposer longtemps. Mais, même si l'objectif, c'est-à-dire le rendement, est identique quelle que soit la taille de l'entreprise, les moyens pour y arriver, les façons d'utiliser ces moyens et les obstacles à surmonter varient considérablement selon cette même taille. Dans cette optique, le cas qui vient le premier à l'esprit est celui de la fabrication: la grande entreprise vise à la production d'articles standard en grandes séries, tandis que la petite entreprise préfère généralement s'orienter vers la fabrication en petites quantités de produits spécialisés. Et puis, la production en série entraîne le choix de certaines méthodes de vente et de marketing qui tiennent compte des masses considérables de produits à écouler et du grand nombre des consommateurs à rejoindre. Par conséquent, dans nombre de cas, la grande entreprise et la petite utilisent des canaux de distribution différents et touchent leur clientèle ultime par des moyens différents en termes de marketing et de publicité. Tout cela crée à la fois des occasions de progrès et des barrières aux entreprises, quelle que soit leur taille.

Taille et financement

Nous n'insisterons pas sur les différences de moyens disponibles, en matière de finance, selon la taille de l'entreprise, sauf pour noter qu'elles ne sont pas toutes au désavantage de la petite entreprise. Rappelons, par exemple, que celle-ci bénéficie de taux préférentiels en matière d'impôt fédéral sur le revenu, ce qui lui permet l'accumulation de capitaux propres et un certain autofinancement. Il y a les programmes gouvernementaux d'aide financière accordée exclusivement à la petite entreprise et ceux qui tout en visant à améliorer la qualité de sa gestion constituent souvent des apports financiers appréciables puisque la collectivité prend ainsi à charge des frais que l'entreprise devrait autrement encourir. Et s'il est vrai que la grande entreprise dispose de moyens de financement beaucoup plus variés que la petite, leur utilisation lui impose une certaine dépendance vis-à-vis des banquiers en valeurs, des bourses de valeurs mobilières, des gouvernements et de l'opinion publique, dépendance qui, à beaucoup de points de vue, entrave sa liberté d'action.

Les relations avec les employés

En matière de relations avec ses employés, la grande entreprise doit évidemment négocier les conditions de travail par l'entremise de porte-parole traitant généralement avec de puissants syndicats. Cette procédure aboutit plus facilement à l'augmentation des coûts de main-d'oeuvre qu'à l'accroissement de la productivité. La petite entreprise offre au contraire la possibilité de relations directes entre le patron et les employés, ce qui peut se traduire, en pratique, par la reconnaissance des mérites individuels sous forme d'avantages pécuniaires et surtout de considérations humaines appréciées par les employés. Il en résulte souvent une productivité accrue.

Le patron: homme-orchestre de la petite entreprise

Mais là où les différences en matière de gestion attribuables à la taille de l'entreprise sont vraiment éclatantes, c'est dans l'utilisation des talents du patron. Dans la petite entreprise, il est l'homme à tout faire qui doit agir sur tous les fronts. Il est celui qui prend seul toutes les décisions importantes: tant vaut l'homme, tant vaut l'entreprise. La flexibilité et la rapidité de ses décisions sont des avantages qu'il doit exploiter au maximum. Par ailleurs, il doit compenser par une utilisation ordonnée de ses talents personnels la faiblesse des ressources humaines dont il dispose et, en pratique, il ne peut voir à tout. Dans la grande entreprise, devant la complexité des décisions à prendre, le patron doit partager l'autorité et les responsabilités avec un certain nombre de collaborateurs; le problème n'est pas le manque de ressources mais leur coordination.

Quand une entreprise grandit...

Quand une entreprise grandit, certains des problèmes auxquels elle faisait face disparaissent mais des difficultés nouvelles surgissent. Les moyens de production et de vente doivent être adaptés aux conditions changeantes amenées par la croissance. Souvent, le financement d'activités accrues n'est pas aisé même si les sources de fonds sont plus nombreuses et plus variées. Et surtout, le patron doit apprendre à choisir des collaborateurs et à leur déléguer autorité et responsabilités.

Enfin, dans les petites entreprises, la disparition du patron-propriétaire pose le double problème de la transmission de l'autorité et de celle du capital, ce qui est rarement le cas dans la grande entreprise. Comme il s'agit d'un événement inéluctable et d'une suprême importance pour la survie de l'entreprise, le patron doit prévoir longtemps à l'avance les dispositions à prendre (quitte à les modifier par la suite selon les circonstances).

LES TÂCHES DU PATRON DANS LA PME

Roger Charbonneau

Une PME et son chef, surtout au début, ne font qu'un. Mais étant donné la charge de travail qui, dès le lancement de l'entreprise, repose sur ses épaules, il doit faire certains choix, fondés sur une vue claire de la situation.

La clé du succès d'une entreprise, c'est de déterminer en qualité et en quantité le besoin réel que l'on veut satisfaire. C'est là la première responsabilité du dirigeant de PME. Tout le reste, méthodes et conditions de vente, fabrication, approvisionnement, financement et choix du personnel, sera ordonné en fonction de l'objectif premier: vendre.

La décision relative à ce qu'on vendra implique le choix entre la fabrication et la revente de produits fabriqués par d'autres. Cette décision est aussi une responsabilité essentielle de la direction générale qui est seule capable de la prendre. Ventes et approvisionnement se traduisent par des besoins financiers permanents et temporaires, et dans ce dernier cas, à plus ou moins long terme. C'est le patron qui, au départ, doit établir les proportions entre le capital propre, les emprunts à long terme et les dettes à court terme. Bien sûr, comme il s'agit d'un champ spécialisé, il aura recours à des conseillers. De plus, il devra s'astreindre aux règles du jeu imposées par les créanciers. Et il devra décider s'il aura des associés. Il ne doit jamais oublier que tout apport de fonds par d'autres personnes, quelle qu'en soit la forme, constituera une entrave à sa liberté d'action.

Toutes les activités de l'entreprise se traduisent en besoins de ressources humaines. Il ne faut jamais perdre de vue que dans une PME, il n'y a pas de profondeur dans les rangs. Tout le personnel qui compte est en quelque sorte en première ligne; on n'a pas sous la main de remplaçants prêts à prendre la relève. Le choix d'un personnel compétent, fiable et flexible dans son utilisation est donc une responsabilité grave qui ne peut être que celle du chef.

Le plus souvent, le patron de la PME est responsable de l'administration générale courante et il conserve celle du service qu'il connaît le mieux. De plus, tous les cas particuliers quelque peu importants lui passent par les mains, qu'il s'agisse de retenir les services d'un avocat, de signer un bail, d'assurer les biens de l'entreprise ou d'en organiser le déménagement.

De plus, le patron est le seul qui puisse régler les problèmes entre les divers services de son entreprise, puisque, selon notre définition de la PME, il n'y a que lui qui peut commander à tous. Enfin, comme il est le seul à avoir une vue générale des opérations, c'est à lui qu'il revient de vérifier si l'entreprise atteint ses objectifs d'ensemble et, dans cette optique, d'évaluer la qualité de la contribution de ses collaborateurs. Et, si les résultats ne sont pas à la hauteur des attentes, c'est à lui d'en trouver les causes et de réviser les objectifs ou de modifier les moyens utilisés pour les atteindre.

Ces tâches sont très lourdes et le resteront aussi longtemps que l'entreprise n'aura pas atteint la taille et obtenu les moyens qui permettront au patron de déléguer, au moins en partie, certaines fonctions d'exécution reliées à sa condition de directeur général.

Toutes les tâches que j'ai décrites sont exécutées de façon parallèle et continue dans le temps et elles s'imbriquent l'une dans l'autre de telle façon qu'il n'est pas facile de les séparer au moment de leur accomplissement. Il reste que, si le bon chef doit avoir la décision rapide, il est important qu'il ait la réflexion lente. Or, dans le feu de l'action, il y a risque que la décision devienne une affaire de routine, dont on dispose en vitesse. Il faut donc que le patron se ménage des pauses et analyse la substance de ce qu'il fait et comment et pourquoi il le fait. Par exemple:

- l'entreprise poursuit-elle des objectifs clairs?
- y a-t-il lieu de les changer?
- y a-t-il des problèmes de coordination entre les ventes, les achats, la fabrication, la finance? entre ces activités et la direction générale?
- que valent les employés? le patron est-il satisfait d'eux et eux du patron? Sinon, à qui la faute et qu'y a-t-il à faire?
- le patron sait-il si l'entreprise atteint ses objectifs?

Et, en regard des réponses à ces questions, deux autres interrogations:

- quels sont les principaux problèmes d'administration générale de l'entreprise et quelles sont les solutions possibles?
- le patron accomplit-il convenablement sa tâche de directeur général?

Une revue de ce genre, exécutée deux ou trois fois par année, par le patron seul ou avec des conseillers, est de nature à porter fruit. Il est naturel qu'un patron de PME s'occupe, au moins pendant un temps, de fonctions spécialisées comme la vente ou la fabrication. Mais beaucoup de petits patrons passent, sans trop s'en rendre compte, de l'administration générale à celle d'un service, ou de fonctions essentielles à des travaux routiniers. Pour bien gérer l'emploi de son temps, le patron de PME trouvera avantage à se poser les deux questions suivantes:

• cette tâche relève-t-elle de mes fonctions essentielles?

• y a-t-il quelqu'un dans l'entreprise qui puisse l'accomplir à ma place et aussi bien (ou mieux) que moi?

Une réponse affirmative à la première question n'implique pas nécessairement que le patron doive accomplir la tâche. En effet, si la réponse à la seconde question est également positive, il y a peut-être là une occasion d'accorder de l'initiative à un employé et de contribuer à son perfectionnement. Par ailleurs, une réponse négative aux deux questions indique évidemment un trou dans l'organisation. Répété couramment, ce petit exercice fait qu'à la longue, le patron prend automatiquement et sans s'en rendre compte, la décision de déléguer à d'autres l'accomplissement de certaines tâches secondaires.

L'administration générale, c'est le facteur grâce auquel tout se fait... ou se défait. Il s'agit de voir à ce que toutes les activités de l'entreprise soient coordonnées. Cela suppose que le patron sait ce qu'il veut faire, qu'il a mis en place les moyens et, en particulier, le personnel pour y arriver, qu'il s'est donné un itinéraire et un calendrier qui le mèneront où il veut et quand il veut. Et puis, tout au long et à la fin des opérations, qu'il est en mesure de voir si les choses se passent comme souhaitées. Somme toute, s'il y a un endroit où le chef de PME doit exercer pleinement et directement son autorité, c'est ici, dans l'administration générale. Quand l'entreprise grandira, il abandonnera peu à peu ses autres tâches mais il gardera jusqu'à la fin les responsabilités de direction générale.

VOUS N'AVEZ PLUS LE TEMPS DE TOUT FAIRE...

Roger Charbonneau

Nous avons noté que le patron d'une PME, tout en se tenant responsable de l'administration générale courante, conserve souvent la gestion d'un service avec lequel il est davantage familier. Cet intérêt du patron pour un champ particulier est naturel et pratiquement inévitable au moment du lancement d'une entreprise. Il peut toutefois susciter certains problèmes.

Gérer à distance

Le cas du commerce de détail constitué d'un seul magasin ou celui de l'atelier unique où le client se rend ne présente pas de difficulté puisque le patron est sur place pour gérer toutes les activités. *La difficulté se manifeste lorsque les opérations se font à la fois dans l'entreprise et hors de celle-ci.* Dans un tel cas, le patron doit décider qui il contrôlera à distance: ses vendeurs, ses ouvriers, son acheteur ou son personnel de bureau. Au début, il essaiera de tout faire lui-même en s'astreignant à un horaire épuisant. Prenons l'exemple du patron-vendeur. Le jour, visites à la clientèle, entrecoupées de sauts ou de coups de téléphone à l'atelier pour en soutenir la productivité; le soir, coup d'œil sur l'état de la production de la journée, préparation des commandes d'achat, examen de la correspondance, mise à jour de la comptabilité, étude des recouvrements et de la trésorerie, et j'en passe. Et c'est la même chose pour le patron chef d'atelier.

Le dilemme est que le même homme ne peut tout faire de façon également satisfaisante et que, par définition, la PME, pour beaucoup de tâches, ne dispose pas de ressources autres que son patron. Où se trouve la solution?

Il faut d'abord prendre pour acquis que le patron s'occupera avant tout de ce qui l'intéresse, ce qui est bien puisque c'est là où il donnera généralement son meilleur rendement. Pour le reste, il y a certaines règles à observer:

- le patron doit comprendre, au moins en gros, ce que fait chaque employé;
- chaque fois que la chose est possible, le travail doit être planifié à l'avance pour chaque employé de sorte que chacun sache ce qu'il a à faire;
- le patron doit, selon un calendrier rigoureux, vérifier si les travaux ont été exécutés tels que prévus.

Revoyons brièvement ces règles.

Comprendre le travail des employés

Bien sûr, il ne s'agit pas d'en arriver au point où le patron peut tout faire à leur place. Mais, s'il n'a pas une certaine compréhension des activités auxquelles se livrent ses employés, il lui sera impossible de planifier les tâches et de vérifier, par la suite, si le travail est satisfaisant. L'exemple classique est celui du patron qui ne connaît rien à la comptabilité et qui se retrouve un jour avec des livres en désordre et des états financiers erronés. Le chef d'une PME doit donc se donner un programme systématique d'acquisition des connaissances élémentaires relativement aux activités qui ne se rattachent pas à sa spécialité.

Planifier le travail

La première chose à faire, c'est d'inscrire sur un papier, en les groupant par genre d'activités, toutes les tâches qui doivent s'accomplir dans l'entreprise. Ensuite, en regard des tâches, on inscrit le nom des employés à qui on les confiera et on établit un calendrier d'exécution qui ira du quotidien à l'annuel. Enfin, on décide des moments où il faudra faire le point, c'est-à-dire vérifier si les travaux ont été exécutés à l'intérieur des délais prévus.

Dans une PME, il arrive souvent, à l'atelier et encore davantage au bureau, qu'une même personne ait plus d'une tâche à accomplir. Il advient aussi que les vendeurs soient chargés de la perception des comptes à recevoir et qu'à l'occasion on leur confie le soin d'obtenir des renseignements sur l'état du marché. C'est au patron de déterminer, en collaboration avec les intéressés, le déroulement logique des activités. On doit d'abord établir les priorités mais il est important de déceler l'éventualité de temps morts qui abaisseraient la productivité. D'une part, il y a toujours des choses qu'on remet à plus tard. D'autre part, un employé oisif coûte cher en termes d'argent gaspillé et de moral affaibli. Un patron avisé saisira l'opportunité et, avec un peu de prévision, réglera les deux problèmes d'un coup.

Vérifier l'exécution des travaux

Parce que nous avons négligé de surveiller le déroulement de certaines activités, il nous est arrivé à tous, un jour, de nous rendre compte tout-à-coup qu'elles ne s'étaient pas passées comme prévu. Le plus souvent, on réussit à limiter les dommages. Mais il y a aussi des cas plus sérieux comme celui du patron qui s'est fié à un comptable incompétent et se retrouve un jour dans une situation financière sans issue.

Dans une PME, une première évaluation des résultats des activités des employés peut se faire au niveau de cadres comme un chef d'atelier ou un directeur des ventes, dont le patron contrôle les activités. Dans bien des cas, le patron est seul en position de vérifier dans les détails ce qui s'est passé et de porter un jugement de valeur. La plupart des chefs de PME sont des hommes tournés avant tout vers l'action et le contrôle n'est pas une fonction qu'ils exercent avec plaisir. Ils doivent cependant y consacrer le temps voulu. Rappelons que le contrôle n'est valable que s'il est systématique et méthodique, c'est-à-dire qu'il doit se faire selon une fréquence qui ne laisse pas de place à la possibilité de lacunes et être assez rigoureux pour révéler les écarts sérieux à la règle. On trouvera utile d'inscrire quelque part les dates des vérifications régulières ou occasionnelles à effectuer.

GESTION QUOTIDIENNE ET PLANIFICATION
Roger Charbonneau

Le mot *planification* et ceux qu'il sous-entend, *objectifs, politiques*, n'ont pas la même portée dans la PME et dans la grande entreprise. Les décisions à moyen terme de la PME sont généralement moins complexes à prendre et demandent des moyens beaucoup plus simples que dans la grande entreprise. On dit souvent qu'un des avantages de la PME, c'est la flexibilité: généralement moins mécanisée que la grande entreprise, ayant moins de frais fixes et moins d'engagements à long terme, elle peut plus facilement changer de direction. Dans ce sens, elle n'a pas à pousser aussi loin sa planification.

Tout cela pour dire que le patron de PME ne doit pas exagérer l'importance des questions d'objectifs, de politiques et de planification à moyen et long terme. La cueillette des données nécessaires à la solution de ces questions se fait pour une très grande part insensiblement, au jour le jour. Si elles ne sont pas complètes, cela se verra quand le patron arrivera à en faire la synthèse, acte essentiel pour qu'il ait une idée claire de ce qu'il pourrait faire et de ce qu'il doit faire. Si vous désirez connaître la valeur de votre planification, inscrivez sur un bout de papier ce que votre entreprise a réalisé avec succès en fait d'initiatives nouvelles l'an dernier. Comme il serait extraordinaire que vous ayez accumulé des succès sans avoir pensé à l'avance et préparé votre action, la longueur de la liste sera proportionnelle à la qualité de votre planification. Vous en saurez encore davantage en remontant trois ou cinq ans en arrière et en comparant la longueur des diverses listes.

Le patron et les travaux de bureau

Il arrive souvent qu'un employé ait à accomplir plusieurs tâches. Cela se produit particulièrement dans la PME où on ne peut pas faire autrement parce qu'aucune des tâches ne comporte assez de volume pour occuper une personne à plein temps. De sorte que, comme c'est généralement la plus importante des tâches confiées qui détermine le salaire, l'employé est surpayé quand il accomplit des tâches de qualité inférieure. Cela n'est pas très grave dans le cas de subalternes mais ce l'est dans celui du patron, quand il se mêle d'exécuter certains travaux dans le bureau. *Il sera alors payé quatre ou cinq fois trop cher et, ce qui est aussi sérieux,* il manquera de temps pour accomplir des fonctions de direction. Certains de ces travaux sont d'importance tout à fait secondaire ou de caractère routinier. Le patron ne doit pas y toucher. Par exemple, il est inutile qu'il prenne connaissance de tout le courrier et qu'il dicte toutes les réponses. Il ne doit pas perdre son temps à rechercher des documents dans les classeurs ou à les y remettre ou à faire les dépôts à la banque. D'autres travaux de bureau comportent un élément de contrôle, comme l'examen des factures d'achat et de vente, des encaissements ou la signature des chèques. Un système simple de rapports remplacera souvent avec avantage ces vérifications et études.

Pour se rendre compte du temps que l'on consacre — temps souvent perdu — à exécuter des tâches de nature inférieure, on notera ou on fera noter par sa secrétaire pendant une semaine tout ce qu'on fait chaque jour en matière de travaux de bureau et le temps qu'on met à chaque tâche. On analysera le tableau qui en résultera et on décidera ce que le patron doit conserver. Le reste sera délégué tel quel ou après modifications. Notons en passant que ce petit exercice amènera souvent l'élimination complète de certaines tâches inutiles, qu'on aura continué jusque-là d'exécuter par habitude, et la simplification d'autres travaux.

De la délégation

Pour la deuxième fois dans cette série d'articles, nous venons de parler de délégation. Voyons de plus près de quoi il s'agit.

Déléguer, c'est accorder à quelqu'un l'autorité et lui confier les responsabilités relatives à l'exercice de la décision, dans un champ donné d'activités. On est généralement amené à déléguer parce qu'on a trop à faire et on le fait en laissant aller ce qui est moins important en regard de l'ensemble de ses tâches. Selon ce principe, comme nous l'avons déjà dit, la dernière chose qu'un patron de PME déléguera, c'est l'autorité de prendre des décisions en matière d'administration générale. Mais cette position ne doit pas être étirée jusqu'au niveau des tâches administratives inférieures. Il est en effet un principe qui veut que la prise de décision doit être déléguée au plus bas niveau, dans l'échelle hiérarchique, qui soit capable de s'en charger avec succès. Dans le cas des travaux de bureau, ce subalterne aura quand même des responsabilités assez importantes. Une bonne secrétaire sera toute désignée pour le poste.

Aussi longtemps que l'entreprise demeurera petite, cette secrétaire sera la seule personne à qui le patron déléguera des tâches administratives. Comme il sera indiqué qu'avec le temps le niveau de ces tâches soit de plus en plus élevé, il faudra tenir compte, au moment du choix initial, des qualités requises à terme.

Pour terminer, quelques notes brèves:

- la délégation suppose de la part du délégant qu'il prend à charge la formation du délégué: en conséquence, ne déléguez pas une tâche aussi longtemps que vous n'en aurez pas clairement conçu la portée et les moyens de l'exécution;
- chaque fois que vous déléguez, établissez à l'avance comment vous contrôlerez les résultats;
- déléguez l'autorité d'autant plus facilement qu'il s'agit de cas qui se répètent. Réservez-vous les cas particuliers importants.

Une fois dégagé des tâches mineures et accaparantes, vous verrez votre entreprise d'un oeil plus objectif. Vous pourrez diriger et planifier de façon beaucoup plus efficace.

POLITIQUES DE VENTE

Roger Charbonneau

Le but de toute entreprise, c'est de combler un besoin, en qualité et en quantité, en vendant avec bénéfice un produit ou un service. Toutes les autres activités sont subordonnées à celle-là.

La vente est une question complexe aux aspects infiniment variés. La première question à se poser quand on envisage de vendre un article ou un service est la suivante: "Y a-t-il un besoin véritable?" Si la réponse est affirmative, on se posera une deuxième question: "Ce besoin est-il satisfait par des produits ou des services déjà existants?" Ces deux questions sont la base de ce qu'on appelle une étude de marché.

Dans la PME, les études de marché sont relativement simples à réaliser. En effet, surtout au point de départ, le marché est local ou, tout au plus, régional. Le patron de la PME le connait de première main. Il est donc en mesure de constater visuellement les besoins incomplètement ou pas du tout satisfaits. Dans le premier cas, de beaucoup le plus fréquent, il pourra s'agir d'un trou dans la gamme de qualité ou de prix, dans la régularité de l'approvisionnement, les méthodes de vente ou le service après-vente. Dans le second, il y a carence totale et il faudra créer un produit véritablement nouveau, c'est-à-dire inventer.

En visitant la clientèle

De toute façon, l'enquête sur le marché se fera presque insensiblement. En visitant la clientèle, on notera ce qu'offrent les concurrents en termes de variété de produits et de conditions de vente. Parfois, le client informera le fournisseur qu'il existe une demande pour un produit donné. Les fournisseurs d'une PME sont également une excellente source de renseignements. En les questionnant, on peut apprendre bien des choses sur ce que font d'autres de leurs clients PME. Et puis, si ces fournisseurs sont de grandes entreprises, ils auront fait des enquêtes sur le marché dont vous bénéficierez à titre de revendeur de leurs produits. Il faut prendre l'habitude de traiter les fournisseurs non pas comme des gens à qui on fait la faveur de les recevoir, mais bien pour ce qu'ils sont (ou du moins peuvent être): des informateurs précieux.

C'est dans le même esprit qu'un fabricant ou un grossiste doit utiliser ses vendeurs. Bien sûr, leur première tâche est de vendre produits ou services. Mais combien utiles ils peuvent être en observant ce qui se passe chez les clients, en notant d'une visite à l'autre les changements dans l'étalage des produits; en écoutant les demandes et les réflexions des clients du client, en faisant parler celui-ci de ses problèmes (ce que les gens adorent généralement faire, dès qu'ils en ont le temps). Tout ce qui en vaut la peine sera rapporté au patron et c'est ainsi que se poursuivra une enquête permanente sur le marché, qui indiquera de temps en temps que le moment est venu d'offrir un nouveau produit, de s'attaquer à une nouvelle clientèle ou de changer de méthode de vente.

Faire autrement — et mieux

Car, il faut bien comprendre que la connaissance du marché, c'est bien plus que celle des besoins en termes de produits. Par exemple, on pourra élargir sa part du marché simplement en faisant autrement que les concurrents en matière de rapidité et de régularité de livraison. Un autre exemple: dans le cas de produits où la marge de bénéfice brut est forte, une entreprise financièrement solide pourra, surtout en temps de taux d'intérêt élevés, se gagner de nouveaux clients en accordant des crédits plus longs que ceux des concurrents. Au fond, ce qui est important, c'est d'utiliser activement — et non passivement, tout simplement parce qu'ils sont coutumiers — tous les éléments qui constituent les relations entre fournisseurs et clients: le produit, l'emballage qui contribue à égayer les étalages, le prix, la livraison efficace, le crédit, la reprise des invendus, le service après vente, la façon de rejoindre la clientèle, la publicité. Il est donc indiqué que le chef de PME revoie de temps en temps ses politiques à l'égard de chacun de ces élements de vente et qu'il les compare avec ce qu'il sait de celles de ses concurrents. L'information en question ne s'obtiendra que si l'on a formé les vendeurs à la recueillir systématiquement, par exemple, en lui réservant une place dans leurs rapports. Le patron en fera ensuite la synthèse. Il y trouvera toujours une source d'innovation.

Et les vieux produits...?

À ce propos, il est devenu courant d'affirmer, en citant des exemples impressionnants, que l'avenir est aux entreprises qui renouvelleront rapidement leur gamme de produits. L'affirmation est incontestable, surtout à long terme, mais elle ne doit pas orienter une entreprise vers la recherche trop exclusive de nouveaux produits. Nous connaissons des entreprises dont les ventes sont constituées pour plus d'un tiers de produits vieux de 25 ou 30 ans, dont ni la composition ni la présentation n'ont été rajeunies. Ces produits sont généralement très rentables et continuent de se vendre tout simplement parce qu'on a amélioré certains éléments des relations fournisseur-client dont nous avons parlé plus haut.

Il ne faut pas se laisser impressionner par ce qui se passe ailleurs. Chaque PME doit tailler le patron de sa progression selon sa propre situation.

———————

LA PME ET LA FABRICATION

Roger Charbonneau

La PME industrielle s'en tient généralement à poursuivre l'un ou l'autre de deux objectifs:
— Ou bien elle fabrique plusieurs produits destinés aux consommateurs situés dans un marché plus ou moins étendu.
— Ou bien elle fabrique quelques produits spécialisés pour un marché industriel constitué d'un petit nombre de clients.

Fabrication courante

Dans le premier cas, il s'agit de produits qui n'offrent pas de grandes difficultés de fabrication et que la PME réussit à produire aussi bien et parfois mieux que la grande entreprise. Ces produits étant rarement l'objet d'innovations radicales, les moyens de production sont amortis sur de longues périodes, ce qui abaisse le prix de revient. Le fabricant peut donc assurer au détaillant une marge confortable de bénéfice brut et l'intéresser à pousser le produit sans avoir à le soutenir par une publicité coûteuse.

Fabrication spécialisée

Le deuxième cas est celui de la fabrication, pour une clientèle particulière et limitée, de produits qui n'intéressent généralement pas la grande entreprise puisque, tant au point de vue de la fabrication qu'à celui de la vente, ils ne correspondent pas aux moyens qu'elle met traditionnellement en oeuvre. L'industrie de la sous-traitance, c'est-à-dire la fabrication, ordinairement pour un seul client industriel, de produits destinés à être intégrés à d'autres sans modification, peut être rattachée à ce deuxième cas.

Un risque: les immobilisations

La PME qui a choisi la première voie doit toujours évaluer le danger que représente l'investissement de fonds considérables dans des immobilisations (terrains, immeubles, machinerie et outillage) alors qu'elle ne sait pas encore si elle atteindra ses objectifs de vente. C'est pourquoi il est souvent indiqué de commencer par confier la fabrication, en tout ou en partie, à d'autres entreprises. Par exemple, on pourra trouver avantageux de fournir la matière première, de faire exécuter sous contrat la fabrication proprement dite et de se réserver l'assemblage qui requiert une main-d'oeuvre beaucoup plus restreinte. Cette politique diminuera considérablement les risques inhérents aux investissements durables. On pourrait croire qu'elle augmentera le prix de revient. Cela est loin d'être sûr. Il arrivera souvent que l'entreprise à laquelle on aura confié la fabrication offrira des conditions et des prix avantageux, soit parce qu'elle est particulièrement bien équipée pour fabriquer le produit mais n'est pas intéressée à le mettre elle-même sur le marché, soit parce qu'elle cherche à utiliser davantage sa capacité de production pour couvrir ses frais fixes.

La flexibilité des PME

Le propriétaire des produits pourra ainsi concentrer ses efforts sur la recherche et la conception de nouveaux produits, tout en orientant ses activités courantes vers la mise en marché. Ce qu'il importe de retenir ici, c'est que la force de la PME réside avant tout dans sa flexibilité, sa capacité d'adaptation aux changements. C'est donc en tout dernier ressort, quand elle est sûre d'en retirer un avantage permanent, que la PME peut se permettre d'investir dans des actifs durables.

Des études faites aux États-Unis ont démontré que dans le cas de 70% des industries, ce sont les usines de moins de 250 employés qui sont les plus efficaces. Si on exclut les voitures et les produits du pétrole, 58% des biens de consommation peuvent être fabriqués économiquement pour un bassin de population de 1 000 000 de personnes. Il y a évidemment à cela des raisons purement techniques. Par exemple, de nouveaux procédés de fabrication ou de nouvelles matières premières permettent à de petites usines récentes d'obtenir des prix de revient plus bas que ceux d'usines désuètes beaucoup plus importantes. Et il restera toujours que là où la main-d'oeuvre est un élément important des coûts, les relations personnelles que le patron de PME entretient avec elle permettent une plus grande efficacité d'utilisation.

Le cas de la fabrication de produits spécialisés destinés à un petit nombre de clients est bien différent du premier. D'abord, leur production présente généralement des difficultés techniques. Or, comme la haute qualité est presque toujours un élément essentiel de succès, il devient très difficile de se fier à un autre fabricant. Ensuite, aussi longtemps que l'entreprise fabrique peu de produits, sa survie est menacée par les innovations technologiques de ses concurrents. Il lui faut donc compter sur sa capacité propre de développer autre chose, le plus souvent en étendant à d'autres produits l'idée qui est à la base du produit original.

La recherche dans la PME

C'est un fait qu'une forte proportion des brevets d'invention est obtenue par des PME. Malheureusement, beaucoup de ces brevets demeurent inexploités. Bien sûr, Edison, Land et bien d'autres inventeurs ont bâti leur succès sur l'exploitation d'idées nouvelles. Et cela continue. Mais pour réussir dans cette voie, la PME doit observer, entre autres, les règles suivantes:

1) De façon générale, une PME ne peut s'orienter vers la recherche de base (celle qui précède la recherche d'applications pratiques) parce qu'elle n'a pas les moyens de s'engager dans des travaux dont la rentabilité est lointaine et incertaine.

2) Un brevet d'invention n'a vraiment de valeur que si on a les fonds pour se défendre contre les imitateurs. Une PME doit le

plus souvent se résigner à partager son marché avec des concurrents directs qu'elle n'a pas les moyens de neutraliser.

3) Parce que ses ressources ne lui permettent pas de risquer plusieurs échecs successifs, la PME doit éviter les champs d'activité industrielle sujets à de constantes innovations.

Concluons en disant que la PME réussit remarquablement bien dans le champ de la recherche appliquée qui consiste à se servir des connaissances reçues pour créer de nouveaux produits. Pour la PME, faire de la recherche c'est le plus souvent viser à trouver le produit que le client désire et à l'exploiter sur une base régionale. Et il ne lui suffira pas d'être magnifiquement organisée en termes de production. Elle ne peut être gagnante que le jour où elle sera dans la course en matière de vente et de marketing.

LA PME ET SON PERSONNEL
Roger Charbonneau

"Dans la PME, le patron n'est jamais loin de ses employés. Leurs relations reposent sur la confiance mutuelle et le patron peut traiter chaque employé comme un cas particulier, se montrer compréhensif et humain."

"Comme le patron de la PME est le seul maître à bord et que ses employés ne bénéficient pas de protection contractuelle (lisez: syndicale), il peut impunément agir de façon dure et arbitraire."

"Dans la PME, les salaires et les avantages sociaux sont généralement moins généreux que dans la grande entreprise."

"Le patron de PME, connaissant bien son monde, peut distinguer le mérite individuel et le récompenser adéquatement."

"Il y a peu de sécurité d'emploi dans la PME."

"La PME ne dispose pas de personnel de réserve. C'est ainsi qu'en temps de crise, elle ne licenciera pas facilement de bons employés qu'elle pourrait bien ne pas retrouver ou remplacer adéquatement. Encore plus que la grande entreprise, la PME se doit de créer chez ses cadres et ses employés spécialisés un sentiment de sécurité d'emploi."

Des problèmes complexes

Les affirmations contradictoires qui précèdent comportent toutes une part de vérité et elles font ressortir la complexité des problèmes de personnel dans les PME. Comment résout-on ces problèmes dans la pratique?

Rappelons que les principales raisons qui amènent un individu à travailler dans une entreprise donnée sont les suivantes:
— la rémunération courante et les avantages sociaux;
— la sécurité d'emploi;
— les conditions de travail, en matière de relations humaines et de milieu matériel;
— la possibilité de progrès personnel.

Il s'agit pour la PME d'attirer et de retenir les individus pour qui elle représente le moyen d'atteindre leurs objectifs. Pour cela, elle doit jouer franc jeu, c'est-à-dire pousser au maximum les avantages qu'elle offre réellement mais ne pas promettre plus qu'elle ne peut tenir. Voyons comment, dans ces conditions, se présente la situation par rapport aux quatre éléments mentionnés ci-dessus.

La rémunération et les avantages sociaux

Surtout au début de ses activités, un patron de PME est généralement très conscient de l'importance de maintenir au plus bas ses coûts d'exploitation. C'est une des raisons pour lesquelles il dépense personnellement tellement de temps et d'énergie. De même, il est naturellement porté à économiser sur les salaires et à se contenter d'un personnel de moindre qualité parce qu'il croit, souvent avec raison, qu'en ayant l'oeil à tout, il pourra déceler à temps les faiblesses de ses employés et les compenser par son activité personnelle.

De plus, par tempérament, il ne tend pas à se préoccuper du besoin de sécurité de ses employés qui se manifeste par la recherche de certains avantages sociaux (assurances diverses, pensions). D'ailleurs, il se méfie instinctivement de ce terrain qu'il connaît généralement très mal et où il risque de prendre des engagements dont la portée n'est pas facilement mesurable.

Les collaborateurs immédiats

Par ailleurs, le patron de PME qui comprend bien son intérêt paiera largement les deux ou trois cadres qui l'assistent. D'abord parce qu'après quelques années, ils constituent un placement en termes d'expérience et d'intégration à l'entreprise et, normalement, de loyauté et de fiabilité. Les laisser partir c'est, à moins d'une chance rare, recommencer pratiquement à zéro avec un successeur qu'il faut entraîner et éprouver.

Et puis, si les tâches de chaque cadre sont bien définies, il est relativement simple de relier une partie de leur rémunération aux résultats qu'ils obtiennent dans leur champ d'activité. Dans le cas où cela n'est pas possible, on peut utiliser un système de boni fondé sur les résultats d'ensemble de l'entreprise; cela se justifie puisque, dans une PME, le nombre restreint de cadres permet à chacun de prendre intérêt à la bonne marche de l'affaire et d'y contribuer à sa manière et dans la mesure de ses moyens.

Par contre, il est généralement difficile de justifier la vente d'actions aux employés de l'entreprise. Elles n'ont pas de marché à moins que le patron s'engage à les racheter; il risque alors que le moment choisi par le cadre soit inopportun pour lui. Enfin, un patron de PME doit conserver la liberté de choisir la façon de se rémunérer et de rémunérer son capital. Or, il est clair que les cadres actionnaires ne souhaiteront pas nécessairement la même répartition que la sienne en termes de salaires, d'intérêts et de dividendes.

Suivre le courant ou innover?

Depuis quelques années le contexte social force la PME à accorder à ses employés certaines formes d'avantages sociaux. La mode est en effet à la protection forcée de l'individu par la société et à celle de l'employé par l'entreprise. La fiscalité elle-même est utilisée à cette fin, puisqu'elle permet à l'entreprise de déduire de son revenu imposable des contributions à divers régimes d'assurance, de retraite et de participation aux bénéfices sans que l'employé-bénéficiaire soit simultanément soumis à l'impôt qui s'attache normalement à une telle rémunération indirecte.

Il peut être tentant pour une entreprise d'encourir des frais dont la collectivité paie une partie par le jeu de l'impôt. Et d'aller contre l'esprit de son temps et de refuser d'imiter la concurrence. Mais il faut se souvenir que les avantages sociaux ne représentent qu'un aspect des besoins des employés et qu'ils doivent être établis en tenant compte des autres conditions de travail. De plus, dans leur sens le plus large, les mots "avantages sociaux" désignent une foule de compensations qu'on oublie facilement comme les vacances annuelles, les congés de toutes espèces, les repas à bon marché à la cafétéria de l'entreprise, l'achat à escompte des produits ou des actions de l'entreprise, etc. Avant de décider ce qu'il accorde à ses employés, le patron de PME doit en mesurer soigneusement le coût et, dans bien des cas, recourir aux services d'experts.

La sécurité d'emploi

Elle dépend évidemment avant tout de la santé de l'entreprise... et de l'idée que le personnel s'en fait. Les grands organismes, publics ou privés, présentent naturellement une image plus sécurisante que la PME. Et les statistiques relatives à la survie de celle-ci ne sont pas encourageantes. Par ailleurs, il ne faut pas confondre la PME qui débute et celle qui a vécu quelques années et surmonté les difficultés initiales. Le patron d'une PME prospère peut dissiper les appréhensions de ses cadres en leur révélant en détail la situation financière de l'entreprise.

Une autre cause possible d'insécurité pour les employés de la PME réside dans le fait que des cadres sans contrat de travail et des employés non syndiqués se trouvent en face d'un patron omnipotent, dont les décisions sont sans appel. Cela est vrai mais le patron peut se donner une autre image s'il sait soigner ses relations avec son personnel. Il ne faut pas perdre de vue que, pour certains individus, la sécurité n'est pas l'élément le plus important du choix d'un emploi.

Les conditions de travail

Ici, si elle veut s'en donner la peine, la PME peut présenter de nombreux avantages par rapport à la grande entreprise et à la fonction publique. Dans la PME c'est presque toujours le patron qui interviewe et choisit un candidat à un poste. Il a ainsi l'occasion non seulement de juger de la valeur professionnelle ou technique de l'individu mais d'évaluer sa capacité d'adaptation au style de management en vigueur. Si l'entrevue est bien menée, il y a de bonnes chances qu'elle soit à la base de solides relations. Dès le départ, il s'établit en effet entre les intéressés un lien personnel qui devrait faciliter leurs rapports subséquents.

Et puis, la taille d'une PME permet au patron d'avoir des relations directes avec chacun de ses employés de confiance. Il peut s'intéresser à leur travail, déceler rapidement leurs qualités et défauts et leur fournir l'occasion d'affirmer leurs talents. Ces relations professionnelles amèneront insensiblement une certaine intimité entre patron et cadres. Dans bien des cas, le patron connaîtra suffisamment la vie privée du cadre pour en tenir compte dans leurs rapports de travail, pour leur avantage réciproque. Le danger, c'est que les relations tournent au paternalisme, c'est-à-dire que le patron cherche à dominer le cadre sur tous les fronts, ou que celui-ci joue sur les sentiments et exploite celui-là. Il faut donc être prudent des deux côtés: l'amitié s'inscrit parfois difficilement dans les relations d'affaires.

Une des tâches primordiales du patron, c'est de bien former son personnel. On est parfois stupéfait quand on compare l'intérêt que porte le patron au choix, à la mise en place et au rodage d'une machine à celui qu'il manifeste dans la sélection, l'insertion dans l'entreprise et l'entraînement d'un cadre. Il arrive souvent que l'entrevue d'emploi et l'initiation aux fonctions soient bâclées et que l'employé soit laissé à lui-même quant à l'acquisition de sa formation. Le patron aura intérêt à faire de temps en temps un examen de conscience à cet égard.

Un mot du problème particulièrement difficile de l'utilisation du diplômé universitaire dans la PME. Elle amène fréquemment des déboires des deux côtés. De celui du patron, la cause principale tient peut-être à une méconnaissance de ce que le diplômé peut et ne peut pas faire, de sorte qu'il en attendra trop ou trop peu. Quant au diplômé, qui en est souvent à son premier emploi permanent dans l'administration, il ne fait pas facilement le lien entre la généralité des connaissances qu'il a acquises et la réalité d'une entreprise donnée. Le patron a donc intérêt à se faire expliquer à fond par des personnes compétentes les conditions de travail qui assureront l'utilité du diplômé dans l'entreprise. Il pourra alors préciser le rôle que celui-ci est appelé à jouer. Il s'agit essentiellement de mettre les choses au point de part et d'autre, de façon à éviter les désillusions.

Les conditions de travail présentent aussi des aspects matériels dont il faut plus que jamais se préoccuper. La santé au travail est devenue avec raison un thème à la mode et il a sa place aussi bien au bureau qu'à l'usine. Il ne s'agit pas seulement de santé physique; c'est souvent une question de maintenir un moral élevé chez le personnel. Éclairage, température, mobilier, décoration sont tous des éléments qui contribuent à la satisfaction du personnel et à la productivité. Il suffit souvent de corriger des détails pour que les gens soient heureux. Que le patron prenne la peine d'occuper pendant un moment la place d'un employé; il se rendra vite compte de ce qui pourrait être amélioré à peu de frais.

La possibilité de progrès personnel

Pour l'employé, c'est sûrement, avec la rémunération, la condition de travail la plus recherchée. Cela se comprend puisqu'elle est la source d'une meilleure rémunération éventuelle, suscite un sentiment bien naturel de satisfaction et rend le travail plus intéressant.

Le patron peut contribuer de bien des façons au progrès de l'employé. Par exemple, il lui parlera fréquemment des buts que l'entreprise poursuit en mettant particulièrement en valeur le rôle de l'employé. Dans le cas d'un cadre, le patron lui fera confiance en lui déléguant des responsabilités de plus en plus grandes. Il suscitera les occasions de discuter avec lui des tâches qui lui sont confiées et lui exprimera franchement son évaluation de la personnalité, des aptitudes et des progrès du cadre. Il est important que patron et cadre s'entendent sur cette évaluation. Autrement, il faut prévoir une séparation à brève échéance.

Conclusion

L'image que la PME projette en termes de rémunération, de sécurité d'emploi et de possibilité de progrès de l'employé est souvent fausse. La réalité, c'est qu'un bon employé trouvera son compte dans une PME où le patron se donne comme tâche primordiale d'assurer la satisfaction de ses collaborateurs.

FINANCES ET PME

Roger Charbonneau

Beaucoup d'entreprises disparaissent parce qu'elles ont mal géré leurs finances. Voyons les principaux motifs de ces échecs.

Sources et utilisation des fonds

Le passif de l'entreprise indique la source des fonds qu'elle s'est procurés. L'actif montre l'usage qu'elle en a fait.

Les sources de fonds sont de deux sortes:

1) Ceux qui proviennent des tiers, soit a) les dettes et emprunts à court terme, b) les emprunts à moyen et long terme.

2) Ceux que le propriétaire a placés ou laissés dans l'entreprise (capital et surplus).

Chaque élément du passif à court terme a une vie brève mais, dans des conditions normales, il se renouvelle constamment. Les emprunts consentis à l'entreprise pour des périodes fixes peuvent être assimilés au capital jusqu'à ce qu'ils arrivent à moins d'un an de leur échéance. Mais, ils devront un jour être remboursés, à moins qu'il y ait substitution par des emprunts de même nature. Somme toute, seuls le capital et le surplus peuvent être considérés comme une source permanente de fonds.

En regard de ces diverses sources de fonds, on trouve des utilisations parallèles:

1) Certains éléments d'actif sont en constante évolution. Ils se font et se défont à chaque instant de la vie de l'entreprise. Ce sont: l'argent (ou l'équivalent), les comptes à recevoir et les stocks.

2) D'autres éléments d'actif ont une certaine durée (terrains, bâtiments, machines, mobiliers).

Un des principes de bonne finance c'est d'apparier les postes d'actif et de passif de même nature. Ainsi l'actif liquide et réalisable à court terme est relié au passif à court terme (la différence étant le fonds de roulement).

De même, on rapproche l'actif durable et les dettes à moyen et long terme. Dans chaque cas, fonds de roulement et postes à long terme, il doit y avoir un solde positif. Autrement dit, pour que la situation financière soit saine, le propriétaire doit contribuer, par l'intermédiaire de la valeur nette de l'entreprise, au fonds de roulement et aux immobilisations.

La règle de l'appariement n'est pas inflexible. Il arrive qu'une institution financière avance des fonds à moyen terme pour élargir le fonds de roulement. Par ailleurs, de façon générale, il est dangereux de financer les immobilisations en encourant des dettes à court terme. L'entreprise peut considérer la situation comme temporaire et se proposer de la corriger en trouvant un prêteur à moyen ou long terme. Le danger, c'est que cette solution s'avère impossible.

Le fonds de roulement

Des deux côtés, actif et passif, le fonds de roulement est fait d'éléments sans cesse en mutation. Le stock devient comptes à recevoir qui se transforment en argent qui sert à payer les fournisseurs et ainsi de suite. Toutefois, pour diverses raisons, à certains temps de l'année, l'importance des divers éléments du fonds de roulement varie. Quand on a accumulé des stocks en vue de ventes futures l'encaisse diminue; si elle s'épuise, il faudra recourir davantage au crédit des fournisseurs; une fois atteint le maximum qu'ils veulent bien accorder à l'entreprise, celle-ci s'adressera à une institution financière. La situation se prolongera aussi longtemps que les stocks n'auront pas été vendus et payés.

Les coefficients utilisés pour mesurer l'état de santé du fonds de roulement ne permettent pas toujours de déceler la situation réelle. Par exemple, le fonds de roulement peut être constitué de stocks qu'on ne vendra pas avant plusieurs mois et de crédits consentis aux clients à des conditions beaucoup plus généreuses que celles que les fournisseurs ont accordées.

Côté actif, il faut se rappeler que

1° les stocks de marchandise ne rapportent rien. Au contraire, ils coûtent de l'argent. Par ailleurs, si l'on veut satisfaire la clientèle, il est évidemment nécessaire d'avoir un certain assortiment. Enfin, l'achat en quantités amène souvent des escomptes. Il s'agit d'établir ce que coûtent les avantages par rapport à ce qu'ils rapportent. Ça se fait et plus facilement qu'on ne le croit généralement.

2° l'entreprise doit prendre garde de jouer vis-à-vis de ses clients le rôle de banquier (à moins que ce soit une tactique voulue et réfléchie de marketing). En période de taux élevés d'intérêt, cela arrive... Par ailleurs, il se peut que pour obtenir des conditions prolongées de crédit, un client accepte de recevoir des stocks excédentaires. Cela peut être une bonne opération pour l'entreprise, étant donné le coût de conserver ces stocks dans son entrepôt.

3° on ne doit jamais laisser dormir des fonds en banque, même pour de courtes périodes, sous prétexte que "c'est trop de trouble de les placer". Il y a aujourd'hui diverses façons de le faire et ça rapporte. Votre banque ne vous en voudra pas: au contraire, elle vous trouvera avisés.

Côté passif, signalons

1° que l'entreprise doit profiter au maximum, après une entente appropriée, du crédit de ses fournisseurs. Ceux-ci ne demandant généralement ni intérêt ni garanties, cela laisse à l'entreprise la possibilité d'utiliser à ses fins, auprès des institutions financières, l'actif correspondant.

2° que, pour répondre aux besoins de la période de pointe, elle doit négocier à l'avance avec une institution financière le maximum de l'emprunt, les garanties à donner, les termes de remboursement et le taux d'intérêt. Il ne faut pas attendre la crise pour aller voir le médecin.

Actif immobilisé et passif à moyen et long terme

Le lien entre ces deux éléments de bilan a été noté plus haut. Il existe sous deux formes. D'une part, l'actif immobilisé servira de garantie au passif à moyen et long terme, ce qui sous-entend que la vie utile du premier sera au moins aussi longue que la durée du remboursement du second. D'autre part, l'entreprise compte que l'actif produira les revenus nécessaires au remboursement du passif (par le jeu de l'amortissement), au paiement des intérêts sur la dette et à une rémunération du capital du propriétaire.

On peut s'imaginer que le prêteur, souvent une institution expérimentée, verra à ce que tout se passe dans l'ordre. La réalité prouve que cela n'est pas toujours vrai. Pourquoi? Les raisons sont multiples. En voici quelques-unes:

1° les amortissements portés aux livres et normalement inclus dans le prix coûtant de la fabrication sont plus faibles que la perte réelle de valeur de l'actif. Cela peut arriver parce que l'entreprise prend mal soin de l'actif ou parce qu'à cause de changements technologiques, celui-ci devient désuet. Dans les deux cas, il faudra le renouveler avant qu'il ne soit complètement amorti et, souvent, avant qu'on ait fini de rembourser le passif qui lui est relié.

2° durant les premières années, l'amortissement accordé par l'impôt dépasse celui que l'on peut considérer comme normal et sur lequel est fondé le remboursement de la dette. Il y a alors risque que l'entreprise utilise à d'autres fins les fonds rendus ainsi disponibles et qu'elle ne les retrouve plus quand l'amortisse-ment fiscal sera inférieur à l'amortissement normal.

3° l'entreprise n'aura pas suffisamment tenu compte de l'amortissement dans ses coûts et ne l'aura pas compté en entier dans ses prix de vente. Cela est fréquent dans les périodes où l'atelier ou l'usine ne tourne pas à plein. L'amortissement n'est pas un déboursé et il est facile d'oublier sa raison d'être qui, de nature, est à long terme.

4° le taux de l'intérêt sur la dette est fixe pour la durée de celle-ci. Le taux de rendement de l'actif immobilisé est variable selon l'utilisation que l'on en fait, laquelle dépend de l'état de l'économie. Une série de mauvaises années et l'entreprise ne peut plus payer l'intérêt sur la dette.

Il est donc important que le capital propre de l'entreprise soit utilisé pour une partie du coût d'acquisition de l'actif immobilisé. C'est sur lui qu'on pourra reporter, s'il y a lieu, les erreurs dans la prévision de l'amortissement et c'est lui qui ne sera pas rémunéré si le taux de l'intérêt sur la dette dépasse celui du rendement de l'actif. Ce n'est pas là une situation souhaitable et, pour éviter qu'elle ne se produise, il faut calculer soigneusement le rende-ment net de l'actif qu'on pense à acquérir et s'accorder une marge généreuse d'erreur possible. Les prévisions de rendements mirifi-ques reposent généralement sur des calculs incomplets ou trop optimistes.

Rappelons enfin qu'il est très souvent possible de remplacer les achats d'immobilisations par des locations. Le coût final n'en est pas nécessairement plus élevé et, dans le cas d'une société à ses débuts, il peut être avantageux de ne pas immobiliser de fonds dans un terrain, un immeuble et de la machinerie avant de savoir comment les choses tourneront. Le même avantage peut exister dans le cas de machineries où le risque de désuétude est grand. Cela a été le cas à plusieurs reprises dans l'informatique au cours des vingt dernières années.

Il ne faut pas se nourrir d'illusions. L'équilibre d'un bilan, c'est-à-dire le maintien de chacun de ses éléments à un niveau optimum en relation avec les autres éléments qui lui sont liés, nécessite des calculs fréquents et assez complexes. Il ne suffit pas d'avoir un budget d'exploitation et une prévision de cash flow. Il faut aussi une solide politique de crédit vis-à-vis des clients, de bons rapports avec les fournisseurs et la banque de façon à pou-voir compter sur eux au moment prévu. À ce propos, une réputa-tion d'intégrité a sauvé bien des entreprises à un moment difficile de leur existence. On doit aussi être en mesure d'accumuler ou de réduire rapidement les stocks de produits de toute sorte en ré-ponse à des signaux d'alarme préétablis et sûrs.

L'endettement, en soi, n'est ni un bien ni un mal. Bien utilisé, il sert de multiplicateur des ressources de l'entreprise et permet d'élargir les effets d'une bonne décision. Mal utilisé, il peut entraîner la perte du capital propre d'une affaire et sa faillite.

LA PME ET SON CONSEIL D'ADMINISTRATION

Roger Charbonneau

Il est reconnu que la plupart des PME ne prennent pas au sérieux le rôle d'un conseil d'administration et qu'elles se contentent de satisfaire sur ce point les exigences de la loi. Par ailleurs, on affirme volontiers qu'un conseil d'administration bien constitué réglerait plusieurs des problèmes des PME. Qu'en est-il au juste?

Disons d'abord qu'il n'est pas facile, dans une PME, de recruter et de bien faire fonctionner un conseil d'administration, pour les raisons suivantes:

1° Le patron de PME n'a pas l'habitude de se confier. Or, on ne peut conseiller quelqu'un sans connaître ses objectifs de vie et d'affaires, son caractère, ses forces et faiblesses. Il faut qu'il s'ouvre et accorde sa confiance à ses interlocuteurs. C'est pourquoi beaucoup de chefs de PME sont instinctivement réfractaires à l'idée de se donner un conseil d'administration sérieux.

2° Une condition essentielle au bon fonctionnement d'un conseil d'administration est que les membres aient en main aussi bien toute l'information courante que celle qui concerne l'avenir de l'entreprise; autrement, ils ne pourront pas porter de jugements complets et sains sur les problèmes à résoudre. Or, souvent, le chef de PME ne dispose pas, du moins d'une façon ordonnée et par écrit, de ce genre de renseignement et cela constituera pour lui un obstacle de taille à l'établissement et à l'utilisation d'un conseil.

3° Il n'est jamais facile pour quelqu'un qui se situe à l'extérieur d'une PME d'être vraiment efficace comme membre de son conseil d'administration. S'il appartient au milieu de la grande entreprise, il devra constamment ajuster ses vues à l'échelle des moyens de la PME. Selon mon expérience personnelle, il s'agit d'un problème sérieux. Par ailleurs, l'administrateur qui vient du monde de la PME, n'aura pas à procéder à ce genre d'ajustment mais il devra saisir les caractéristiques particulières à une entreprise spécialisée dans un champ différent de celui où il oeuvre (on imagine mal un concurrent siéger au conseil d'une entreprise) et adapter en conséquence ses avis. Cela exige un assez long apprentissage. Dans ce dernier cas, c'est surtout la connaissance que l'administrateur a des problèmes communs à toutes les PME qui sera utile.

Revoyons plus en détail les questions que je viens de soulever.

L'efficacité du conseil d'administration d'une PME

Il est évident que l'efficacité du conseil dépend avant tout de l'usage que le chef de PME en fera. Je suggère à ce propos qu'au moment où celui-ci recrutera des administrateurs, il leur expose franchement dans le plus grand détail la situation de l'entreprise à tous points de vue et qu'il leur présente sa conception du rôle qu'il leur demandera de jouer. Président et administrateurs examineront alors ensemble les conditions qui favorisent leur collaboration, comme la fréquence des assemblées du conseil, les sujets essentiels à porter régulièrement à l'ordre du jour, les renseignements à communiquer aux administrateurs aux assemblées et entre celles-ci. En pratique, qu'est-ce que cela veut dire?

D'abord, qu'il soit clair que le conseil d'administration *conseille* mais *n'administre pas*. Je m'explique. Le conseil *conseille* en ce sens qu'il —

1° *guide* le président dans l'orientation de l'entreprise et les moyens à prendre pour la réaliser;
2° *discute* avec le président des perspectives économiques, sociales, technologiques et politiques qui peuvent affecter l'avenir de l'entreprise et cherche avec lui les mesures à prendre pour en tenir compte;
3° *donne son avis* au président sur toutes les questions que celui-ci lui soumet;
4° *évalue* le président, les cadres supérieurs et l'état de l'entreprise et suggère des moyens d'améliorer leur performance.

Le conseil *n'administre pas* en ce sens qu'il n'intervient pas dans la gestion courante des affaires. Bien sûr, si le président croit à la valeur des administrateurs, il tiendra compte jusqu'à un certain point de leurs conseils. Mais là s'arrête leur rôle dans l'administration de l'entreprise.

Si le président, refusant de suivre les avis et suggestions du conseil d'administration, s'engage dans des voies ou utilise des politiques inacceptables à celui-ci, les administrateurs pourront être amenés à remettre leur démission. Ce geste négatif constituera leur dernière contribution à la gestion de l'entreprise.

Des débuts difficiles

Quand une PME se donne un conseil d'administration dont les tâches sont à peu près celles que je viens d'indiquer, les débuts seront évidemment difficiles. D'une part, le chef de l'entreprise n'a pas l'habitude de travailler avec un conseil. D'autre part, avant de parler sensément d'objectifs et de politiques, les membres du conseil auront beaucoup à apprendre quant au milieu dans lequel l'entreprise agit, à ses problèmes, à la qualité de son personnel et de ses méthodes de travail, et, s'il s'agit d'une industrie, de ses moyens de production. Pour résoudre la première de ces difficultés, il faut que les membres du conseil apportent un grand soin, chaque fois que l'occasion se présente, à parfaire la formation et élargir les connaissances du chef de la PME. Cela peut se produire à l'occasion de conseils relatifs à des problèmes courants de gestion aussi simples que: comment faire un budget; quels salaires correspondent aux divers postes des employés; quels avantages sociaux faut-il accorder aux employés. Et cela peut aller jusqu'à des considérations sur des achats relativement importants d'immobilisations, le financement à long terme de l'entreprise ou l'ouverture de nouveaux marchés. Il ne faut jamais oublier que la plupart des chefs de PME sont des spécialistes qui, par la force des choses, font de la gestion générale sans y être particulièrement préparés et qu'ils sont le plus souvent très bien instruits de ce qui se passe dans le champ de leur spécialisation mais parfois assez mal informés de questions d'ordre plus général, comme l'évolution de l'environnement socio-économique, qui pourtant toucheront un jour ou l'autre leur entreprise.

Une tâche délicate

Somme toute, vis-à-vis le chef de PME, la tâche des administrateurs en est une de formation et d'information. Il s'agit d'abord de lui apprendre à réunir les données nécessaires à la prise de décision, à former ses cadres, à déléguer et à contrôler en toute connaissance de cause. Puis, de temps en temps, on lui signalera des indices de changement dans le milieu et on l'amènera à réfléchir sur l'avenir de l'entreprise. Enfin, et cela est d'importance vitale, on lui fournira des points de repère qui lui permettront d'évaluer son entreprise, ses cadres et surtout de s'auto-évaluer en vue de fortifier son organisation et éventuellement de préparer sa relève comme patron et sa succession comme propriétaire.

J'ai noté plus haut qu'au point de départ, les administrateurs d'une PME ont à surmonter un handicap sérieux: leur manque

relatif de connaissances précises quant aux activités de l'entreprise. Je rappelle qu'on les aura en effet choisis avant tout pour
leurs connaissances des problèmes généraux des PME, quoiqu'il
puisse arriver qu'on ait recours à des spécialistes, par exemple, un
ingénieur. Je ne crois pas qu'un conseil de PME devrait être
composé surtout de spécialistes. S'il l'est, il faut que ceux-ci aient
acquis leur expérience dans le milieu des PME, par exemple, à
titre de clients, de fournisseurs de biens, de services, de crédit, ou
à celui de conseillers. De toute façon, ils doivent apprendre à
connaître l'entreprise. Comment s'y prendre?

Pendant et entre les réunions

D'abord, par des réunions fréquentes du conseil. Être administrateur de PME, ça veut dire être disponible, encore bien
davantage que dans la grande entreprise. Souvent, les réunions
auront lieu à la fin de la journée, pour respecter l'emploi du temps
du président. Parce qu'ils ne sont pas nombreux, les membres
doivent être assidus. La documentation relative aux matières à
discuter doit leur parvenir assez à l'avance pour qu'ils aient le
temps de l'assimiler à fond. Pour bien suivre leurs interventions,
il faut tenir des procès-verbaux précis des réunions, au moins en ce
qui regarde les décisions prises, puisqu'une partie importante de
leurs tâches sera de voir si ces décisions se sont traduites en actes.
Et puis, les administrateurs doivent s'attendre à travailler entre
les réunions, par exemple, en répondant à une demande d'éclair-
cissement ou de conseil du président qui fait appel à la compétence particulière d'un administrateur. Il y a les rapports à lire.
Et puis, il y a aussi lieu de rencontrer de temps en temps, aux
réunions du conseil ou à des occasions suscitées à cet effet, les
cadres de l'entreprise, avec l'objet de connaître leurs vues sur
celle-ci et aussi de les évaluer. De même, il est utile aux administrateurs de visiter de temps en temps les ateliers et les bureaux de
l'entreprise. Cela leur permettra de mieux comprendre les problèmes qu'on leur soumettra et également de voir la tenue des lieux.
Souvent, à la suite de ces visites, les administrateurs pourront
faire des suggestions pratiques visant à l'amélioration des conditions de travail des employés. Il sera également indiqué d'avoir
un plan annuel des sujets discutés aux réunions et d'examiner
tour à tour chacune des fonctions de l'entreprise (fabrication,
ventes, finance, contrôle, bureaux, administration générale). Enfin, dans le cas où il y a des actionnaires minoritaires, le conseil
d'administration pourra profiter des assemblées d'actionnaires
pour faire connaissance avec eux et, s'il y a lieu, défendre leurs
intérêts légitimes.

Pourquoi l'on devient administrateur d'entreprises

Dans la grande entreprise, la réponse est que cela donne du prestige, des relations et une bonne rémunération. Dans la PME, c'est le plus souvent l'administrateur qui apporte du prestige à l'entreprise. Je reviendrai plus loin sur la question des relations. Quant à la rémunération, elle pose un autre genre de problème. D'abord, il est vrai que la PME n'a pas les moyens financiers de la grande entreprise. Mais il faut aussi se rappeler que bien des administrateurs siègent gratuitement aux conseils d'oeuvres de toute sorte. Sans aller jusque-là dans le cas de la PME, il y a sans doute des moyens d'attirer chez elle d'excellents administrateurs, relativement à bon compte pour l'entreprise.

Par exemple, l'État, fédéral ou provincial, pourrait se charger d'une partie de la rémunération des administrateurs. Je rappelle que l'un ou l'autre gouvernement soutient déjà financièrement des services de conseillers d'entreprises à l'étranger ou au pays, défraie une bonne partie du salaire des stagiaires étudiants d'été, contribue, dans certaines conditions, à la rémunération des nouveaux employés et met de nombreux experts à la disposition des entreprises en difficultés. Il paraît donc raisonnable que ces mêmes gouvernements contribuent à régler les honoraires des administrateurs de PME. De plus, les responsabilités des administrateurs se sont multipliées ces dernières années et, même s'il reste possible (mais coûteux) de les couvrir en grande partie par des assurances, certains cas présentent encore des risques considérables pour l'administrateur. Cela est particulièrement vrai dans le cas de la PME où, par négligence ou autrement, les innombrables lois ne sont pas toujours respectées par le propriétaire. C'est pourquoi je reprends à mon compte la suggestion faite récemment par le professeur Paul Dell'Aniello de l'UQAM que l'État mette sur pied un système complet d'assurances qui couvrirait toutes les responsabilités assumées de bonne foi par les administrateurs. Si l'État ne veut pas le faire, il y a alors la possibilité de substituer au conseil d'administration un comité consultatif qui jouerait le rôle entier du conseil, mais échapperait aux responsabilités légales de celui-ci. Cette solution a probablement le désavantage de moins inciter les administrateurs à s'intéresser à fond à l'entreprise.

Qui voudra être administrateur de PME?

Dans les conditions ci-dessus décrites, on peut penser que les principaux intéressés seront:

1° des retraités, qui ont des loisirs et cherchent à arrondir leurs sources de revenus;

2° des chefs d'autres PME, des professeurs d'écoles d'administration et des consultants professionnels qui y voient l'occasion d'élargir utilement leur expérience;

3° des professionnels, ingénieurs, comptables, financiers, avocats et autres, pour qui l'activité proposée constitue un prolongement naturel de l'exercice de leur profession, dans des conditions particulièrement enrichissantes, à cause du contexte d'échanges avec d'autres individus de formation différente.

Conclusion

Je n'ai pas cherché à dissimuler les principales difficultés que suscitent la formation et l'utilisation d'un conseil d'administration de PME. Conscient de me répéter, je conclurai en disant que le plus grand problème est d'amener le chef de PME à passer aux actes et à se doter d'un conseil d'administration bien équilibré, composé de gens disponibles et efficaces, qui par leur état de généralistes ou de spécialistes, compléteront collectivement sa personnalité et son expérience, tout en s'appuyant les uns les autres.

LES CONSEILLERS DE LA PME
Roger Charbonneau

J'ai noté ailleurs que le patron de PME est le plus souvent un spécialiste de la fabrication ou de la vente qui, un beau jour, a décidé de voler de ses propres ailes et de fonder ou d'acheter une entreprise. Il manquera fréquemment de connaissances en administration générale et en gestion d'activités relevant de spécialités autres que la sienne; dans ce dernier cas, il cherchera à s'assurer les services de cadres spécialistes. La grande entreprise elle, dispose de toutes sortes de gestionnaires et de spécialistes, ce qui, en théorie du moins, devrait lui permettre de faire face par ses propres moyens à tous les problèmes imaginables. Et pourtant, elle a couramment recours à des conseillers externes. Dans ces conditions, il y a lieu de croire que la PME pourrait suivre avantageusement le même chemin.

Les faiblesses de la PME en administration générale et spécialisée se manifestent souvent dès le début de son existence. Mais elles deviennent généralement plus évidentes dans une situation de croissance qui amène des problèmes nouveaux et persistants. La PME aura aussi à résoudre des questions isolées, qui ne se présenteront que rarement au cours de la vie de l'entreprise et qui relèvent de la compétence d'un spécialiste que la PME n'aura jamais comme employé. Mais, alors qu'à peu près toutes les PME admettent leur manque de connaissances en matière juridique ou fiscale et s'adressent tout naturellement à des avocats ou des comptables-vérificateurs pour résoudre les problèmes qui se posent dans ces champs, il n'en est pas de même quand il s'agit des activités de base de l'entreprise: fabrication, commerce, finance et gestion de personnel. Pourtant, il s'agit de questions importantes surtout quand il y a lieu de s'éloigner du quotidien et de les envisager à l'intérieur d'un plan de développement de l'entreprise.

Une affaire trop spécialisée?

En effet, certains patrons de PME ont l'impression que leur affaire présente des aspects tellement particuliers qu'un conseiller venant de l'extérieur devra se livrer, avant de pouvoir porter des jugements utiles sur la situation de l'entreprise, à une longue et onéreuse initiation. En fait, il est plutôt rare qu'une entreprise se trouve dans une situation unique. Les causes des problèmes d'affaires peuvent provoquer des effets embrouillés mais elles sont généralement identifiables pour quiconque connaît bien ce genre de situations, de sorte que, s'il est encore temps, on pourra y apporter sans trop de difficultés les correctifs appropriés. Or, un conseiller professionnel, ou comme on dit, un consultant, est justement entraîné à démêler des situations confuses. Cependant, avant de retenir ses services, il faut prendre certaines précautions.

D'abord et avant tout, l'entreprise doit s'assurer qu'elle ne peut redresser la situation avec les moyens du bord. Bien sûr, il ne faut pas se maintenir dans un optimisme non fondé. Mais il y a aussi des signes qu'un p.d.g. avisé ne peut négliger. Quand les ventes baissent, et que les profits disparaissent, quand la banque menace de geler ou de couper le crédit, quand le vérificateur, chiffres en main, informe le p.d.g. que la situation ne peut qu'empirer, quand enfin le patron lui-même ne sait plus quoi tenter, il est plus que temps de recourir à des conseillers de l'extérieur. Mais pareille situation se produit rarement d'un coup. Comme indices préliminaires menaçants, je retiendrai la baisse des ventes et de la rentabilité qui se produit malgré l'utilisation de nouveaux moyens de marketing et la compression des coûts et des frais. C'est d'ailleurs dans ces conditions que le banquier et le comptable commenceront à manifester leur inquiétude et souvent suggéreront eux-mêmes à la PME de retenir les services d'un consultant.

Le choix d'un consultant

La première fois qu'une entreprise a à retenir les services d'un consultant, elle n'en connaît généralement aucun. Le patron sollicitera alors des suggestions auprès de chefs d'entreprises amis qui ont utilisé ce genre de services, de son banquier et de son vérificateur. L'idéal serait qu'il retienne le nom de deux ou trois conseillers et qu'il entre en communication avec eux pour leur exposer son cas; en pratique, il verra probablement une seule maison, qui lui aura été particulièrement recommandée. Au cours d'une première discussion, il s'informera des méthodes de travail du conseiller et, si possible, il obtiendra la liste des clients chez qui celui-ci aura exécuté des travaux de même nature que ceux qu'on lui propose, afin d'obtenir des références. S'il décide d'aller plus avant, il exigera une description écrite du plan de travail du consultant, y compris le calendrier d'exécution et il s'assurera que ce plan prévoit la formulation de recommandations, ce qui est généralement le cas. Enfin, et cela est capital, il rencontrera le chef d'équipe du consultant qui sera responsable du travail afin de voir si la personnalité de celui-ci lui agrée et s'il paraît posséder la compétence recherchée. Il s'agit là d'un facteur décisif de choix.

Le coût réel d'une consultation comporte deux éléments importants: les honoraires versés au consultant et la somme de travail fournie par les employés de l'entreprise sous forme de collaboration avec lui. Les honoraires sont ceux d'un professionnel et il est évident que la relation coût-qualité qu'on peut escompter est une question de confiance. Il est d'usage d'établir à l'avance soit un prix forfaitaire (dans le cas de travaux standard), soit un estimé maximum. Quant à la collaboration des employés et particulièrement à celle du patron, elle doit être précisée dans la mesure du possible avant l'engagement: elle peut parfois être considérable.

Quoi faire du rapport du consultant?

Si le rapport en question ne comporte pas de recommandations, il peut quand même offrir une certaine utilité puisqu'il présentera au patron de PME égaré dans la forêt de ses problèmes quotidiens une analyse originale et globale de la situation vue par un spécialiste de l'extérieur. Les problèmes étant clairement identifiés, il restera au patron à leur trouver des solutions. Mais le rapport qui débouche sur des recommandations a un double avantage. D'une part, le consultant engage davantage sa réputation puisqu'il donne sa caution aux méthodes à utiliser pour régler les problèmes; il poussera donc à fond ses travaux d'analyse. D'autre part, la tâche du patron de PME est simplifiée puisqu'il n'a plus qu'à exécuter ce qu'on lui propose, ce qui n'est d'ailleurs pas une mince tâche.

Et pourtant, souvent, cela ne suffit pas à rétablir fondamentalement la situation d'une entreprise, en ce sens que les résultats peuvent bien n'être que temporaires. Il est vrai que, pour certains patrons, les relations avec le consultant, sinon le rapport lui-même, auront contribué de façon permanente à leur formation et qu'ils ne retomberont pas dans les mêmes erreurs. Mais rien ne remplace les conseillers permanents que sont les membres du conseil d'administration.

DIRIGER UNE PME EN PÉRIODE DE RÉCESSION

Ces notes sont tirées d'une entrevue de PME GESTION avec M. Roger Charbonneau. Ancien directeur de l'École des H.E.C., président du Conseil de la Banque Nationale de Paris, M. Charbonneau est aussi, depuis de longues années, président et propriétaire d'une PME: les Laboratoires Anglo-French.

PME GESTION a posé à M. Charbonneau les deux questions suivantes:

— *Comment définissez-vous la situation présente: crise ou récession?*

— *Quelles devraient être, selon vous, les politiques de gestion des dirigeants en période de décroissance?*

Monsieur Charbonneau:

La nature et la multiplicité des problèmes que nous éprouvons m'incitent à croire qu'il s'agit d'une crise sérieuse. Quant à sa durée probable, les opinions sont divisées. Quoi qu'il en soit, la situation est suffisamment détériorée pour que les hommes d'affaires réexaminent de près leurs politiques de gestion. Notons immédiatement que la décroissance économique n'affecte pas toutes les entreprises au même degré. Elle favorise même, relativement du moins, certains secteurs, par exemple ceux qui sont orientés vers la fabrication ou la vente de produits qui permettent à l'usager d'effectuer lui-même des travaux de menuiserie, d'entretien, de réparations mécaniques, etc.

La séduction des activités nouvelles

Mais pour la majorité des entreprises, même si elles doivent éviter les solutions de panique, la prudence s'impose. Je leur recommanderais surtout de se méfier de la tendance naturelle à développer des activités nouvelles pour tenter de soutenir des ventes déclinantes. On serait sage d'éviter de lancer de nouveaux produits à moins de détenir des chances de succès à peu près assurées. La période actuelle doit en être une de consolidation.

Une nécessité: la vente

Mais en règle générale, ce serait une erreur, à mon avis, de réduire les efforts de vente. En dépit de la crise, le marketing, le maintien des vendeurs, la qualité du service à la vente et après vente demeurent essentiels même s'ils coûtent cher, car la vigueur et la réputation de la firme en dépendent. L'entreprise qui suspend ce genre d'activités risque de voir des concurrents plus tenaces mettre la main sur ses clients, peut-être pour longtemps. C'est un peu comme à la Bourse, où ceux qui savent attendre le bon moment finissent par sortir gagnants.

Contrôle des dépenses... et des prix

Il devient indispensable de contrôler ses déboursés, de les accorder à ses disponibilités, d'allonger la période de prévision financière. L'argent étant rare et dispendieux, on doit s'assurer que tout projet d'immobilisations, en construction ou en équipement, est justifié et contribuera rapidement à la rentabilité des opérations. Autrement, la combinaison de pertes d'exploitation et de dépenses de capital aurait un effet désastreux sur le cash flow.

De même, le moment se prête à une révision des politiques de prix. Il peut fort bien arriver qu'une réduction de la marge de profits permette à l'entreprise de maintenir un volume convenable d'activités et de continuer à rouler sans avarie majeure.

Les frais généraux

Les frais généraux sont le fourre-tout dans lequel on serait avisé de faire un ménage particulièrement attentif, en se résignant, s'il le faut, à se serrer bravement la ceinture, à couper dans l'euphorie, à dégraisser le poste des frais de représentation, à éliminer certaines dépenses qui ne contribuent pas immédiatement à la santé financière de l'entreprise. Et il est normal que le patron et les cadres donnent l'exemple de l'esprit d'austérité qui doit prévaloir en des temps difficiles.

Le problème délicat du personnel

Si le personnel représente une dépense courante, il constitue aussi un investissement considérable qu'on n'évalue pas toujours à sa juste valeur. En congédiant un employé compétent et honnête, on peut s'exposer à encourir des coûts relativement très élevés quand on devra le remplacer.

Avant de procéder à des renvois, on doit donc considérer l'intérêt à long terme de l'entreprise.

Par ailleurs, on peut diminuer les coûts en réduisant certains programmes de formation ou d'entraînement, s'ils ne sont pas reliés à la productivité.

L'employeur, à plus forte raison s'il met l'accent sur le maintien des emplois, est entièrement justifié, en retour, de demander à ses employés de l'appuyer vigoureusement et de faire leur part afin de permettre à l'entreprise de survivre aux années de vaches maigres. Les syndicats eux-mêmes devraient se rendre à de tels arguments et accepter de limiter leurs revendications. À cet égard, les syndicats américains donnent un exemple de retenue et de maturité que les syndicats canadiens devraient suivre, pour le bien de leurs propres membres et de tous les travailleurs. Étant donné la nature des relations entre direction et employés de PME, il devrait être possible de voir s'établir une telle collaboration. Il reste qu'une démarche nécessaire, dans ce domaine du personnel, consiste à réviser une à une toutes les activités et à séparer l'essentiel du secondaire, afin d'éviter de grever dangereusement les revenus de la firme, ou de mettre en péril l'actif essentiel et longuement édifié que représente un bon personnel.

Maintenir le fonds de roulement à flot

Des remarques précédentes, il ressort que la direction doit exercer en temps de crise un contrôle très étroit sur les entrées et les sorties d'argent, et surveiller le fonds de roulement afin de le garder dans le meilleur état de liquidité possible. Ce qui exige:
— des budgets serrés, appliqués rigoureusement;
— des états financiers mensuels, afin de pouvoir suivre de près l'évolution de la situation;
— la réévaluation plus fréquente des besoins de crédit bancaire, ce qui implique des rapports plus suivis avec le banquier;
— un contrôle sévère des stocks, comportant la diminution des achats et l'écoulement à bas prix, s'il le faut, des produits désuets qui pourraient fausser la valeur réelle des inventaires;
— une surveillance constante des comptes à recevoir, en raison des risques plus grands; les interventions, quand elles deviennent nécessaires, doivent néanmoins s'effectuer avec modération et client par client, puisque chacun d'eux constitue un cas particulier. Mais chacun doit être tenu de respecter ses engagements.

Une telle politique a évidemment pour but de permettre à l'entreprise de récupérer le plus rapidement possible les sommes qui lui sont dues et de s'acquitter de ses obligations. Si elle prévoit des délais dans ce domaine, il est normal que l'entreprise s'explique avec ses fournisseurs, qu'elle pratique en somme la politique qu'elle demande à ses propres clients d'accepter. Mais elle devrait d'abord prendre, avec son banquier, les arrangements susceptibles de la mettre à l'abri d'une surprise désagréable ou d'un coup imprévu.

Enfin, même s'ils sont forcés pour un certain temps de faire fonctionner leur entreprise au ralenti, les dirigeants devraient se tenir aux aguets et se préparer à relancer, dès les premiers signes sérieux de reprise économique, les projets et programmes qu'ils avaient dû retarder.

SEUL OU AVEC D'AUTRES...
METTRE À PROFIT LES LEÇONS DE LA CRISE
Jean Guertin

Ça va bien!

"Les affaires reprennent, Dieu merci! Nos ventes s'accroissent et les coûts sont à peu près sous contrôle, de sorte que les profits se rétablissent à leur niveau normal." On entend fréquemment ces remarques depuis quelques mois, de la part des entreprises qui ont survécu à la violente crise que nous venons de traverser. Il est également facile de constater que les principales industries cycliques, la construction et l'automobile par exemple, se portent bien et que les cours boursiers reflètent un certain optimisme. Sommes-nous en présence d'une reprise économique typique qui nous assurera presque automatiquement prospérité et stabilité financière, pour peu que nous nous occupions de nos affaires "pas plus mal que les autres"? Je ne le crois pas.

Ça va mal?

Les taux d'intérêts, compte tenu de l'inflation, sont passablement hauts et pourraient faire avorter la reprise, disent certains. Il faut aussi constater qu'il y a toujours la possibilité, en cette période pré-électorale, que les gouvernements hésitent à régler la question de leurs déficits, voire même les augmentent, accroissant d'autant les risques d'inflation et de hausse des taux. Et puis la période 1981-83 a laissé des traces. Consommateurs comme investisseurs seront beaucoup plus prudents et toute mauvaise nouvelle économique risque de faire passer le climat de l'optimisme à la morosité. Est-ce dire que cette reprise économique se terminera d'ici peu et que nous serons plongés à nouveau dans le marasme de ces dernières années? Je ne le crois pas, non plus.

Mais alors?

Je crois tout simplement que la période économique que nous traverserons d'ici deux ans sera fortement influencée par le souvenir de 1981-83 et que les conditions, en général, ne seront pas celles qui ont normalement cours dans les reprises dites "classiques". Il faudra donc apprendre à gérer nos entreprises en conséquence. Parmi plusieurs caractéristiques, j'en identifierai trois qui nous touchent de près, sans tenter d'en faire toute la genèse. En premier lieu, **le crédit sera cher** et il n'est pas évident, loin de là, qu'il sera aussi disponible que dans le passé. En fait, nos compagnies sont sorties de la crise fort mal en point; les profits ont fondu et l'endettement, bien que moins contraignant maintenant, demeure tout de même passablement élevé. En ce sens, il est presque impossible, pour plusieurs firmes, de "financer la relance à la banque", comme elles l'ont peut-être fait dans le passé. Deuxièmement, la **crainte est la mère de la sagesse.** Or, nous avons tous eu peur ces dernières années. En conséquence, je constate que plusieurs entrepreneurs hésitent avant de s'endetter davantage, même s'ils en ont potentiellement les moyens. Si les taux allaient monter de nouveau? Et si la demande s'effondrait encore une fois? Il est donc fort possible que l'utilisation très importante du crédit que nous avons connue entre 1970 et 1981 soit, temporairement du moins, chose du passé. Si ces deux remarques s'avèrent fondées, il faut alors prévoir, en troisième lieu, que **cette reprise économique se fera à la pièce,** avec moins d'enthousiasme mais peut-être plus de solidité. Les entreprises se remettront sur pied une à une, sans trop compter sur les apports financiers extérieurs, en utilisant leurs ressources propres d'abord et avant tout. Qu'est-ce que cela signifie au niveau de la gestion?

Comptons sur nos propres moyens

Il me semble alors qu'il faudra revenir à ce qui a toujours été une compétence distinctive pour beaucoup de PME: s'occuper de ses propres affaires mieux que les concurrents, mieux connaître notre entreprise et ainsi gagner la guerre lentement, décision par décision. La période qui se termine maintenant a souvent été caractérisée par une croissance rapide, souvent financée par de la dette, et qui a vu nos compagnies se diversifier, s'étendre, aux dépens de la qualité de la gestion quotidienne. Qui a le temps de s'occuper de ces petites choses comme les marges unitaires quand les ventes et les actifs augmentent au rythme de 15-20% par année? Qui s'intéresse aux anciennes lignes de produits quand la diversification règne en maître? Je crois cette époque révolue.

Il va falloir revenir aux choses fondamentales, rebâtir graduellement la rentabilité des entreprises car ce sera pour plusieurs le seul moyen acceptable de se financer. Or, cela se fait tout simplement jour par jour, poste par poste, à petits pas. Cette guerre de la productivité et de la rentabilité, cette recherche constante de la meilleure utilisation possible de nos actifs, ce n'est rien de bien spectaculaire, mais il m'apparaît que c'est le seul moyen qui s'offre à plusieurs PME pour se reconstruire et s'isoler un peu plus des effets néfastes de la conjoncture. Pour les grands comme pour les petits, les choses ne seront plus comme durant la période 1975-80 où l'apparente prospérité générale... et les banques... supportaient beaucoup de choses, incluant bien des erreurs.

Comment nous assurer en pratique que la rentabilité interne sera suffisante pour financer en bonne partie la reprise qui s'amorce? Je proposerai deux grandes familles de moyens.

1. Structurer davantage ce qu'on a fait durant la crise. La réalité économique a alors exigé que nous éliminions le superflu, que nous apprenions à fonctionner sans certaines ressources que nous avions toujours jugé essentielles. Il fallait prévoir et budgétiser, s'intéresser aux marges et à la contribution, "compter nos cennes" et nous assurer que nous en avions toujours pour notre argent. Plusieurs chefs d'entreprises ont alors fait des choses qu'ils n'auraient jamais cru possibles. Il faut maintenant formaliser cette approche, en tirer tous les enseignements et éviter à tout prix d'engraisser à nouveau;

— au niveau de la **production et des marges brutes,** le contrôle des coûts ainsi que le choix des produits ou des services offerts en fonction de leur rentabilité demeurent essentiels. La recherche quotidienne visant à toujours augmenter la productivité et la volonté d'investir temps et argent de ce côté permettent de choisir les fournisseurs, les processus de transformation et les employés les plus susceptibles de nous assurer des marges brutes à la fois suffisantes et prévisibles. Il faut assigner une responsabilité précise à ce niveau et assurer un suivi continu, sans relâche; cette bataille n'est jamais vraiment gagnée;

— la **préparation de budgets et leur analyse** continuelle demeurent les meilleurs moyens d'augmenter la productivité de façon constante et durable. À ce chapitre, l'informatique n'est plus l'apanage des grandes entreprises. On peut maintenant trouver sur le marché des systèmes adaptés aux PME et les utiliser avec profit pour améliorer grandement le contrôle que nous exerçons sur nos prix de revient;

— les **frais généraux de vente et d'administration** ont toujours tendance, lors d'une reprise, à s'accroître plus rapidement que requis. On le constate d'ailleurs en période de récession, lorsque vient le temps de faire des coupures. Pourquoi ne pas étendre la budgétisation et le contrôle à ce niveau? Certaines de ces dépenses, en particulier, sont fixes ou semi-variables, elles ne devraient donc pas augmenter en pourcentage des ventes mais plutôt plafonner. À ce poste également, il convient d'identifier une personne directement responsable;

— suite à la baisse des ventes et à l'augmentation des coûts de crédit, beaucoup de PME ont appris à vivre avec des niveaux d'**inventaire et de comptes à recevoir** beaucoup plus bas que précédemment. Les dirigeants de PME ont inventé (ou retrouvé) une foule de moyens permettant de diminuer ces actifs à court terme en assurant un service adéquat à la clientèle et une bonne rentabilité pour l'entreprise. Allons-nous laisser la reprise économique emporter ces acquis? Profitons plutôt de l'occasion pour intégrer ces préoccupations à notre gestion quotidienne;

— plusieurs **autres domaines** méritent qu'on s'y arrête afin de tirer toutes les leçons de la crise et d'améliorer ainsi la qualité et la rentabilité de nos PME: gestion du personnel, techniques de vente, approvisionnement, contrôle de qualité...

En résumé, il me semble que nous sommes maintenant bien placés pour formaliser et consolider une foule de pratiques administratives déjà connues et qui nous assureront de meilleures marges bénéficiaires et une utilisation plus rentable de nos actifs, au jour le jour, activité par activité, produit par produit. Or, une meilleure rentabilité, la capacité de "faire plus avec moins" m'apparaît essentielle si nous voulons traverser les années qui viennent.

2. Lancer et suivre certains projets. Au-delà de cette recherche continuelle de la productivité et de la rentabilité dans les affaires courantes, plusieurs dirigeants de PME auront à structurer leur avenir à moyen ou long terme. Il s'agit ici de décisions importantes, dont les conséquences se feront sentir pour longtemps. Je n'en mentionne que trois:

— l'**expansion des ventes** exige-t-elle un accroissement correspondant des immobilisations (usine, équipement...)? Ce chiffre d'affaires accru se maintiendra-t-il assez longtemps et sera-t-il suffisamment payant pour justifier de tels investissements à long terme? Plusieurs solutions sont alors possibles: l'agrandissement, l'installation d'une autre unité ailleurs, la sous-traitance, mais aussi l'abandon de certaines lignes moins prometteuses au profit de nouvelles, l'élagage des vieux produits ou services pour faire place aux nouveaux, l'association avec une autre entreprise... Quelle voie choisir?

— devrions-nous **élargir notre marché?** Par des nouveaux produits ou en modifiant ceux qui existent déjà? Sur le marché local ou en explorant de nouveaux horizons? Est-il utile de passer des accords de licence, d'importer ou d'exporter une nouvelle façon de faire les choses? Dans ce domaine, les possibilités sont quasi infinies;

— et **le financement?** Comment choisir parmi ce réseau serré de subventions disponibles? Devrions-nous faire affaires avec nos bailleurs de fonds traditionnels ou en rechercher de nouveaux? Quel type de financement nous convient le mieux et, dans chaque cas, quelles conditions seraient les plus intéressantes? Ici aussi, les sources de fonds et les produits offerts se sont multipliés ces dernières années.

L'homme-orchestre est débordé

J'entends déjà les plaintes! La PME est presque toujours dirigée par une personne (ou un petit groupe) qui la connaît bien mais est débordée. On tentera l'expérience pour un mois ou deux et on laissera tomber. Et puis c'est tellement plus agréable de gérer de façon instinctive plutôt que de s'astreindre à un suivi continuel du quotidien ou de travailler sur de grands projets à long terme. J'accepte volontiers cette définition du dirigeant de PME; il n'en reste pas moins que l'avenir sera de plus en plus difficile pour celui ou celle qui s'en tiendra à cette vieille tradition.

À ce chapitre, je crois fermement que plusieurs PME devraient **tenter une expérience,** une seule, qui modifiera peut-être considérablement leur gestion: l'utilisation d'un **Conseil d'administration** ou d'un **Groupe de conseillers** se réunissant régulièrement, à chaque mois par exemple. Le dirigeant peut alors compter sur un petit groupe de personnes intéressées et compétentes qu'il aura lui-même choisies afin d'assurer à la fois le suivi de la gestion quotidienne auquel je faisais allusion plus haut ainsi que la constitution de ces dossiers plus importants comme la stratégie d'expansion, l'élargissement du marché ou les principales décisions de financement. Il ne s'agit donc pas de partager la propriété ou le contrôle mais plutôt de s'adjoindre quelques ressources externes qui feront ce que le propriétaire n'a pas le temps de faire ou qui lui rappelleront l'importance du

contrôle et de la budgétisation. Des chiens de garde, peut-être!
Mais bien davantage des collaborateurs peu gênants sur lesquels
on peut se reposer quand le feu de l'action use, quand la gestion de
tous les jours brouille les perspectives à moyen ou long terme.

Les grandes entreprises utilisent cette technique depuis
longtemps, plusieurs PME ont maintenant recours à cet outil
après l'avoir adapté à leurs besoins particuliers. Il est probablement temps d'y songer sérieusement avant que le naturel ne
revienne au galop, pour éviter que la prochaine crise ne soit notre
dernière.

AUTOPSIE D'UNE RÉCESSION POUR UNE PME
Roger Séguin

"Je l'ai échappé belle. Une chance que les taux d'intérêt ont
baissé, autrement j'y passais." "Heureusement que les ventes ont
repris, sinon on fermait."

Ce sont des remarques souvent entendues de survivants de la
dernière récession économique. L'augmentation des taux d'intérêt et la baisse des ventes auraient été les grands responsables de
la mort de plusieurs entreprises et de la détérioration financière
de beaucoup d'autres. La survie de l'entreprise serait donc due à
la baisse des taux d'intérêt ou à la reprise des ventes.

Voilà pour le diagnostic superficiel Cependant, il est plus
intéressant de tenter d'expliquer pourquoi certaines entreprises
se sont mieux tirées que d'autres de la récession.

Les explications sont essentiellement de quatre ordres:

1. l'appartenance à un secteur d'activité économique plutôt qu'à
   un autre;
2. une structure de coût favorable;
3. une condition financière moins vulnérable;
4. une meilleure gestion de la crise.

1. Le secteur d'activité économique

Tous les secteurs d'activité économique ont été affectés par la
récession mais à des degrés variables et à des moments différents.

Pour mater l'inflation, les gouvernements ont eu recours à des hausses très rapides des taux d'intérêt qui ont atteint des niveaux sans précédent. Certains secteurs d'activité ont réagi très vite et avec ampleur: l'industrie de la construction domiciliaire et l'industrie de l'automobile en sont deux exemples. On n'a qu'à penser aux multiples faillites de constructeurs de maisons et de concessionnaires d'automobiles. D'autres secteurs, tel celui de l'alimentation, ont été beaucoup moins touchés.

Pour le propriétaire d'une entreprise, il est très utile de comprendre les effets de la conjoncture économique générale sur le secteur d'activité dans lequel il opère. Il est alors en mesure de faire de meilleures prévisions.

La récession affecte un secteur d'activité principalement au niveau des ventes. À cause d'une augmentation de la concurrence, la baisse du volume des ventes est souvent accompagnée d'une baisse du bénéfice brut et d'une modification dans la ventilation des ventes.

2. La structure des coûts

Certaines entreprises ont été moins affectées que d'autres parce que leurs structures de coût comportaient moins de frais fixes. Une baisse relative des ventes a alors moins diminué leur niveau de rentabilité.

On peut prendre l'exemple de deux entreprises dans le même secteur et qui, avant la crise, avaient la même rentabilité. Ces deux entreprises A et B ne différaient que par la structure de leurs coûts. L'entreprise A avait des frais variables de 40 alors que ceux de l'entreprise B étaient de 60. Par contre, A avait des frais fixes de 50 alors que ceux de B étaient de 30. Voyons comment une baisse des ventes de 10% les a affectées:

	Avant la crise		**Au moment de la crise**	
	A	**B**	**A**	**B**
Ventes	100	100	90	90
Frais variables	40	60	36	54
Frais fixes	50	30	50	30
Profit	10	10	4	6

Ainsi A a vu ses profits baisser de 60% alors que ceux de B n'ont baissé que de 40%.

Moins une entreprise a de frais fixes, moins elle est vulnérable à une baisse des ventes. On voit donc l'importance pour une entreprise de maintenir ses frais fixes au niveau le plus bas possible. Les principaux moyens pour arriver à ce but sont:

- la location d'actif plutôt que l'achat;
- le recours à la sous-traitance;
- l'engagement de personnel à temps partiel ou le temps partagé.

3. La condition financière

Des entreprises ont été moins affectées par la crise parce qu'elles avaient moins de dettes ou parce qu'elles étaient "mieux" endettées.

Les hausses des taux d'intérêt ont été très dévastatrices pour les entreprises "mal" endettées. Certaines entreprises ont vu leurs coûts d'intérêts pratiquement doubler en un an, **parce que leurs emprunts étaient presque tous à demande.** D'autres entreprises, avec une proportion substantielle de leur dette comportant un taux fixe pour un terme de trois (3) à cinq (5) ans, n'ont eu à subir une hausse de coût d'intérêts que pour la marge bancaire utilisée à court terme.

Une meilleure structure financière rend donc une entreprise moins vulnérable lors d'une récession. Bien sûr, une meilleure structure financière peut comporter des coûts annuels plus élevés parce qu'on recourt à des emprunts à terme, dont le taux est généralement plus élevé. Cette différence dans le taux à payer représente la prime qu'il faut assumer pour s'assurer contre des hausses subites et prononcées des taux d'intérêt.

4. Une bonne gestion

Quel que soit le secteur d'activité, la bonne gestion a été un facteur déterminant pour expliquer pourquoi des entreprises ont mieux résisté que d'autres à la récession.

Les bons gestionnaires avaient bien sûr préparé leurs entreprises à d'éventuels moments difficiles en minimisant les coûts fixes et en maintenant une structure financière plus adéquate.

Mais c'est la récession qui a réellement mis à l'épreuve les capacités "managériales" des chefs d'entreprise. Dans certains cas, il fallait administrer des baisses de vente de 20 à 40%. Si la gestion de la croissance requiert du savoir-faire et des ressources financières, administrer la décroissance est beaucoup plus exigeant. Gérer la décroissance ne se limite pas à ralentir les achats. C'est à tous les postes d'actifs et de dépenses qu'il faut s'attaquer. S'il semble facile de diminuer des actifs, il en va autrement pour les dépenses. Le personnel est souvent le premier défi à relever: maintenir la motivation au travail tout en licenciant du personnel, en regroupant des tâches et en diminuant les ressources à la disposition de ceux qui restent. C'est le processus inverse de la division du travail qui est censé représenter des économies d'échelle. Gérer la décroissance c'est également réduire des dépenses dites incompressibles et rendre variables des frais jugés fixes.

Or, lors de la dernière récession, certains chefs d'entreprises se sont montrés beaucoup plus habiles que d'autres à relever rapidement ce défi.

POUR ALLÉGER LE TRAVAIL DU DIRIGEANT
Jacques Filion

Nous faisons périodiquement des sondages auprès des dirigeants de PME afin d'identifier leurs besoins de formation: des cours sur la gestion du temps constituent l'une des réponses les plus courantes. La plupart des entrepreneurs interrogés nous disent qu'ils sont débordés et ne voient pas de quelle façon ils peuvent s'en sortir sans consacrer beaucoup plus de temps qu'ils ne le voudraient aux travaux qu'exige leur entreprise. Sans prétendre apporter des solutions miracles, voyons quelques moyens susceptibles de réduire la somme de travail sans pour autant diminuer la productivité.

L'organisation de la gestion
Une fois habitué à gérer une entreprise, on n'arrive plus toujours à bien distinguer entre l'essentiel et l'accessoire, entre ce qui est important et ce qui l'est moins. Nous allons tenter de dégager une méthode qui nous permette justement de faire cette distinction. Il faut se rappeler que les décisions et interventions en matière de gestion peuvent se situer à trois paliers différents: le palier stratégique, le palier administratif et le palier opérationnel. Les problèmes liés à tel ou tel de ces paliers étant d'importance très inégale, l'attention et le temps requis pour les résoudre devraient donc varier considérablement.

Le palier stratégique. Sont considérées comme stratégiques toutes les décisions majeures qui touchent les orientations de l'entreprise: lancement de nouveaux produits, ouverture de territoires additionnels, engagement de personnel-clé, choix d'une nouvelle localisation pour son commerce, etc. Normalement, ces décisions ne doivent être prises qu'après de longues heures, sinon de longues semaines de réflexion, souvent après avoir consulté beaucoup de gens et même, à l'occasion, après avoir eu recours aux études d'experts. Le palier stratégique touche tout ce qui concerne la survie de l'entreprise à long terme ainsi que l'augmentation de sa capacité compétitive à plus court terme.

Le palier administratif. Plus l'entreprise se développe, plus ce palier tend à prendre de l'importance. Il n'existe à peu près pas dans la très petite entreprise. Il apparaît nettement lorsque les dirigeants sentent le besoin d'établir des règles, des normes, des politiques, des règlements qui serviront de références pour prendre des décisions de gestion courante. Quels seront nos critères pour l'embauchage du personnel? Quelles seront nos politiques de salaires, de congés et de vacances? Quels seront les escomptes accordés aux clients compte tenu des quantités achetées? Quelle marge bénéficiaire prendrons-nous sur les unités produites?... Les politiques ainsi établies finiront par être écrites lorsque l'entreprise grossira afin qu'il existe le moins possible de distorsion d'un service à l'autre quant aux façons de faire.

Le palier opérationnel. Ici, il s'agit des décisions courantes, de celles qui se présentent tous les jours, qui sont souvent nombreuses et qui doivent être prises rapidement, sinon le temps que l'on y consacre devient une pure perte. Par exemple, un tel est absent aujourd'hui: que fait-on pour le remplacer? Le camion de livraison est en panne: comment dispose-t-on des commandes urgentes? Telle pièce d'équipement est brisée et on ne peut poursuivre la fabrication: où se trouve la solution?

Établir une distinction entre paliers

Bien des gens perdent un temps précieux à peser et soupeser les décisions courantes d'intérêt mineur, alors qu'ils prennent des décisions stratégiques sans réflexion suffisante. Quand on sera parvenu à classer rapidement dans son esprit le type de décision auquel on a à faire face, on trouvera plus facile de consacrer aux diverses décisions la part de temps que chacune doit recevoir. Un bon gestionnaire saura mettre au point des normes personnelles à partir desquelles il pourra prendre rapidement la plupart des décisions courantes. Le système japonais offre, en ce domaine, un modèle intéressant: la mise à la retraite obligatoire à 55 ans dans les grandes entreprises achemine vers les PME des gestionnaires aguerris dont l'expérience constitue un support solide sur lequel on peut bâtir une politique de gestion satisfaisante. La leçon que nous en tirons pourrait se résumer ainsi: développons et adoptons des règles. Lorsque nous devons prendre une décision, efforçons-nous de concevoir des règles ou normes applicables dans tous les cas où la même situation est susceptible de se reproduire. Les règles doivent demeurer souples mais on trouvera avantage à les utiliser. En se familiarisant avec cette méthode, on prendra des décisions de plus en plus rapides et cohérentes. Attention cependant: l'objectif n'est pas de s'agiter inutilement, mais de s'habituer à penser et à agir avec une plus grande efficacité.

Ces jours derniers, je me trouvais dans une PME d'une quinzaine d'employés où le propriétaire et le gérant discutaient depuis plus d'une heure de l'attitude à adopter à l'égard d'un travailleur passé maître en absences motivées, cette fois pour un rendez-vous chez son dentiste. En pareille circonstance, il ne sert à rien de tourner en rond. Procurez-vous la convention collective d'une ou de quelques entreprises de votre région dont les activités se rapprochent le plus des vôtres et inspirez-vous des clauses pertinentes pour définir des normes convenables: tant de congés fériés, tant de congés de maladie, etc. En cette matière délicate, vous éviterez bien des problèmes en adoptant des politiques déjà acceptées dans votre milieu. Il vous reste à informer votre personnel des nouveaux règlements et à passer à une autre question. Une bonne règle, appliquée sagement et fermement, peut prévenir ou résoudre une foule de problèmes et de tensions. Et c'est là, plus qu'ailleurs, que s'usent les nerfs et le temps des dirigeants.

La délégation

En somme, toute personne qui gère doit savoir distinguer les sujets importants pour l'entreprise de ceux qui le sont moins, et accorder à chacun le temps qu'il mérite compte tenu des résultats escomptés. Dans toute la mesure du possible, déléguer ce qui peut l'être: fixer à chacun des objectifs, définir l'essentiel de sa tâche, puis contrôler si les résultats atteints correspondent aux objectifs pré-établis. On évalue que dans une PME il peut se prendre des centaines de décisions opérationnelles à chaque jour, tandis qu'on n'aura qu'une ou deux décisions stratégiques à considérer à chaque année. On a donc tout avantage à organiser l'exécution des tâches quotidiennes de façon expéditive et efficace. Car plus l'entreprise grossira, plus le dirigent aura tendance à ne se consacrer qu'au stratégique.

Quant aux moyens d'épargner du temps, certains diront que le choix de votre secrétaire constitue la solution-clé. D'autres diront qu'il s'agit d'utiliser le téléphone au maximum et d'apprendre à savoir quoi dire au téléphone. D'autres vous diront aussi qu'il s'agit de bien gérer ses lectures.

Les vrais gains à réaliser par la lecture rapide

La lecture rapide peut permettre des économies de temps. Toutefois, elle ne consiste pas seulement à améliorer la vitesse de lecture mais surtout à bien gérer ses lectures, c'est-à-dire à les choisir en fonction des besoins de formation et d'information qu'on a choisi de combler. Il faut d'abord se demander si chacun des documents que l'on consulte, par habitude ou par hasard, est vraiment utile. Il faut aussi s'assurer qu'on lit le minimum de ce qui doit être lu pour demeurer suffisamment informé dans son propre domaine. Mais l'aptitude à mieux gérer ses lectures et son courrier permet habituellement de ménager beaucoup de temps. Je connais un chef d'entreprise qui a éliminé plusieurs heures de lecture par semaine. Il ne lit que l'essentiel. Sa secrétaire effectue un tamisage rigoureux de son courrier et des revues qu'il reçoit et lui résume verbalement et succintement ce dont il s'agit, ne lui laissant que les papiers absolument nécessaires à lire. On ne devrait pas consacrer plus de 15 à 20 minutes à la lecture du journal quotidien.

Il faut beaucoup de temps et d'énergie pour gérer une entreprise. Les quelques semaines de vacances annuelles et au moins une journée de congé par semaine nous apparaissent comme essentielles pour que le dirigeant maintienne la vigueur et l'énergie suffisantes pour gérer efficacement. La pratique d'au moins un sport nous apparaît aussi nécessaire. Il existe souvent une relation directe entre la forme physique, l'efficacité et le temps requis pour gérer. Encore une fois, l'efficacité de la gestion, ici celle du temps, réside dans la capacité de s'organiser.

Ceux qui voudront poursuivre dans cette veine pourront consulter le livre de Pierre Nicolcos, "Le temps, c'est de l'argent... et du plaisir" (Inter-Éditions, Paris, 1981).

NOUVEAU DIRIGEANT, NOUVELLE ENTREPRISE

Jacques Filion

Une entreprise, c'est souvent une personne. C'est elle qui l'a mise sur pied en fonction de ses compétences et de sa perception des besoins de l'environnement. Elle l'a moulée selon ses aspirations et ses capacités. Peu à peu, toute l'organisation est devenue le reflet de la personne qui dirige, avec son caractère, ses penchants, ses travers, ses façons de faire et de réagir. Cette observation vaut aussi bien pour la grande que pour la petite entreprise, pour Mary Kay et pour Lise Watier aujourd'hui, que pour Henry Ford et Louis Chevrolet dans les années 1930.

Une transition sans changements

Celui qui par héritage, acquisition ou délégation, succède à un dirigeant, se rend rapidement compte qu'il faudrait deux ou trois personnes pour accomplir la besogne que son prédécesseur abattait. Souvent, même si on travaille soixante, soixante-dix heures par semaine, on se demande comment on arrivera à faire tout ce qui doit être fait. On sent bientôt le besoin d'engager du personnel additionnel. Mais avant d'embaucher quelqu'un en surplus attendez au moins six mois si cela est possible. Les choses prendront un certain temps pour se tasser. Puis vous commencerez à penser à l'avenir. Quand vous serez parvenu à formuler des projets précis, il se pourrait que vous deviez engager quelqu'un pour vous permettre de les réaliser. À ce moment, les frais occasionnés par le nouveau personnel ne viendront pas gonfler inutilement et peut-être dangereusement les dépenses de l'entreprise, mais constitueront un investissement qui générera éventuellement des revenus et des profits plus élevés.

D'abord une définition claire des orientations

Imaginons une entreprise où on a succédé à un dirigeant qui était en place depuis longtemps et où on a réussi à maintenir les opérations, les revenus et le fonctionnement à leur niveau antérieur. Après une ou quelques années, on se rend compte que l'entreprise n'avance plus et on veut y introduire des changements; mais on se demande par où commencer. J'ai souvent eu l'occasion d'agir comme conseiller en gestion dans ce type d'entreprise. Très souvent d'ailleurs on y intervient par le biais du recrutement car le chef de l'entreprise a recours à vos services pour vous demander de l'aider dans le choix d'un collaborateur. On se rend compte du problème dès le départ, au moment de définir avec le dirigeant le type de candidat recherché. Parce qu'on ne possède pas d'objectifs clairs et qu'on n'arrive pas à se décider sur les orientations à donner à l'entreprise, on éprouve des difficultés à définir le portrait-type et les critères de choix du personnel-clef qu'on peut engager.

Un cas typique

J'ai à l'esprit une entreprise qui était un leader dans son domaine. Le fondateur avait mis au point un produit, connexe à ce qu'il fabriquait déjà, qui s'était vendu comme des petits pains chauds au Québec. Lorsqu'il décéda, une dizaine d'années après avoir lancé le produit en question, l'un de ses fils lui succéda.

Cet homme avait été élevé dans l'entreprise. Intelligent, non dépourvu de capacités administratives, il continua à gérer au cours des quelques années suivantes comme il l'avait fait lorsque son père était là. Les concurrents entrèrent graduellement dans son marché et il dut bientôt décider, pour maintenir son chiffre d'affaires, soit de s'étendre vers l'Ontario et la Nouvelle-Angleterre, soit de développer de nouveaux produits. C'est son vérificateur qui en allant lui remettre ses états financiers à la fin de l'année fiscale, lui fit prendre conscience des changements qu'il devait faire pour se maintenir. Il acquiesça aux recommandations du vérificateur et c'est ce dernier, que je connaissais bien, qui me mit en relation avec le dirigeant en question.

Prendre le gouvernail bien en mains

Deux choses me frappèrent dès la première rencontre: d'abord il n'était pas orienté vers le marché ni vers les changements de l'environnement qui pouvaient affecter ce marché, laissant cette préoccupation au directeur des ventes; deuxièmement, depuis trois ans qu'il assumait la présidence, il n'avait apporté aucune modification à l'équipe de direction, la laissant telle qu'elle était lors du départ de son père. Le père s'occupait du développement des marchés tandis que le fils assumait la gestion interne de cette entreprise d'une cinquantaine d'employés. Après le départ du père, il continua à jouer le même rôle et négligea de s'assurer que quelqu'un travaille au développement des marchés. Il considérait que le directeur des ventes devait faire ce travail. Solution logique en théorie mais qui, dans ce cas, ne donnait aucun résultat.

Je comprends qu'il était difficile pour lui de définir le type de personne dont il avait besoin car il ne s'était pas préoccupé de cet aspect particulier des orientations de son entreprise. De plus, il attachait une attention excessive au maintien de l'entente entre les membres de son équipe de direction. Je me rendis compte rapidement que ces derniers ne voyaient pas d'un bon oeil l'arrivée d'un nouveau venu. Et même s'il avait été le frère jumeau de Superman, il n'est pas certain qu'il aurait été assez compétent pour satisfaire à toutes leurs exigences. Enfin, leur dynamique de fonctionnement faisait que toute nouvelle idée finissait par être étouffée. Que faire?

Établir un plan, des objectifs

D'abord établir un plan, des objectifs qui permettent de voir bien clairement où on veut aller au cours des prochaines années. Le plan est élaboré en tenant compte de l'évolution des marchés et de la concurrence. Ensuite, procéder aux changements internes qui s'imposent pour que le plan puisse se réaliser. S'il vous faut changer tout le monde, ce qui n'est pas souhaitable, eh bien faites-le graduellement. C'est une solution de dernier recours, souvent difficile, mais à laquelle il faut parfois en arriver. Les recherches démontrent qu'un bon nombre d'entrepreneurs qui font faillite sont des gens qui ont laissé s'installer une sclérose de fonctionnement telle qu'on n'arrive plus à innover tant au niveau des produits que de leur mise en marché. Depuis que Lee Iacocca a pris la direction de Chrysler le 2 novembre 1978, il a changé 24 des 28 cadres de la haute direction. Je connais une PME québécoise où le fils a remplacé les six personnes de l'équipe de direction au cours des douze mois suivant le départ de son père. Tous les nouveaux cadres furent embauchés en fonction d'objectifs ambitieux qu'ils se disaient prêts à accepter. En quelques années, les revenus et les profits de l'entreprise ont plus que triplé.

La réorganisation sera requise pour permettre la réalisation des objectifs

Dans certains cas, on arrivera à faire fonctionner l'équipe en place. Il faut d'abord définir les objectifs de l'entreprise puis assigner à chacun des tâches aussi précises que possible et des objectifs réalistes, de sorte que les objectifs globaux puissent être atteints. Effectuer une vérification à tous les trois ou six mois. Si un responsable n'arrive jamais à rencontrer ses objectifs malgré l'aide et le support qu'on lui apporte, s'il est incapable de relever le défi, s'oppose systématiquement au changement ou constitue un poids pour les gens en place, faites-lui en prendre conscience; si cet avertissement ne produit pas les changements désirés, aidez-le à faire carrière ailleurs. Vous aurez rendu service à tout le monde. Ce départ vous permettra notamment de renforcer votre équipe en y adjoignant une personne apte à s'intégrer dans la dynamique qui est la vôtre et à contribuer avec vigueur au succès de votre entreprise.

LE CONSEILLER EN ADMINISTRATION: QUI EST-IL?

Pierre Langevin

Le Conseiller en Administration est un professionnel qui offre ses services aux dirigeants d'entreprises afin de les aider à résoudre des problèmes particuliers dans des domaines aussi variés que la finance, l'administration générale, l'informatique, le marketing, etc.

Par exemple, au niveau financier, il peut agir comme conseiller dans des cas:

— d'évaluation d'entreprises dans le cadre d'un projet de vente-achat;
— d'études de rentabilité de projet;
— de recherches de financement privé ou public et de subventions, etc.

Dans le domaine économique, certains problèmes exigent la présence de spécialistes. À titre d'exemple, mentionnons:

— les enquêtes socio-économiques dans le cadre de la localisation d'entreprises nouvelles ou existantes;
— les études économiques sectorielles dans le cadre de négociations salariales, etc.

Au niveau des problèmes d'**organisation,** il suffit de mentionner:

— l'établissement des organigrammes: définition des responsabilités et des tâches;
— l'évaluation des besoins en personnel et le recrutement des cadres;
— l'étude des systèmes de rémunération...

Quant à l'informatique, signalons:

— l'évaluation des besoins en informatique;
— la sélection des solutions de traitement des données;
— la sélection des équipements: machines comptables, ordinateurs...
— la conception et la mise en place des systèmes.

Les études de **productivité** permettent, également, à la PME de résoudre les problèmes relatifs à la hausse constante des frais de production. Ainsi, des analyses de coût/bénéfices peuvent conduire à la mécanisation de certaines opérations qui assure une réduction des coûts de la main-d'oeuvre.

Enfin, dans le domaine du **marketing-distribution,** le conseiller en administration peut résoudre des problèmes:

— de mise en marché;
— de distribution: transport, manutention, entreposage et gestion des stocks.

Pour apporter une solution aux divers problèmes qui lui sont soumis, le conseiller procède, généralement, selon la méthodologie suivante: Il établit, d'abord, le **diagnostic** de la situation; il procède, ensuite, à la présentation d'une **proposition** de travail; il **exécute** le travail et, enfin, il fournit l'**assistance ultérieure** jugée pertinente.

Première étape: le diagnostic

La première étape est l'identification du (ou des) problème(s) à résoudre.

Deuxième étape: la proposition

Muni d'une information adéquate, il définit l'approche générale de l'étude: c'est l'établissement du plan de travail.

Ensuite, un responsable de la firme des conseillers détermine les qualifications nécessaires pour accomplir l'étude: ingénieur, économiste, analyste financier, informaticien, etc. C'est la composition de l'équipe de travail.

Enfin, une offre de service est présentée au client où ce dernier retrouve tous les renseignements précédents ainsi qu'un devis estimatif de l'étude. Dès que l'offre est acceptée par le client, il y a contrat et alors commence le travail du Conseiller en Administration.

Troisième étape: exécution de l'étude

On procède, alors, au rassemblement des données jugées nécessaires pour résoudre le ou les problèmes de l'entreprise. Chaque conseiller entreprend l'exécution de sa part de l'étude en obtenant les informations pertinentes, soit par recherches statistiques, soit par enquêtes et interviews.

Les renseignements ainsi recueillis sont ensuite rassemblés pour être analysés afin de dégager un ensemble de solutions. Le Conseiller en Administration rencontre alors les dirigeants de l'entreprise pour leur présenter un résumé des travaux afin de s'assurer, d'une part, que toutes les interrogations des dirigeants ont trouvé une réponse, et, d'autre part, pour voir si les données initiales du problème n'ont pas évolué de façon à modifier complètement la situation.

Dès que ce rapport intérimaire est accepté par les dirigeants, il est représenté, cette fois, sous forme définitive.

La Direction peut y retrouver le détail du cheminement suivi par le Conseiller, les recommandations et la définition de la stratégie à adopter.

Quatrième étape: assistance ultérieure

Très souvent, le Conseiller en Administration est amené à fournir une assistance ultérieure aux dirigeants pour mettre en application les recommandations.

Le Conseiller met donc en place l'organisation nécessaire pour cette mise en application. L'intervention prend la forme de séminaires, de conférences, d'entraînement des cadres, de formation et d'animation, et les ajustements aux conditions existantes s'effectuent au fur et à mesure que se réalisent les recommandations.

Pourquoi un Conseiller en Administration?

Trois raisons majeures justifient la présence du Conseiller en Administration. La première résulte de la relation entre la **nécessité** de spécialistes dans l'entreprise et la **fréquence des problèmes.** La seconde, reliée à la première, est la présence d'une **équipe multidisciplinaire.** La troisième vient d'un besoin d'**objectivité.**

Il arrive que certains problèmes auxquels font face les dirigeants exigent la présence d'un spécialiste. Si, une fois les problèmes résolus, disparaît aussi la nécessité du spécialiste, le recours au conseiller est une solution logique.

Conclusion

Les cadres supérieurs d'une entreprise sont des personnes qui unissent leurs efforts pour atteindre un objectif commun: la rentabilité de la firme. Cependant, à cause des préoccupations immédiates et souvent différentes de chacun d'eux, il peut être difficile d'obtenir un consensus sur la ou les solutions à apporter aux problèmes.

Il devient alors intéressant de faire appel à une tierce partie pour trancher la question, de façon rationnelle, tout en assurant, parfois, l'apport de nouvelles solutions plus objectives et mieux adaptées aux problèmes, grâce à l'expérience diversifiée du Conseiller en Administration.

ÊTES-VOUS EFFICACE?

Benoit Duchesne

L'efficacité, selon Drucker, serait "l'aptitude à *faire faire* ce qui doit être fait".

Cependant cette formulation de "faire faire", longtemps populaire, est considérée aujourd'hui dangereuse parce qu'elle donne l'impression de manipulation, de pression.

Un autre inconvénient du "faire faire" tient à l'attitude même de certains patrons. Comme ils ont tout créé eux-mêmes dans leur entreprise où ils ont fait "toutes les jobs", ils éprouvent souvent des difficultés à passer de l'exécution à la direction. Ils se fient peu aux autres et hésitent à utiliser toutes les possibilités de leurs employés.

Dans le monde de plus en plus complexe de l'entreprise, même PME, l'efficacité du patron semble dépendre principalement de deux choses:

a) la façon d'organiser son propre travail;

b) la façon de "déléguer", c'est-à-dire d'organiser les activités des subalternes.

Voilà la mesure de la valeur d'un patron, de son efficacité. Il faut d'abord être efficace soi-même et ensuite on peut prêcher par l'exemple et enseigner à ses subalternes.

Trop souvent on cherche d'abord à définir l'efficacité uniquement *en termes de résultats*. C'est mettre la charrue devant les boeufs!

Il faut penser à l'efficacité en termes de *processus* ou d'*étapes*. L'efficacité dépend d'un *ensemble de pratiques,* de *méthodes*. Or, la pratique s'enseigne et s'apprend. Elle doit devenir une habitude. Est-ce difficile et long, comme le prétend Drucker? À mon avis, tout dépend des tâches, de leur complexité, de la description qu'on peut en faire... et du professeur! Qui peut le mieux enseigner aux subalternes avec la compétence nécessaire, sinon celui qui a déjà fait "toutes les jobs"?

Tout patron efficace doit donc être professeur: connaître son sujet à fond, savoir exposer, expliquer et vérifier si le subalterne a compris. Comment? Tout simplement en faisant répéter ce qui a été expliqué. Long? Beaucoup moins long et moins coûteux que de recommencer le travail gâché. Il vous faut choisir. Ou bien vos subalternes sauront clairement ce qu'ils ont à faire (... qui fait quoi, quand, comment, où, pourquoi, etc.) ou bien c'est vous qui payerez les pots cassés.

En résumé, si vous voulez déléguer de façon efficace, il est essentiel de distinguer nettement entre:

a) ce que le patron seul doit faire;

b) ce qu'il doit confier à ses subalternes.

Pour y arriver, il faut appliquer au moins cinq (5) pratiques:

1) Connaître en détail les activités, les tâches à accomplir et en déposer une description écrite au dossier de l'employé.
Trop long, fastidieux, "j'ai déjà essayé, ça change trop".
Ces excuses peuvent cacher une certaine hésitation devant les responsabilités de la direction. Mais si vous acceptez de décrire les tâches, il faudra:

2) En estimer avec le plus de précision possible les difficultés particulières. C'est le seul moyen de déterminer:

3) les qualités, la compétence requises chez un employé normal à qui on confiera:

4) une charge de travail raisonnable, faisable dans un temps donné. Comme vous déléguez à des cadres, il faudra ensuite

5) décider (et le mettre par écrit!) de l'étendue et de la nature de l'autorité et de la responsabilité déléguées. Il s'agit ici du droit de prendre des décisions et d'entreprendre des actions, de donner des ordres.

C'est en sachant clairement ce qui doit être fait qu'on élimine les "inconnues" qui sont des sources de peur, de stress, de malentendus, et de dépenses inutiles.

Voilà presque une façon détournée de dire qu'il faudrait appliquer le même processus au cas du patron, à l'organisation de son travail.

L'EFFICACITÉ: UNE HABITUDE

Benoit Duchesne

Voici les cinq pratiques fondamentales suggérées par Drucker au patron qui désire acquérir de l'efficacité.

1. Gestion du temps

Il ne s'agit évidemment pas de l'horloge mais de votre façon d'occuper votre temps: de vos activités, de vos tâches de patron.

Pour avoir du temps, il faut en connaître l'emploi, programmer son travail. Il n'existe qu'*un seul et unique moyen* de prendre conscience de cette réalité.

Ce moyen tellement simple est cependant extrêmement difficile à mettre en pratique. On a peur de la vérité. Ça paraît tellement bien de ne pas savoir où donner de la tête, d'être un patron: surchargé, débordé, survolté...!!!

Le moyen simple: *tenir par écrit pendant au moins une semaine,* de préférence deux ou trois, *un relevé rigoureux, un inventaire,* minute par minute, de tout ce que vous faites pendant une période type. Ça ouvre les yeux! Surtout si vous vous organisez avec un *collègue* qui fera la même expérience et acceptera d'analyser, de comparer, de discuter des résultats objectivement.

Ce n'est qu'à ce prix que vous apprendrez à reconnaître les activités qui devraient être de votre compétence exclusive et celles qui devraient être déléguées.

Il existe une autre condition, plus subtile celle-là, c'est de vous habituer à dire carrément et clairement *"NON"* à ce qui et à ceux qui dévorent votre temps, sans pour cela vous sentir coupable ou mesquin. Oubliez tout ce que les cambrioleurs de temps pourront dire pour vous culpabiliser: c'est le truc utilisé pour vous faire dire oui! Si vous ne savez pas dire non, vous prêtez le flanc à ceux qui veulent vous priver de votre ressource la plus précieuse: votre temps.

Sans cette analyse critique de l'emploi de votre temps, vous ne saurez pas clairement comprendre la deuxième condition de l'efficacité.

2. Votre contribution aux résultats

Comment distinguer et évaluer vos efforts et ceux de vos subalternes si tout le travail à faire est confus. Si vous avez délégué des tâches précises, oubliez les détails et concentrez-vous sur l'essentiel: *les objectifs et les résultats.* Appliquez votre efficacité à étudier le problème des *écarts* entre objectifs et résultats et à apporter les correctifs.

Cette tâche, assez insécurisante en soi et exigeante, comporte des inconnus, des imprévus: à vous d'analyser! Il faudra discuter, communiquer pour résoudre les problèmes. Il faudra perfectionner votre équipe et vous perfectionner.

3. Comme, de cette façon, on peut évaluer la situation: *ce qui* doit être fait, et *qui* doit le faire, on peut obtenir le meilleur rendement des ressources disponibles. La principale ressource, le capital humain, n'a de valeur que s'il est bien choisi et bien formé parce que le patron connaît et explique, *par écrit,* les tâches et les objectifs de chacun. Il suffit de notes simples, claires, déposées dans un dossier accessible aussi à l'employé.

4. Comment se concentrer sur les priorités dans l'action et s'y appliquer strictement, comment distinguer l'essentiel et savoir faire une chose à la fois, vite et bien, parce que plus détendu? En respectant les trois conditions qui précèdent et les cinq autres concernant la délégation. (Cf. "Êtes-vous efficace?")

5. On entend souvent dire que la tâche du patron consiste à occuper 80% de son temps à recevoir de l'information et 20% à prendre des décisions. Ce n'est pas la *quantité,* le % d'information qui compte mais sa *qualité*, sa *pertinence*, son *exactitude*. De même pour les décisions. Quand les choses sont vagues et mal définies, comment décider? Le processus de décision est le résultat d'un autre processus: celui de *l'analyse de la situation et de la résolution de problèmes.* Relisez PME GESTION de mars 1981. Quand on sait distinguer l'essentiel de l'accessoire, le général du particulier, en résumé *quand on sait ce qui se passe,* on prend des décisions efficaces *"parce qu'on suppose toujours, à l'origine, que le problème est d'ordre général"*; sinon on s'épuise dans des détails qui devraient relever des subalternes.

Pour terminer, citons Drucker dans son intéressant petit ouvrage, **L'efficacité**: "... une décision, pour être efficace, doit se fonder sur le plus haut *niveau conceptuel,* mais s'exprimer sous une forme *aussi proche que possible du niveau des services d'exécution"*. Les patrons efficaces savent distinguer clairement les décisions qui relèvent de leur compétence: celles qu'il faut fonder sur des *principes* et celles que l'on prend selon les *circonstances et l'environnement* de travail.

Donc, en une dernière phrase: être efficace c'est savoir *ce qui doit être fait.* Avec une description, une liste (ou check-list) des activités du patron et des employés, on se donne des points de repère qui permettent à chacun de jouer son rôle plus efficacement... et à la mémoire du patron de prendre un peu de repos.

L'ENTREPRENEUR CRÉE SON PROPRE MODÈLE[1]

Jean-Marie Toulouse

Quand on examine la démarche suivie par des entreprises rendues à divers stades de leur développement, il est intéressant de se pencher sur la stratégie qui s'en dégage. On peut constater que plusieurs entrepreneurs ont développé leur firme en procédant par des acquisitions, parfois très audacieuses; leur stratégie s'accompagne souvent d'un mouvement d'aller et retour qui semble contradictoire. C'est ainsi que nous avons vu des hommes d'affaires se porter acquéreurs d'entreprises qu'ils avaient eux-

1. Jean-Marie Toulouse a étudié les méthodes d'action des entrepreneurs, notamment dans un livre publié au printemps 1980: *Les réussites québécoises.*

mêmes fondées puis vendues. Nous avons également vu des individus se lancer dans des aventures qui n'avaient aucun lien apparent avec leur expérience antérieure.

À partir d'un examen plus attentif, on peut dégager une
constante que l'on pourrait appeler "La démarche stratégique
suivie par les entrepreneurs". On arrive alors à penser que cette
stratégie est composée de trois éléments fondamentaux.

Premièrement, il s'agit d'une stratégie que l'on pourrait
appeler de croissance agressive, c'est-à-dire que tous les entrepreneurs que nous avons étudiés cherchaient activement à assurer la
croissance de leur entreprise, Nous n'avons pas rencontré de
situations dans lesquelles l'entrepreneur laissait le milieu définir
sa stratégie: dans la très grande majorité des cas c'est une démarche volontaire, agressive. Cette démarche s'exprime surtout de
deux façons: par une grande diversification et par plusieurs acquisitions (surtout des acquisitions horizontales).

Il est intéressant de noter que, pour assurer leur croissance,
les entrepreneurs semblent privilégier la diversification de leurs
activités. L'entreprise choisit d'augmenter son champ d'activité
mais elle demeure à l'intérieur de la même gamme de produits.
En conséquence, elle décide d'acheter des compétiteurs dont les
activités se situent aux confins de ce qu'elle fait déjà. Dans la
plupart des cas, les entrepreneurs choisissent donc d'étendre leur
activité présente plutôt que de se lancer dans une démarche de
protection en intervenant en amont ou en aval des produits que
l'on offre déjà. Est-ce une confirmation que la meilleure stratégie
est encore une stratégie d'attaque: si tu veux la paix, prépare la
guerre...?

Deuxièmement, la stratégie de l'entreprise repose toujours
sur un contrôle personnalisé des actions stratégiques. Dans tous
les cas, l'entrepreneur joue un rôle clé dans le développement de
sa firme. L'entrepreneur ne se limite pas à influencer et à orienter
l'activité stratégique mais il veut d'abord et avant tout en contrôler et en guider personnellement les étapes successives. L'exercice de ce contrôle personnel nous permet de comprendre pourquoi
l'observateur extérieur a l'impression que la stratégie de l'entreprise est désordonnée. Ce désordre apparent est quelquefois
confirmé par les collaborateurs de l'entrepreneur: à leur avis,
l'entreprise n'aurait pas dû se porter acquéreur de tel ou tel
concurrent. Ils ne voient pas ce que cette "acquisition" ajoute à ce
que l'on avait auparavant. Ils affirment que, pour l'entrepreneur,
ces acquisitions sont un "jeu". Avec le recul, il faut reconnaître
que la très grande majorité des additions ajoutent une dimension
importante à l'activité de l'entreprise.

Troisièmement, les stratégies développées par les entrepreneurs manifestent, expriment et traduisent une grande ouverture face au changement: les entrepreneurs semblent stimulés par les situations d'incertitude. Dans la plupart des cas que nous avons étudiés, on constate que la stratégie de l'entrepreneur l'expose à des risques très élevés. C'est comme si l'incertitude stimulait l'entrepreneur à développer une stratégie qui, dans la plupart des cas, s'avère très pertinente.

Pour bien saisir cet argument, il faut le contraster avec l'attitude fréquente qui consiste à s'efforcer de réduire la part de risque et de se protéger contre l'incertitude de l'environnement. Plusieurs entrepreneurs, plutôt que de reculer devant le danger, l'abordent de front comme s'il était un stimulant extraordinaire pour inventer la meilleure stratégie.

Certains observateurs estiment qu'une entreprise se développe dans le sens de ce qu'ils appellent "relatedness", c'est-à-dire ce qui est relié à l'activité actuelle de l'entreprise. Dans les cas que nous avons étudiés, les entrepreneurs ont une interprétation extrêmement large et extrêmement souple de ce qui convient à leurs projets d'expansion. Ils perçoivent des liens là où l'observateur non averti sera porté à juger à priori qu'il n'y en a pas. Nous avons même remarqué que l'absence de liens stimulait précisément l'entrepreneur à se lancer à la recherche et à l'établissement de ces liens. L'entrepreneur semble à priori imaginer une façon de relier l'activité de son entreprise à une autre activité même si ce lien n'est pas clair au départ, du moins pour les autres.

En conclusion, on pourrait penser que cette démarche stratégique est une démarche "à succès" et qu'elle peut constituer un modèle pour les entrepreneurs. Comme toute recette, elle a cependant ses limites que l'expérience permettra de découvrir.

GROUPEMENT D'ENTREPRISES ET FILIALE COMMUNE

Raymond Chaussé

Il existe plusieurs types de groupements. Pour les fins de cet article, retenons la définition suivante: un groupe d'entreprises ayant la volonté **d'agir ensemble** sans qu'aucune d'entre elles perde son entité propre, son autonomie sauf en ce qui a trait à l'objet qui les réunit (achat de matières premières, exportation, ou tout autre objectif se prêtant à une action concertée). À cet effet, le groupement mettra sur pied une **nouvelle entreprise autonome, permanente et distincte** de chacune des entreprises-membres du groupement **tout en étant leur propriété.** C'est la FILIALE COMMUNE, dont la fonction est de procurer au groupement des moyens d'intervention dépassant les ressources de chacun de ses membres.

À partir de cette définition, on doit se poser plusieurs questions au sujet du lancement d'un tel groupement, de son membership, de son financement, de sa gestion. Par où et comment commencer? Qui seront les membres? À quelles conditions? Comment financer cette filiale? Comment constituer son conseil d'administration? Sa structure? Son organisation? Qui sera son directeur général? Comment le choisir?

La mise sur pied d'une telle entreprise n'est pas le résultat d'une génération spontanée. Elle suit un processus en trois étapes:

Dans la première étape, quelques propriétaires d'entreprises, dont l'un prendra l'initiative du groupe, désireront explorer cette possibilité d'un groupement à partir d'une idée d'action répondant à des besoins réels de leurs entreprises mais dont l'application reste sujette à discussion. Il leur faudra alors:

1- identifier et clarifier les objectifs qui pourraient leur être communs;
2- tracer dans les grandes lignes les orientations à prendre;
3- définir les rôles du futur groupement;
4- identifier les activités et services appropriés;
5- faire une analyse des coûts et bénéfices du projet.

Les premières discussions sont laborieuses. Il est donc préférable de partir d'un petit nombre d'entreprises afin de créer rapidement l'homogénéité du groupe autour du projet. Cette étape est cruciale, délicate et longue parce qu'il faut mettre en commun, sans arrière-pensée, les problèmes rencontrés par chaque entreprise dans le but de dégager des possibilités d'action collective. L'ouverture d'esprit est de rigueur. Pour passer plus facilement à travers cette étape, il faudra se procurer dès le début les services d'un conseiller juridique.

La deuxième étape est le choix d'un noyau initial: doit-on tenter d'entraîner le plus de monde possible dans le groupement? Il est bien évident qu'un nombre minimum de membres sera nécessaire pour lancer cette filiale commune (l'étude des coûts et bénéfices l'aura indiqué).

La troisième étape est l'implantation. Après s'être assuré d'un nombre suffisant de membres, les initiateurs du groupement doivent aller de l'avant dans l'implantation et viser à être en opération le plus rapidement possible. Le succès du groupement sera le gage d'un accroissement dans les demandes de membership. C'est à l'expérience que l'on s'ajustera sur ce point.

L'une des premières décisions que devront prendre les dirigeants du groupement est l'engagement d'un directeur général qui devra établir à la fois la permanence de l'organisation et la liaison entre les opérations et les membres. C'est la tâche la plus importante du lancement. Il faut:

— que ses responsabilités soient bien définies et que son autorité soit bien identifiée afin d'éviter les conflits et surtout les désillusions;

— que sa connaissance de votre secteur soit reconnue de tous. Il ne doit pas faire ses expériences à vos dépens;

— qu'il soit reconnu comme homme de jugement, de discrétion et d'impartialité. Ses décisions doivent servir le bien du groupe et non d'un membre en particulier;

— qu'il soit un entrepreneur, un bâtisseur, un homme d'action capable de travailler en équipe comme vous, mais

— qu'il ne soit pas l'un de vous, ce qui compromettrait le succès de l'entreprise; il serait fatalement placé dans des situations délicates où il devrait agir comme juge et partie;

— qu'il reçoive une rémunération adéquate correspondant à vos exigences et aux résultats envisagés. Sinon, l'homme compétent regardera ailleurs.

Les expériences de groupement sont nombreuses et convaincantes. Dans le commerce de détail, mentionnons: les épiceries Métro-Richelieu, les pharmacies Uni-Prix, les Marchands Rona. Dans le domaine manufacturier: Rogex, Chaubec, Consolidex, Sovebec... Ces exemples démontrent que les PME peuvent travailler ensemble et conserver leur autonomie tout en jouant le rôle qui leur revient dans leur secteur.

2
PERSONNEL — RELATIONS DE TRAVAIL

POUR OBTENIR UN BON RENDEMENT DU PERSONNEL

Jacques Villeneuve

Une des qualités fondamentales requises d'un gestionnaire compétent est sa capacité d'obtenir un bon rendement des gens qui travaillent pour lui et avec lui.

Quels concepts et moyens peut-on utiliser pour atteindre ce but? Les réflexions qui suivent, quoique naïves en apparence, se sont toutefois avérées fort utiles dans nombre d'entreprises. Comme toute autre chose, il appartient au gestionnaire de les mettre en pratique d'une manière intelligente et de les adapter à sa propre situation de travail.

Quelques concepts fondamentaux

Afin d'envisager les relations humaines dans leur juste perspective et de reconnaître leur apport à une organisation, il est nécessaire de comprendre et d'accepter certains concepts fondamentaux:

- Les relations humaines ne signifient point bonheur universel. Elles signifient simplement que le cadre ou le gestionnaire doit, d'une part, comprendre les mécanismes des comportements humains et, d'autre part, fournir le leadership nécessaire à la réalisation des objectifs de l'entreprise et des aspirations des individus.

- Les relations humaines ne sont pas le tout du travail administratif. Chaque cadre doit s'intéresser aux coûts, à la technologie et à une foule d'autres facteurs vitaux. Les relations humaines constituent toutefois une responsabilité essentielle du gestionnaire parce que de bons salaires et un emploi stable, aussi essentiels qu'ils puissent être, ne sont pas en eux-mêmes suffisants pour créer une équipe satisfaite, harmonieuse et compétente.

- Un facteur extrêmement important dans la productivité d'un individu est son attitude mentale à l'égard de son supérieur immédiat. C'est toujours à ce dernier qu'il appartient de créer au travail des conditions propices au rendement et au développement des individus.

Ces trois principes ou facteurs étant acceptés par le gestionnaire comme des guides à son action quotidienne dans le domaine complexe des relations humaines, voyons rapidement quelques moyens qui ont depuis longtemps fait leur preuve dans l'amélioration du rendement du personnel.

Quelques moyens

1- Placez les individus dans les postes qu'ils rempliront le mieux

Certaines entreprises consacrent beaucoup de soin et d'efforts au placement des employés. Avec raison car un employé donne le meilleur rendement lorsque son travail lui procure le plus grand champ d'action possible pour le déploiement de ses capacités et talents.

Le poste où un homme est placé à un moment donné et le rôle qu'il joue déterminent grandement si oui ou non il sera un employé productif, si oui ou non il trouvera la joie du travail accompli.

La sélection et le placement du personnel en tant qu'effort systématique et continuel sont donc parmi les plus importantes tâches des cadres.

2- Tenez-les occupés

Un des moyens fondamentaux de garder les gens heureux et de les rendre productifs est de les tenir occupés.

D'où viennent la plupart des maux et des plaintes? Habituellement des gens qui n'ont réellement pas assez à faire. Nous avons besoin de travail pour absorber notre énergie physique et mentale et pour nous sentir nécessaires, désirés et utiles.

• Le premier pas est d'organiser le travail de votre département. Chaque personne devrait avoir assez à faire pour se tenir occupée.

• Le deuxième pas est de ne pas engager trop de personnel. Un département où il y a trop de relâche n'est pas susceptible d'être un département heureux ni un département efficace.

• Le cadre prévoyant garde en réserve sous la main, une pile de projets qui en valent la peine et qui peuvent être assignés à brève échéance afin de changer des périodes de relâche en périodes productives.

3- Dites-leur comment ils s'acquittent de leur travail

Les employés veulent savoir comment ils s'acquittent de leur travail. Ils savent quand ils ont accompli une bonne journée d'ouvrage mais ils aiment quand même que leur patron immédiat reconnaisse le fait.

Les gens travaillent pour deux sortes de rétributions: l'argent vient avec le chèque de paye, mais il y a aussi les rétributions mentales et celles-ci viennent des satisfactions résultant d'un sens d'accomplissement et du besoin d'appartenir à l'organisation.

Quand un individu passe une longue période de temps sans que personne ne lui dise un mot de son rendement, il n'est que naturel qu'il commence à penser que personne ne se préoccupe de ce qu'il fait.

4- Renseignez-les

La nature des communications entre le supérieur immédiat et ses employés a probablement plus d'influence sur la productivité et le moral qu'aucun autre facteur individuel. Pour être positives, ces communications doivent toujours laisser à l'employé le sentiment que son patron est véritablement intéressé à lui, à ses problèmes, à son avenir et à son bien-être. Si ce sentiment existe, alors l'employé sera vraisemblablement productif.

La personne au travail est intéressée à ce qui se passe dans son entreprise et veut que son supérieur la tienne au courant. Elle veut savoir comment va son organisation parce qu'elle sait que des périodes difficiles peuvent affecter la sécurité de son emploi.

Il n'y a pas beaucoup de sujets qui soient tellement confidentiels que le gestionnaire ne puisse les transmettre aux employés.

5- Sollicitez leurs idées

Une bonne communication de haut en bas entraîne presque toujours de bonnes communications de bas en haut.

Renseigner les employés constitue seulement la moitié du processus de communications. L'autre moitié du processus est de donner aux employés des occasions d'exprimer leurs idées au sujet du fonctionnement de l'organisation ou du département.

En contribuant de leurs idées, les employés n'aident pas seulement à résoudre les problèmes mais aussi, par leur participation, s'identifient avec les objectifs de l'organisation d'une façon telle que leur motivation et leur efficacité en sont accrues.

6- Réglez leurs problèmes promptement

Personne ne peut faire un bon travail s'il a à l'esprit des choses qui l'irritent. Ces choses peuvent être imaginaires, irréelles ou fausses, néanmoins, elles sont suffisamment réelles aux yeux de l'individu qui a le problème, et un problème laissé sans solution peut devenir une question d'importance majeure.

Le traitement efficace des problèmes du personnel exige que le gestionnaire agisse promptement pour régler les plaintes, les griefs ou les disputes de l'employé. En réglant ces problèmes, le gestionnaire doit toujours se poser la question suivante: "Qu'est-ce qu'il est juste de faire?" au lieu de: "Qui a raison?"

7- Ne les surveillez pas de trop près

Généralement parlant, une surveillance très étroite a tendance à produire un rendement plus faible qu'une surveillance moins étroite.

En d'autres termes, la productivité des employés est généralement plus élevée quand ils jouissent d'une certaine liberté dans l'accomplissement du travail, qu'ils peuvent se servir de leurs propres idées, de leur jugement et de leur imagination.

Si l'employé doit fournir un maximum de rendement dans son emploi, il doit être laissé à lui-même autant que les circonstances le permettent.

8- Comprenez-les en tant que groupe

Les livres sur la direction et l'administration des affaires tendent à traiter des relations entre supérieurs et subordonnés en tant qu'individus. Les cadres dans l'entreprise sont à découvrir l'évidence croissante du fait que leur habileté à diriger leurs subordonnés comme groupe est une variante très importante affectant la productivité de leur département.

Plus grande est l'habileté du cadre à utiliser les méthodes de groupe, par exemple les réunions du département, plus grandes sont la productivité et les satisfactions du groupe de travail.

9- Développez le sens des responsabilités

Les changements sociaux ont grandement écarté la peur comme traditionnelle force de motivation dans notre système économique. Pour bien s'acquitter de sa tâche, on doit assumer la responsabilité de ses propre actions et de leurs résultats.

L'employé se sentira responsable s'il se sait responsable dans sa propre tâche pour son succès et sa survivance. Et il n'y a qu'une seule manière de développer le sens des responsabilités des individus: c'est de leur en confier.

10- Ayez le courage de renvoyer les incompétents

Lorsque le supérieur immédiat a pris les mesures nécessaires pour améliorer le rendement d'un individu et que ce dernier continue de s'avérer incompétent, il ne faut pas craindre de le renvoyer. En général, la plupart des employés acceptent mal que la direction garde à son service des personnes non qualifiées.

Le cadre qui se contente d'un rendement minimum de la part de ses employés met en jeu son propre poste, tout en ne rendant pas service à l'entreprise qui l'emploie et le paye pour obtenir une juste somme de productivité de l'employé au travail.

Conclusion

Chaque personne sous votre surveillance est un individu différent de tous les autres. Il est différent par les buts qu'il poursuit, par son état de santé, son comportement. Certaines personnes sont calmes ou apprennent rapidement, d'autres sont inquiètes ou demandent beaucoup de direction. Les gens diffèrent par leurs relations sociales, leurs conditions financières, leurs expériences antérieures. L'emploi donne à certains le sentiment de contribuer à l'organisation, d'autres n'y trouvent qu'une routine ennuyeuse et cherchent à s'exprimer dans des activités hors travail.

Si nous admettons qu'une des grandes responsabilités du cadre consiste à obtenir de l'individu au travail le maximum de rendement, alors pour obtenir cet effort maximum, le cadre doit s'efforcer de comprendre chaque personne pour ce qu'elle est. Et cela est évidemment plus facile à dire qu'à faire! Mais il faut le faire!

CHOISIR SON PERSONNEL... UNE FAÇON DE RÉDUIRE LES COÛTS!

Gilles Gélinas

Par les temps qui courent, nul ne peut se permettre de miser sur la chance ou le hasard lorsqu'il s'agit d'embaucher un nouvel employé. C'est un investissement qui coûte trop cher pour qu'on néglige de s'en occuper.

Oui... mais la PME ne peut pas se payer un directeur du personnel ou un spécialiste en recrutement. Alors! comment donc peut-elle augmenter ses chances de trouver la "perle rare"?

Il n'y a pas de "recettes miracles". Chaque entreprise a des besoins très particuliers et on ne peut pas généraliser. Cependant, il existe des principes de base, des méthodes et des ressources qui permettent d'améliorer la qualité de son personnel.

1. Informations, jugement et décision

Un "bon" choix, c'est d'abord le résultat d'un jugement basé sur la réflexion et sur des informations. Mieux vous connaîtrez la compétence, la personnalité et l'expérience passée du candidat, plus facile et mieux éclairée sera votre décision. Que connaissez-vous des candidats qui frappent à votre porte? Les rencontrez-vous? Vérifiez-vous les références et les qualifications? Êtes-vous en mesure de comparer avec d'autres candidatures possibles? Pouvez-vous affirmer que tel candidat répond mieux à vos besoins que tel autre?

Il faut aussi connaître les besoins des nouveaux employés. Viennent-ils chez vous en attendant mieux et parce qu'ils n'ont pas d'autres choix? Ou pour y avoir de l'avancement et y rester? Il faut mettre cela au clair car la désillusion n'augmente certainement pas la productivité.

2. Prendre le temps de choisir

Trouver un nouvel employé, "ca presse" souvent. Combien de mauvaises expériences à vouloir trouver vite quelqu'un? Un chauffeur de camion tombe malade... un vendeur vous quitte... Vite! remplaçons-le! On se réveille avec un camion brisé, les ventes qui diminuent et la clientèle qui va voir ailleurs...

Même si "ça presse", il peut être préférable de penser à "se dépanner" temporairement et de prendre le temps de chercher un remplaçant qui répondra réellement à vos besoins. Par exemple, il peut être beaucoup moins coûteux de confier ses livraisons pendant quelques jours à une entreprise de transport que de mettre un camion dispendieux entre les mains d'un chauffeur maladroit. Ou de retarder d'une semaine l'envoi des factures, plutôt que de voir une secrétaire effarouchée faire "une salade" des comptes à recevoir. Bien sûr, on peut toujours ramasser les pots cassés. Mais à quel prix?

Au fond, qu'est-ce qui est le plus important? Le camion-remorque de 95 000 $ ou le chauffeur qui le conduit? Des difficultés temporaires... ou les profits qui baissent constamment à long terme?

3. L'inventaire des besoins

On fait l'inventaire des stocks... pourquoi ne pas faire de temps à autre l'inventaire des besoins en personnel? Qui sont vos employés? De quel genre de compétences aurez-vous besoin au cours de l'année à venir? C'est quoi pour votre entreprise une bonne secrétaire? un bon vendeur? un bon camionneur? Mettez sur papier vos exigences et vos besoins, cela vous permettra de réagir avec un meilleur éclairage lorsque vous devrez embaucher un nouvel employé.

4. S'organiser pour mieux choisir

La situation est bien différente entre l'entreprise qui embauche un ou deux employés par année et celle qui doit en recruter cinquante. La PME peut cependant disposer d'outils peu dispendieux et qui lui permettront de répondre à ses besoins spécifiques.

1° Le formulaire de demande d'emploi vous fournira une foule d'informations utiles. Le candidat répond-il aux exigences de base de l'entreprise? Vaut-il la peine de le rencontrer? Un formulaire bien conçu et suffisamment détaillé pourra vous permettre de répondre à ces questions. Cependant, une remarque importante: assurez-vous que le formulaire est conforme à la loi sur les droits de la personne et qu'il ne vous expose pas à une poursuite éventuelle.

2° Vos collaborateurs peuvent vous apporter une aide appréciable. Par exemple, une secrétaire compétente s'occupera de faire compléter les formulaires de demande d'emploi, informera les gens sur les postes disponibles et enquêtera sur les emplois antérieurs des candidats. Un contremaître ou un assistant peut organiser une première rencontre avec les candidats, vérifier leur compétence et préparer une première évaluation.

3° L'entrevue avec les candidats est importante. Il faut donc s'y préparer et oublier vos autres préoccupations. Vous obtiendrez sûrement de meilleurs résultats en faisant vous-même quelques entrevues approfondies qu'en vous obligeant à interviewer tous les candidats d'une façon superficielle ou qu'en embauchant le premier venu.

5. Les ressources externes

La PME, si petite soit-elle, peut faire appel à des ressources extérieures.

a) Le Centre de main-d'oeuvre:
Le Centre de main-d'oeuvre est la ressource la plus connue. Cependant, est-ce que les dirigeants d'entreprises profitent réellement des services qu'il peut offrir? Les Centres de main-d'oeuvre fonctionnent grâce aux entreprises (... et à leurs cotisations), c'est donc un droit pour les entreprises d'exiger un bon service de leur part.

Le dirigeant de PME aurait avantage à fonctionner de la façon suivante:

1° donner tous les détails de l'emploi disponible;

2° établir autant que possible un contact personnalisé avec l'agent responsable du dossier de votre entreprise. Si l'agent responsable connaît votre entreprise, s'il sait vos exigences et vos besoins, il y a de meilleures chances qu'il vous réfère des candidats valables. Cette manière de fonctionner peut s'avérer avantageuse surtout dans les Centres établis dans les petites villes, là où le contact personnel est encore facile.

b) Les agences de personnel:

Dans les grandes villes comme Montréal et Québec, il existe des agences de personnel qui peuvent vous "louer" les services d'un employé ou vous aider à recruter un nouvel employé.

Certaines agences de personnel se spécialisent dans les emplois de bureau, d'autres s'intéressent au personnel professionnel et cadre, certaines d'entre elles fournissent des travailleurs manuels sur une base quotidienne.

Louer les services du personnel d'une agence peut s'avérer avantageux lorsque vous avez besoin de quelqu'un rapidement. Vous téléphonez... vous donnez vos exigences et vos besoins... on vous envoie quelqu'un. Si la personne que l'agence vous envoie ne fait pas l'affaire, l'agence la remplace sans frais.

Si vous utilisez les services d'une personne pendant la période fixée dans le contrat (par exemple: 6 mois) vous pouvez engager vous-même cette personnne sans coûts additionnels.

Dans un aussi bref article, on ne peut qu'effleurer la question du choix du personnel. Par ailleurs, il ne suffit pas seulement de bien choisir le personnel, il faut aussi l'accueillir, le former... et éviter de le perdre; car recommencer à chercher, c'est s'obliger à remettre en branle un processus nécessairement dispendieux. L'engagement du personnel est un investissement qui peut être rentable mais pour qu'il le soit, il faut prendre les moyens appropriés.

LA SÉLECTION DU PERSONNEL: SAVOIR VISER JUSTE

Alain Rondeau

Souvent, pour l'entrepreneur, la sélection du personnel représente une tâche pénible qu'il exécute avec réticence et un peu d'appréhension. Il n'est jamais tout à fait certain de savoir comment s'y prendre et même s'il sait qu'il pourra toujours se défaire d'une personne incompétente, cela lui cause des tiraillements personnels, de même que toutes sortes d'embêtements qu'il voudrait bien éviter.

Comment faire alors... Eh bien, voici une démarche simple et qui devrait s'avérer efficace pour répondre aux besoins de personnel d'une petite entreprise. Qu'il s'agisse de remplacer une secrétaire ou de trouver un nouveau contremaître de production, il est toujours utile de suivre quelques règles de base pour éviter les erreurs les plus fréquemment commises dans de telles situations.

A. Les tâches à accomplir

Il importe en tout premier lieu de clarifier le travail à exécuter, d'établir **une description des tâches** que devra accomplir la personne choisie. Souvent on a tendance à chercher un individu pour combler un poste simplement parce que le poste existe ou parce qu'on croit logique d'affecter une personne à ce travail. Évitez l'erreur de simplement combler un poste vacant. Assurez-vous qu'il y a vraiment un besoin à satisfaire. Il convient, pour faire une description de tâches adéquate, de procéder de la façon suivante:

- Dressez une liste complète des divers aspects de cette fonction; si possible, confiez-en la rédaction à l'ancien titulaire du poste.
- Vérifiez si toutes ces tâches doivent bien être accomplies par la personne qui occupera le poste. Demandez-vous qui d'autre dans votre entreprise peut effectuer ces tâches, en permanence ou durant l'intérim, dans quelle mesure chacune de ces tâches est nécessaire, et si elle est accomplie de façon satisfaisante actuellement.
- N'hésitez pas à tout écrire. Cela vous sera utile par la suite, lorsque vous rencontrerez les candidats au poste. N'omettez aucun détail; certaines tâches semblent peu importantes et on a l'impression qu'il n'est pas nécessaire de les noter. Qui va inscrire sur une description de tâches que la secrétaire doit servir le café ou que le contremaître devra se préoccuper de l'approvisionnement des machines distributrices... Pourtant, si ces tâches ont leur utilité, il est préférable de les inclure; on s'évitera ainsi beaucoup d'ennuis. Sinon, on devrait peut-être les éliminer ou les confier à une autre personne.

B. Les critères de succès

Le fait d'énumérer les tâches à accomplir n'est pas suffisant. Il faut aussi préciser comment on entend que le travail soit fait. Lorsqu'on demande à un entrepreneur ce qu'est une bonne secrétaire ou un bon contremaître de production, il ne mentionnera pas simplement ce que l'un ou l'autre doit faire mais aussi comment il s'attend à ce que ce soit fait.

Voici quelques conseils:

- Pour chaque partie de la **description de tâches**, posez-vous les questions suivantes: Qu'est-ce que j'attends de la personne qui accomplira cette tâche? Que faudra-t-il qu'elle fasse pour que je dise "ça c'est du bon travail"? À quel moment et de quelle façon me rendrai-je compte qu'il s'agit là d'une contribution vraiment valable? Il est intéressant de constater que souvent on ne sait pas exactement ce qu'on attend des gens, ou plutôt qu'on le sait mais qu'on hésite à le leur communiquer. Cet exercice permet de le faire avec précision et quelquefois on est surpris du résultat.

Jusqu'ici, on a clarifié les paramètres de l'emploi à combler et on a précisé ce que devra effectivement accomplir la personne pour avoir du succès dans cette tâche. On s'est donc attaqué à la tâche elle-même. À présent, tournons-nous vers la personne à sélectionner.

C. Les meilleurs indices de la capacité de bien accomplir une fonction

Il s'agit ici de déterminer ce qu'il faut chercher chez des candidats potentiels. Si l'on constate (suite aux deux premières phases) que la fonction nécessite une personne "dévouée", il convient de préciser quels sont les indices de dévouement à identifier chez les candidats. Si c'est la compétence qui importe, il faut préciser quels sont les meilleurs indices de compétence que l'on peut identifier.

Cette étape nous permet donc de clarifier les habiletés, les traits, les motivations spécifiques que l'on devra rechercher chez le candidat idéal.

Il faut prendre garde ici de ne pas se leurrer sur ce que l'on cherche. Il s'agit d'une étape critique d'**identification des caractéristiques souhaitables** chez les candidat(e)s potentiel(le)s et qui doit **découler logiquement des étapes préliminaires**. En d'autres termes, il se peut que la compétence technique du candidat soit l'élément critique à rechercher mais que l'on tienne aussi à ce que cette personne soit dévouée. Il faudra alors clarifier pourquoi l'on tient au dévouement, quelle partie de la tâche à accomplir nécessite du dévouement (étape A) et comment ce facteur affecte le succès dans la tâche (étape B). La même remarque s'applique à la compétence et aux autres habiletés requises.

À cette étape, on trace en quelque sorte le portrait-robot de la personne idéale pour le poste. Il faut toutefois savoir que cette personne idéale n'existe probablement pas (ou qu'elle ne voudra pas travailler au salaire offert!!!)

Il faut donc bien connaître les qualités qui sont absolument nécessaires et celles qui pourraient être développées dans l'exercice de la fonction. Il faut aussi éviter de se laisser trop influencer par les caractéristiques du ou des anciens titulaires de ce poste. On ne choisit pas quelqu'un en réaction à ce qu'était son prédécesseur, mais bien en fonction d'un besoin spécifique à combler.

D. Les postulants et les caractéristiques recherchées

À cette étape on se préoccupe de vérifier si les candidats possèdent les qualités identifiées comme importantes. Il faut se méfier des "a priori" et des jugements fortuits. Il faut éviter de baser ses décisions d'embauche sur de simples impressions; il faut rechercher des faits précis qui sont l'indice de qualités peut-être sous-jacentes mais réelles. Ainsi, il n'est pas suffisant de demander à un candidat quelles sont ses ambitions pour juger de son niveau d'efficacité au travail. Il serait préférable de vérifier ses réalisations antérieures. De même, on n'est pas justifié de conclure qu'une personne est irresponsable parce qu'elle a quitté son dernier emploi pour voyager durant une certaine période. Il serait plus efficace de lui faire préciser quelles étaient ses responsabilités dans son dernier emploi et la façon dont elle s'en est acquitté.

Pour mesurer adéquatement l'existence d'habiletés ou de traits particuliers chez un individu, il y a deux règles à suivre:

- Il faut d'abord se rappeler que le **meilleur indicateur du comportement futur est le comportement passé.** Il y a plus de chance qu'une personne se comporte plutôt selon ses habiletés propres et ses habitudes acquises que selon ce qu'elle affirme qu'elle fera. Si l'on veut avoir un bon indice du comportement d'un candidat, il importe de savoir explorer et évaluer ce qu'il a déjà fait lorsqu'il était placé dans une situation semblable. En scrutant ainsi, de façon systématique, les antécédents des postulants, on pourra déceler divers indices de leur aptitude à rencontrer les exigences de l'emploi. Cela ne signifie pas toutefois que l'on ne sait bien faire que ce que l'on a déjà fait; au contraire, avec une formation adéquate, on peut développer des capacités nouvelles. Mais ce n'est pas au moment de combler un poste qu'on doit aborder ce problème.

- Il faut se rappeler aussi que le **meilleur indicateur de la capacité d'accomplir une tâche c'est la facon d'agir de celui qui l'exécute.** En d'autres termes, il est préférable de placer les candidats dans une situation semblable à celle qu'ils rencontreront au travail et de les observer plutôt que d'évaluer de façon subjective leurs chances de succès à partir de ce qu'ils affirment être capables de faire. Soumettez aux postulants des problèmes réels qu'ils auront à solutionner dans l'emploi et voyez comment ils s'en tirent. N'oubliez pas toutefois qu'ils sont en situation de stress et qu'ils ne sont pas nécessairement familiers avec votre entreprise ou vos méthodes. Ainsi, pour un poste de supervision, il est préférable de confronter les candidats avec des difficultés telles que vécues par vos superviseurs et de leur demander comment ils entendent procéder pour les résoudre. Leur réponse sera un bien meilleur indice de leur démarche future que leurs opinions générales sur la "bonne façon" de superviser.

Cette technique peut aussi être utilisée pour évaluer le potentiel de votre personnel actuel. Profitez des périodes de vacances ou des congés de maladie d'un employé pour faire effectuer son travail par un de ses collègues ou de ses subordonnés. Cela vous permettra de voir comment il s'en tire ou d'identifier ses besoins de formation. Demandez à vos collaborateurs les plus précieux de former leur propre relève, c'est-à-dire de s'assurer que quelqu'un d'autre dans l'entreprise peut faire leur travail. Cette formule peu coûteuse vous permettra de développer des gens compétents et aptes à combler à courte échéance vos besoins en personnel.

L'ÉVALUATION DU RENDEMENT DES EMPLOYÉS

Roland Thériault

D'une façon consciente ou inconsciente, formelle ou informelle, les gestionnaires et responsables d'entreprises effectuent toujours une certaine évaluation des performances de leurs subalternes. Laissés à l'état informel, ces jugements peuvent être qualifiés de "sauvages". Ils reposent sur des critères subjectifs, mal définis, changeants et, de plus, mal cernés par celui qui les utilise.

Une telle argumentation porte à la conclusion que l'évaluation informelle du rendement des individus, en plus d'être sans valeur réelle en soi, est également très dangereuse comme élément de décisions tant pour les gestionnaires et les chefs d'entreprise que pour les employés. Il n'y a alors qu'un pas à franchir pour affirmer que l'évaluation du rendement des employés à l'intérieur d'une organisation devrait être faite de façon formelle.

Mal franchi, ce pas peut conduire à une situation pire que celle dans laquelle se trouve l'organisation qui ne possède pas de système formel d'évaluation.

L'essentiel de l'élaboration d'un système d'évaluation des performances ne consiste pas en l'identification d'une méthode ou en la détermination des évaluateurs mais plutôt en l'identification des caractéristiques pertinentes du contexte dans lequel elle va se faire ainsi que du ou des objectifs poursuivis.

Il est possible d'identifier au moins quatre étapes critiques avant de décider quels vont être les éléments du contenu d'un système d'évaluation des performances: l'état de la situation, l'identification des responsables du développement du futur système, l'état des pratiques actuelles et le contexte dans lequel le système va s'insérer.

1. État de la situation

Que l'organisation en soit à sa première tentative d'élaboration d'un système d'évaluation des performances ou à envisager une modification importante, il importe de se poser les questions suivantes:

— Quels sont les problèmes ou les motifs à l'origine du besoin ressenti?

— Jusqu'à quel point y a-t-il dans l'organisation une volonté d'entreprendre cet effort d'élaboration ou de modification du système?

— Qu'est-ce qui peut être fait de façon réaliste dans un délai déterminé?

— Quelles sont les ressources humaines et financières disponibles pour effectuer ce travail?

— Quelle est l'importance véritable du système à établir ou des modifications à apporter?

2. Identification des responsables du développement du système

Trois groupes de personnes peuvent être impliqués dans l'élaboration d'un système d'évaluation des performances: des consultants externes, la direction du service du personnel ainsi que les cadres et la direction (les évaluateurs et les évalués potentiels).

a. L'utilité des consultants externes

Les consultants externes spécialisés dans la question possèdent certes les connaissances requises pour établir les éléments essentiels d'un système d'évaluation, en s'assurant qu'il est compatible, en théorie, avec les autres aspects de la politique de gestion des ressources humaines. Toutefois, à cause de leur méconnaissance des besoins spécifiques ainsi que du fonctionnement d'ensemble de telle organisation particulière, leur habileté à développer à court terme un système pertinent à cette organisation est limitée. De plus, en raison du coût de leurs services, il apparaît préférable de limiter leur apport à des interventions ponctuelles.

b. La direction du service du personnel

La direction du service du personnel peut ne pas avoir une connaissance approfondie des systèmes d'évaluation des performances, mais elle est en meilleure position que les consultants externes pour apprécier les besoins spécifiques des autres systèmes de l'entreprise. Cependant, par leurs interventions dans l'élaboration du système, celui-ci a généralement tendance à être perçu par les utilisateurs, le personnel hiérarchique, comme leur affaire. Dans ce cas, le bateau risque de rester au quai, de ne pas prendre la mer.

c. L'utilité des cadres et de la direction

Finalement, les principaux utilisateurs, les cadres et la direction, possèdent sans doute peu de connaissances techniques au sujet des éléments d'un système d'évaluation des performances. Toutefois, ce sont eux qui sont les plus familiers avec les activités quotidiennes et la nature du travail à évaluer. Ce sont eux qui vont faire vivre le système et vivre avec lui. Leur participation à l'élaboration du système va immanquablement se traduire en un produit plus acceptable et surtout plus pratique.

d. Le comité responsable du développement du système

Chacun de ces groupes peut fournir une contribution unique. Le travail d'élaboration du système peut donc être confié à des individus provenant des trois sources précitées. Le rôle du consultant externe consiste à identifier les composantes du système et les solutions possibles. La direction du service du personnel ainsi que les cadres et la direction procèdent à l'analyse de ces solutions selon leurs différentes perspectives et au choix des diverses composantes: le pourquoi, le quoi et le comment.

3. État des pratiques actuelles

La révision des pratiques actuelles vise essentiellement deux choses. Elle sert à mettre à jour l'histoire de l'évaluation des performances à l'intérieur de l'organisation ainsi que des autres programmes de gestion des ressources humaines existants. L'objet de ce dernier point est d'identifier les forces et les faiblesses de ces programmes et surtout la façon dont un système d'évaluation des performances pourrait en améliorer l'efficacité sous tel ou tel aspect.

L'état des pratiques actuelles peut être suivi de l'examen d'un certain nombre de systèmes d'évaluation des performances adoptés par d'autres organisations. Le but poursuivi alors n'est certes pas de transposer ces systèmes intégralement, mais plutôt d'en tirer des conclusions utiles.

4. Le contexte organisationnel

L'évaluation des performances ne forme qu'un segment du processus de gestion et, pour s'harmoniser à l'ensemble du processus, elle doit s'appuyer sur les caractéristiques connues du reste du processus. À cet égard, plusieurs remarques s'imposent.

a. Toute pratique de gestion n'est efficace que dans la mesure de sa cohérence avec le style de gestion des individus concernés.

b. Le travail des cadres se déroule davantage sur un plan informel que sur un plan formel, leurs activités sont de courte durée et très variées. Par ailleurs, l'application efficace d'un système d'évaluation des performances par les gestionnaires requiert beaucoup de temps. Il faut tenir compte de cette réalité.

c. Il est important de relever la façon dont la supervision s'effectue dans l'organisation. Une méthode d'évaluation impliquant une supervision étroite du travail n'est pas appropriée lorsque les personnes évaluées ne sont pas en contact direct et fréquent avec leur évaluateur.

d. Une certaine cohérence doit exister entre la possibilité de quantifier les résultats du travail des individus et les critères d'évaluation utilisés.

e. Si l'on demande que les cadres évaluent leurs subalternes et que les membres de la direction évaluent les cadres, il apparaît tout à fait logique et aussi important que le responsable de l'entreprise évalue également les membres de la direction. Il en va de la crédibilité du système.

f. Est-ce qu'une analyse détaillée des forces et des faiblesses relatives de chacun des individus est nécessaire? Peut-on se contenter d'une cote globale?

g. Quelles sont les ressources humaines et financières et le temps dont l'organisation dispose pour élaborer et implanter ce système?

h. Est-ce qu'il y a des leçons à tirer de l'implantation de nouveaux systèmes de gestion à l'intérieur de l'organisation, par exemple en comptabilité ou en informatique? Quels ont été les façons de procéder, les points critiques? Quelle évaluation peut-on en faire?

Conclusion

Laissée à l'état informel, l'évaluation des performances repose sur des jugements qui peuvent être qualifiés de sauvages. Cependant, la formalisation de l'évaluation n'est pas un gage d'efficacité. Dans la mesure où il n'est pas possible de répondre de façon appropriée aux questions soulevées dans ce texte, l'adoption d'un système d'évaluation formelle risque de n'apporter aucune amélioration notable. En pareil cas, il est préférable de s'abstenir: on ne change pas de système pour le seul plaisir de la chose.

LE CONTREMAÎTRE ET LA PME
Jacques Filion

Paul, c'est un bon contremaître. Il sait inspirer confiance. C'est là une des clefs de son succès. Nombreux sont ceux qui veulent travailler pour lui. Du point de vue de la direction, il devient de plus en plus précieux car son équipe s'en tire toujours avec les coûts d'opération, les bris de machinerie et d'équipement les plus bas. On commence à l'utiliser pour former d'autres contre-maîtres. Pourtant, même s'il se maintenait dans une bonne moyenne, ce n'était pas l'employé qui, auparavant, donnait le meilleur rendement.

Les principales caractéristiques

Quand est venu le temps de nommer un contremaître, nous avons commencé par définir les qualités requises par le poste. Nous avons réalisé que les employés promus en raison de leur productivité personnelle n'étaient pas toujours ceux qui, une fois contremaître, obtenaient les meilleurs résultats. Ils sont parfois incapables d'inculquer aux autres les habiletés qu'ils ont acqui-ses.

Nous avons aussi réalisé que l'aptitude à communiquer, tant à écouter qu'à s'exprimer, offrait des chances plus élevées de succès. En effet, la personne qui possède ce talent demeure plus longtemps disposée à rechercher, avec chacun de ses employés, les meilleures façons de procéder; et celles-ci peuvent varier considé-rablement d'un individu à l'autre. Il faut évidemment connaître le métier ou la tâche à exécuter, pouvoir perfectionner les métho-des, entraîner les travailleurs. Donc, connaissance du domaine et relations humaines. Par relations humaines, on n'entend pas seulement la capacité de communiquer, mais tout ce qui est relié au discernement, à l'évaluation objective des gens et des faits, au respect de l'équité. Plus le jugement sera élevé, plus grande sera l'équité et, par voie de conséquence, plus grande sera la confiance des employés. Le problème, c'est que chacun de nous croit être doté d'un bon jugement; mais c'est l'élément dont nous sommes le plus dépourvus lorsque vient le temps de prendre des décisions. Le jugement demeure néanmoins le facteur capital de la réussite des gestionnaires, des contremaîtres en particulier.

Débordé de travail

J'ai travaillé pour des contremaîtres, j'ai été contremaître et j'ai dirigé des contremaîtres avant de passer à d'autres fonctions. J'en connais peu où le travail à abattre soit aussi exigeant, où la pression demeure si constante et si élevée. On ne réalise pas assez jusqu'à quel point les gains et les pertes d'une entreprise se produisent au premier niveau et dépendent en somme de la compétence du contremaître. Il vaut donc la peine de tenter de dégager quelques règles qui puissent le guider.

La première consiste à essayer de s'organiser, à apprendre à s'organiser et enfin à s'organiser. Le premier pas: dresser la liste de tout ce qu'on devra accomplir au cours de la journée. Cette liste, il faut la rédiger avant le début des activités, car à partir de ce moment ce n'est plus possible: le téléphone, les employés, le patron... Cette liste permettra d'établir des recoupements, d'éviter des pertes de temps ou des déplacements inutiles, et surtout de déléguer davantage tout en aidant nos gens à mieux s'organiser à leur tour.

Une fois organisé, on essaiera de passer à une autre étape, celle de planifier. On fixera un objectif pour chaque jour ainsi que la façon la moins coûteuse de l'atteindre. Pour réussir cette étape, il faut s'asseoir pendant au moins un ou deux jours par année, examiner l'ensemble des tâches à réaliser et établir le processus le plus efficace pour y parvenir.

Autorité = Responsabilité

Il existe un vieux principe d'administration qui dit qu'on doit posséder assez d'autorité pour gérer ce dont on est responsable. C'est sans doute le principe le plus négligé à la première ligne de supervision, en ce sens qu'on assigne un tas de responsabilités au contremaître sans lui accorder l'autorité correspondante. Le contremaître doit s'assurer lorsqu'on lui confie une responsabilité, qu'on lui a aussi délégué l'autorité suffisante pour opérer librement. Sinon, il doit demander l'autorité qu'il juge nécessaire pour bien fonctionner en expliquant clairement le pourquoi aux supérieurs concernés. S'il ne peut l'obtenir, il devrait faire l'impossible pour ne pas accepter cette nouvelle responsabilité qu'on veut lui confier. À l'inverse, s'il détient plus d'autorité que nécessaire, il doit se garder scrupuleusement d'en abuser. Il serait la première victime de ses propres excès.

Un homme-tampon

Une des caractéristiques de l'évolution du travail de contre-maître dans la grande entreprise au cours des dernières années réside dans l'augmentation considérable des contraintes qui viennent entourer son fonctionnement: multiplication des règlements et des politiques d'entreprise ainsi que du nombre de personnes à consulter avant d'agir, aussitôt qu'il s'agit d'une question sortant de l'ordinaire.

Quelle que soit la dimension de l'entreprise, le travail de supervision reste fondamentalement le même. Le contremaître demeure toujours le tampon entre la direction et les employés. Il doit gagner la confiance de ses collaborateurs et employés. Plus il sera perçu comme celui qui les défend auprès de l'administration plus il sera apprécié et plus la confiance régnera. Or dans la PME, l'administration c'est le plus souvent le patron propriétaire. C'est donc dire que le contremaître devra fréquemment négocier sans en avoir l'air avec les deux niveaux. Il devra continuellement présenter à chacun une image acceptable de l'autre partie, s'assurer que les exigences du patron sont compatibles avec les possibilités des employés et, par ailleurs, que les travaux de ces derniers sont bien orientés vers la réalisation des objectifs du patron. Encore là, le rôle de communicateur demeure prédominant.

Paul, "mon meilleur contremaître"

Paul n'est pas un personnage fictif. Il existe. Il a ses défauts... Mais il a appris. On lui a fait comprendre que son travail, ce n'était plus d'exécuter mais de s'assurer que les gens soient heureux en réalisant ce qu'il leur demande de faire. C'est un gars qui consulte avant de décider mais qui décide vite. C'est un gars qui a ses façons de faire et ne suit pas toujours les règles à la lettre. Mais lorsqu'il pose un geste, il saura vous expliquer pourquoi il l'a fait. Ça inspire confiance.

CODE DU TRAVAIL: NOUVELLES CONTRAINTES POUR LA PME

PME Gestion

Au cours d'une entrevue, M. Roger G. Martin a bien voulu commenter, pour les lecteurs de PME GESTION, les principaux aspects du projet de loi 17. Professeur agrégé à l'École des H.E.C., monsieur Martin possède une longue expérience et une connais-sance approfondie des relations du travail.

De nombreux articles du projet de loi 17 ont pour but de rendre plus effectif l'exercice du droit d'association. On ne peut, en principe, s'opposer à une telle orientation. Il n'en reste pas moins que son application, telle que formulée dans certains amendements, imposera fatalement des contraintes additionnelles aux entreprises, particulièrement aux PME. Monsieur Martin souligne les dispositions les plus contestables du projet de loi à cet égard.

Sanctions pour activités syndicales

En vertu de l'amendement à l'article 16 du Code du travail, l'employé qui croit avoir été congédié, soumis à des sanctions, ou à qui on aurait refusé un emploi pour activités syndicales pourrait porter plainte dans un délai de 30 jours. (Ce délai est actuellement de 15 jours.) S'il est établi à la satisfaction du commissaire du travail que le salarié a été lésé dans ses droits, l'employeur est présumé coupable et il lui incombe "de prouver qu'il a pris cette sanction ou mesure pour une autre cause juste et suffisante". (Article 17). "Le commissaire du travail peut fixer le quantum d'une indemnité et ordonner le paiement d'un intérêt au taux légal à compter du dépôt de la plainte sur les sommes dues (au salarié) en vertu de l'ordonnance" (Article 19).

Les plaintes de cette nature posent à l'employeur des problèmes complexes: c'est sa bonne foi qui est en cause et sa version des faits peut toujours être contredite par la partie adverse. Les nouveaux amendements compromettraient sa position encore davantage,

- en prolongeant le délai accordé au salarié pour soumettre sa plainte;
- en étendant la portée de cette disposition pour inclure l'étape de l'embauchage.

Règlement des griefs

M. Martin rappelle que l'attitude la plus saine à adopter à l'endroit des griefs consiste à les régler le plus rapidement possible: on peut ensuite passer à des aspects plus positifs des relations humaines. La loi admettait implicitement cette logique en laissant aux parties le soin de décider des délais. Le nouvel article 100.0.1 du code fixerait cette période à 30 jours.

En établissant un délai minimum, ces dispositions auraient probablement pour effet de multiplier le nombre des griefs et d'en augmenter considérablement les coûts.

La convention, base de relations saines

On peut faire la même observation au sujet de l'amendement proposé à l'article 100.2.1: "Aucun grief ne doit être considéré comme nul ou rejeté pour vice de forme ou irrégularité de procédure." Or, la procédure, notamment celle dont ont convenu les parties à la convention collective, fournit un encadrement qui est une garantie d'ordre et de discipline. Une convention collective peut, par exemple, prévoir qu'un salarié doit chercher à obtenir satisfaction auprès de trois paliers d'autorité avant de soumettre un grief à l'arbitrage. Une telle procédure n'a pas pour but de "noyer le poisson" mais d'apporter au grief une solution appropriée, de permettre à tous les intéressés d'enrichir leur expérience commune, et de corriger les situations susceptibles d'engendrer les mêmes conflits. L'amendement proposé aurait pour effet, dans ce cas, de passer outre aux ententes négociées.

Processus d'accréditation

Le projet de loi 17 ouvrirait la porte à l'accréditation de syndicats ne représentant qu'une minorité des membres d'une unité de négociation, comme on peut le voir par l'amendement suivant (Article 37): "Le commissaire du travail doit ordonner un vote au scrutin secret chaque fois qu'une association requérante groupe entre 35% et 50% des salariés dans l'unité de négociation appropriée. Seules peuvent briguer les suffrages, l'association ou les associations requérantes qui groupent au moins 35% des salariés visés ainsi que l'association accréditée, s'il y en a une." Il est fréquent pour les associations requérantes et/ou le syndicat accrédité de compter dans leurs rangs les mêmes personnes. Or le projet de loi prévoit que l'association récoltant le plus grand nombre de votes est accréditée.

L'objet de cet amendement est évidemment, comme le déclare le préambule du projet de loi, "d'élargir la protection du droit d'association", c'est-à-dire de favoriser l'implantation du syndicalisme. Mais serait-on justifié de poursuivre ce but à l'encontre d'une opinion majoritaire qui serait opposée à la présence de l'un ou l'autre syndicat, et sans s'interroger sur l'existence d'une telle majorité? Selon M. Martin, aussi longtemps que le salarié reste libre de se syndiquer ou non, la solution la plus simple et la plus juste consisterait à prévoir toutes les options dans la formulation même du bulletin de vote, qui pourrait être rédigé selon le modèle suivant:

Syndicat A   _____
Syndicat B   _____
Pas de syndicat   _____

Une telle formule permettrait de connaître clairement l'opinion de la majorité et d'éviter de lui imposer une décision minoritaire.

Les dispositions anti-scabs

L'adoption du projet de loi 17 rendrait plus difficile le maintien des activités d'une PME en temps de grève. En effet, l'article 109.1 interdirait à l'employeur d'utiliser, pour remplacer un salarié en grève ou en lock-out,

— les services d'un employé de bureau ou autre salarié non syndiqué mais syndicable;

— les services d'un sous-traitant dans l'établissement frappé par la grève.

Les messures anti-scabs sont particulièrement menaçantes pour la PME. Les grandes entreprises possédant plusieurs établissements peuvent généralement s'organiser pour satisfaire les besoins de leur clientèle et pour rester dans la course. Mais les PME, dont les opérations sont le plus souvent concentrées dans un seul établissement, se trouvent dans une position de fragilité extrême. Si la loi les réduit à l'impuissance face aux pressions syndicales qui accompagnent souvent une grève, elle les condamne à perdre leurs marchés et à fermer leurs portes.

Une lacune grave

La fragilité de la PME est encore accrue par une faiblesse sérieuse du Code du travail: il ne fait pas obligation au syndicat d'informer les grévistes des offres patronales. L'employeur est donc exposé à subir une grève prolongée arbitrairement, peut-être au-delà de toute mesure tolérable. Monsieur Martin estime qu'il serait pourtant facile de corriger cette omission grave. Il suffirait d'obliger le syndicat à convoquer des assemblées à périodes fixes pendant la durée d'une grève et à tenir ses membres au courant de toute modification dans les propositions ou les offres de l'employeur.

Conclusion

Il est louable de faciliter l'expansion du syndicalisme. Toutefois il importe d'éviter, en ce faisant, de provoquer l'affaissement de la productivité, de la capacité concurrentielle des entreprises et du niveau de l'emploi. Personne ne tirerait profit de pareille aventure. Le syndicalisme a un rôle de défense à jouer. Cependant, affirme monsieur Martin, ce rôle n'est pas incompatible avec la volonté de collaboration essentielle non seulement au succès des entreprises mais aussi au progrès du Québec dans un monde de plus en plus ouvert aux échanges entre pays.

NORMES DU TRAVAIL — CONGÉDIEMENTS ET CADRES

PME Gestion

La loi sur les normes du travail a été sanctionnée le 22 juin 1979. Elle avait pour but d'établir des conditions minimales de travail, applicables, sauf rares exceptions, à tous les salariés.

Interrogé sur les effets de cette loi, monsieur Roger G. Martin a choisi d'attirer l'attention des dirigeants de PME sur l'un des aspects du sujet: sa portée sur les cadres.

Les cadres, des "salariés"

Monsieur Martin rappelle que si le terme "salarié" au sens du Code du travail s'entend des employés ne détenant aucune autorité sur d'autres travailleurs, il en va autrement dans la loi sur les normes du travail: en effet le mot salarié englobe dans cette loi *tous les employés, cadres inclus.*

Dans le cours ordinaire des choses, cette disposition ne présente que des difficultés mineures. Mais la cessation d'emploi des cadres peut créer, et crée en fait de nombreux conflits.

Comme à tout autre "salarié", la loi reconnaît au cadre trois recours possibles:

1. si le cadre peut démontrer que l'employeur n'a pas respecté les droits minimums conférés par la loi, la Commission exigera que l'employeur s'amende et, le cas échéant, elle prendra les procédures voulues auprès des tribunaux de droit commun;

2. si le cadre a pris ou tenté de prendre des mesures pour obliger l'employeur à respecter la loi, et si l'employeur l'a congédié pour telle démarche, ce dernier devra justifier sa décision devant un commissaire du travail suite à une plainte faite dans ce sens par le cadre visé;

3. enfin, si un cadre justifiant de 5 années de service continu chez son employeur croit qu'il a été congédié ou licencié sans cause juste ni suffisante, le cas sera référé à un arbitre accrédité. Il est très important de souligner que, conformément à ce dernier recours seulement, des centaines de cas impliquant des cadres et leur employeur ont ainsi été référés à des arbitres depuis les deux dernières années. Et les employeurs sont loin de toujours avoir gain de cause. Voici pourquoi.

Les arbitres qui entendent les causes en vertu de cette loi sont les mêmes qui sont chargés de passer jugement dans les conflits découlant de la convention collective. Ils doivent rendre leur décision à partir de la preuve recueillie à l'enquête, c'est-à-dire en s'appuyant sur les faits qui, seuls, peuvent établir la validité de telle position plutôt que de telle autre; agir autrement serait ouvrir la porte à l'arbitraire et à l'injustice. Dans ces conditions, l'employeur ne peut se borner à tenter de convaincre l'arbitre de sa bonne foi en multipliant les déclarations gratuites. Il lui faut démontrer, pièces en main, la justesse de sa cause et prouver que sa décision n'est pas entachée de discrimination injuste ou d'erreur grave. Il doit posséder, en matière de gestion du personnel, des politiques claires, applicables et, dans les faits, appliquées à tous ses employés. Le processus décisionnel à l'égard du congédiement doit être constant, cohérent, juste et raisonnable, quoique il puisse être différent en ce qui concerne les cadres.

L'employeur qui voudra justifier sa décision en invoquant le manque de compétence et de rendement sera bien avisé de fournir la preuve qu'il possède un bon programme, maintenu à jour, d'évaluation de la performance. Ces évaluations lui seront indispensables pour lui permettre d'établir les faits à la satisfaction de l'arbitre. Dans l'hypothèse d'un congédiement pour défaut de comportement, il ne suffira pas que l'employeur tire de sa poche une liste de blâmes qui n'auraient pas été communiqués au cadre. Le dossier doit être suffisamment complet pour refléter une image assez exacte de sa façon d'agir. À moins de faute grave, l'arbitre hésitera beaucoup avant de confirmer un congédiement qui n'aurait pas été précédé d'un effort loyal, de la part de l'employeur, pour expliquer au cadre les reproches qu'il mérite et les correctifs qui s'imposent.

Si on veut tenter de simplifier un ensemble de situations complexes, on peut dire que l'employeur peut faire face, dans ce domaine, à deux types principaux de problèmes:

1. *un congédiement,* soit le "renvoi d'un salarié pour une cause disciplinaire": insubordination grave, mauvaise volonté, vol, etc.; quand les faits sont clairement établis, l'arbitre ne pourra vraisemblablement que confirmer l'à-propos du congédiement; mais l'employeur doit bâtir sa preuve;

2. *un licenciement* ou *congédiement administratif,* soit "l'acte par lequel un employeur met fin au contrat de travail... pour des motifs d'ordre interne ou liés à la vie économique": là encore, si la décision a été prise en vertu d'une politique établie et selon un processus normal, et si l'employeur peut en démontrer la validité, il pourra sans doute compter sur le support de l'arbitre, qu'il s'agisse d'une réorganisation interne ou d'une diminution d'effectifs due à la conjoncture. Mais il en sera tout autrement si le licenciement est un congédiement déguisé ou si dans

le processus il a commis une erreur ou a fait preuve de discrimination injuste.

M. Martin rappelle que la loi sur les normes du travail accroît
les responsabilités des employeurs, dans la mesure où elle confère
aux employés non syndiqués des droits qui jusque-là découlaient
de la convention collective. Et cette tendance ne peut que se
confirmer.

M. Martin conclut en exprimant l'avis que les dispositions de
cette loi augmenteront considérablement la sécurité des cadres à
l'égard de leur emploi et devraient contribuer fortement à réduire
les malaises qu'ils attribuent à l'arbitraire patronal.

LA RÉVISION DU CODE DU TRAVAIL ET LES PME

René Doucet

Le 15 mars 1984, le ministre du Travail, M. Raynald Fré-
chette, annonçait la formation d'un groupe d'étude en vue de la
révision du Code du travail.

Ce groupe d'étude a pour mandat de recueillir les opinions
sur les modifications à apporter au Code du travail et à faire
rapport au ministre d'ici mai 1985. Il est composé des cinq personnes dont les noms suivent: le juge René Beaudry, président; M.
Jean-Jacques Gagnon, ex-vice-président de l'Alcan; M. Jean
Gérin-Lajoie, ex-directeur des Métallos et professeur invité à
l'École des H.E.C.; M. Viateur Larouche, professeur à l'École des
relations industrielles, Université de Montréal, et madame Jeannine David-McNeil, professeur à l'Institut d'économie appliquée,
H.E.C.

Pour quelles raisons les dirigeants des PME doivent-ils s'intéresser à ce projet de révision?

En premier lieu un bon nombre de petites et de moyennes
entreprises sont syndiquées[1]. Pour ces entreprises, la négociation
collective fait partie de leur culture organisationnelle. Les dispositions de la convention collective imprègnent leur gestion quotidienne.

1. *Bernier, J. "La convention collective: un indicateur de la réalité
   syndicale québécoise", Relations Industrielles 29. 1974 p. 160.
   Dans cette étude, l'auteur mentionne que 850 conventions collectives régissent des petites entreprises (15 à 49 salariés).*

Pour les autres entreprises, non syndiquées, le droit d'association, droit protégé par le Code de façon universelle, est une réalité avec laquelle elles doivent compter. Chacune d'entre elles peut avoir, un jour ou l'autre, à faire face à un mouvement de syndicalisation. C'est alors que les règles du Code concernant les protections syndicales, l'accréditation et la négociation d'une convention collective deviennent importantes.

Le but de cette série d'articles est de dégager les principaux enjeux de la révision qui s'amorce.

Le régime d'accréditation

Pour les syndicats, l'accréditation est le mécanisme qui leur permet d'acquérir la qualité de représentant officiel et exclusif d'un groupe de salariés et de forcer l'employeur visé à négocier une convention collective. La définition du groupe de salariés détermine l'aire de négociation collective dans l'entreprise. Ainsi, lorsqu'un syndicat est accrédité pour représenter les salariés affectés à la production dans un établissement, seul ce groupe production fera l'objet de négociation collective dans cette entreprise.

Le point de vue syndical

Le régime de syndicalisation par entreprise ou par établissement a fait l'objet, au cours des 15 dernières années, de critiques constantes de la part des syndicats. Ces critiques se fondent sur le constat que les petits groupes de travailleurs sont peu enclins à se syndiquer. Les syndicats trouvent plus difficile, voire impossible, de syndiquer 10, 20 ou 30 travailleurs qui côtoient leur employeur quotidiennement. Imbues de la croyance que seule la négociation collective permet un niveau décent de conditions de travail, les centrales syndicales estiment devoir étendre la syndicalisation. Celle-ci, depuis plusieurs années, a tendance à plafonner à environ 30% de la population active, ou 37% des travailleurs rémunérés (excluant les chômeurs). Dans le secteur privé ce taux baisse à 24% des travailleurs avec emploi. Dans le secteur public, il est de 63%[2].

La négociation sectorielle (pluri-patronale)

La formule proposée par les centrales syndicales est de modifier le Code du travail de manière à permettre l'accréditation sectorielle, ou pluri-patronale, dans tous les secteurs où le régime d'accréditation par entreprise ne fonctionne pas bien. La Fédération des Travailleurs du Québec a, dans son **Rapport sur la**

2. *Source: Le marché du Travail, Centre de recherche et de statistique sur le marché du Travail, janvier 1984, Vol. 5, no 1, p. 61.*

syndicalisation sectorielle et vote de grève (1971, 12e Congrès), proposé un certain nombre d'exemples à retenir à titre de secteurs: l'ensemble des restaurants d'une ville, les magasins d'une région, les usines d'un petit secteur industriel. Pour sa part, la Confédération des syndicats nationaux, dans le rapport du président de 1970, suggère deux principes de base pouvant servir à la définition des secteurs:

a) un sous-secteur régional assez large pour permettre aux parties — employeurs et salariés — d'administrer leur convention collective sans encourir des coûts prohibitifs;

b) un sous-secteur régional assez restreint pour permettre aux travailleurs et aux employeurs intéressés d'être le plus près possible des véritables centres de décision.

En 1977, le professeur Léo Roback, dans un document fouillé portant sur la négociation sectorielle[3] qu'il préfère appeler "négociation[3] pluri-patronale", a fait écho aux suggestions syndicales en proposant de modifier l'article 20 du Code du travail de manière à permettre l'accréditation à l'égard des salariés "d'un employeur ou d'un groupe d'employeurs".

L'opposition patronale

En novembre 1970, le Conseil du patronat du Québec s'opposa fermement au projet de négociation sectorielle proposé par les centrales syndicales. Il rejetait alors l'hypothèse que la négociation sectorielle puisse être un remède aux maux sociaux et économiques qui confrontent notre société québécoise. De plus, il refusait d'être circonscrit dans un mécanisme mal défini dont les résultats économiques et sociaux demeurent totalement imprévisibles. Il souhaitait que le gouvernement envisage plutôt d'autres solutions peu explorées jusqu'à maintenant, tels les organismes de concertation, la réévaluation du rôle des ordonnances, etc.

L'action gouvernementale

À cette époque, certains hauts fonctionnaires du gouvernement estimaient que la négociation sectorielle pourrait fournir à l'État la possibilité d'intervenir sur le plan des grands ensembles économiques dans un contexte de planification économique. Le gouvernement avait déjà en 1968 tenté de résoudre les nombreux problèmes qui minaient l'industrie de la construction en établissant la négociation sectorielle dans cette industrie au moyen de la Loi 290. À cause des nombreuses difficultés rencontrées dans l'application de cette loi, le gouvernement s'est ensuite orienté vers l'adoption de lois sociales de grande portée telles la Loi sur les normes du travail (1979), la Loi sur la santé et la sécurité du travail (1979) et la Charte de la langue française (1978).

3. *Léo Roback, "La syndicalisation sectorielle", Institut de recherche appliquée sur le Travail, bulletin no 10, février 1977.*

Le projet de société

La révision du Code du travail peut être l'occasion de se poser de sérieuses questions sur nos orientations sociétales.

On peut s'interroger longuement sur l'opportunité de favoriser plus avant la négociation collective alors que le chômage oscille autour de 13 et 14% et que de toute évidence les énergies doivent tendre à créer des emplois.

Mais aussi et surtout, l'on doit s'interroger sur le postulat que la négociation collective est la meilleure, sinon la seule façon de créer un climat de justice sociale.

C'est à partir de ce postulat qu'en 1968 le gouvernement du Québec a établi, dans l'industrie de la construction, la négociation sectorielle. Les conséquences ne se firent pas attendre: obligation de tous les salariés d'être membres d'une ou l'autre centrale représentative, conditions de travail établies de façon autoritaire par l'État, chômage endémique, et finalement travail au noir. La Loi 290 n'a même pas contribué à aplanir les rivalités intersyndicales.

D'après les informations transmises par les journaux, certains estiment que près de la moitié des travailleurs dans les chantiers de construction résidentielle sont payés à des taux de 40 à 50% inférieurs au décret. (Le Devoir, lundi 9 avril 1984). La rigidité du décret et du processus de négociation entraîne de telles distorsions. Aurons-nous à faire face au même phénomène si l'on étend la négociation sectorielle à d'autres secteurs?

Syndicalisation obligatoire...?

Cette question en amène d'autres plus fondamentales. Quelle part fait-on dans notre société au droit au travail? Le manque de souplesse de notre régime de négociation collective oblige souvent les employeurs qui font face aux forces du marché à recourir à des procédés non orthodoxes. Les salariés sont souvent tiraillés entre leur besoin de travailler et la norme syndicale ou gouvernementale. Sommes-nous disposés à laisser un peu plus de liberté aux individus sur le marché du travail ou tenons-nous à bureaucratiser nos entreprises contre vents et marées?

... Ou liberté d'adhésion?

La liberté d'adhésion syndicale en Europe est assurée par la philosophie et les pratiques des syndicats européens. Le pluralisme, plutôt que le monopole, est la règle. Ce système permet la négociation par branche d'activités sans imposer au salarié l'obligation d'être membre d'un syndicat.

L'idée de la liberté d'adhésion fait son chemin chez nous également. M. Marcel Pepin, alors président de la CSN, écrivait en 1976 dans son rapport moral ce qui suit:

"Certains trouvent que ce mode de représentation (le mono-pole) s'avère de moins en moins conforme à la réalité, qu'il représente souvent une barrière à l'expression d'un véritable militantisme... Le monopole de représentation est appelé à répondre, dans l'avenir, d'une manière de moins en moins conforme à ce que devra être et sera sans doute le syndica-lisme québécois." (Pépin, Marcel, Prenons notre pouvoir, 47e Congrès de la C.S.N., 27 juin 1976, p. 91).

Non seulement le pluralisme syndical assure-t-il un plus grand militantisme, mais il assure aussi et surtout une plus grande liberté d'adhésion.

Du côté des employeurs maintenant, jusqu'à quel point sommes-nous prêts à faire confiance aux gestionnaires et à leur sens de responsabilité sociale? À force de les encadrer au moyen d'une multitude de réglementations gouvernementales ou syndi-cales le rôle des gestionnaires se vide de toute responsabilité réelle.

Liberté et responsabilité vont de pair. La tendance actuelle qui consiste à réglementer dans les moindres détails les activités de travail dans l'entreprise ne risque-t-elle pas de conduire à l'irresponsabilité systématique des partenaires sociaux? De telles questions s'imposent à l'ordre du jour de la révision du Code du travail.

Les conflits de travail — Grèves et lock-out

Dans *Le Devoir* du 2 mai dernier, la journaliste Paule Des Rivières faisait état des dernières données du ministère fédéral du Travail sur les grèves et lock-out survenus au Canada en 1983. Ces données révèlent qu'au cours de cette dernière année le nom-bre de jours de travail perdus au Canada a considérablement baissé (23%) pour atteindre son plus bas niveau depuis 1977. Toutefois, plus de la moitié (52%) de ces jours-personne perdus le furent en raison de grèves et lock-out survenus au Québec.

Encore une fois l'on doit se rendre compte que, toute propor-tion gardée, l'économie du Québec subit plus que sa part d'arrêts de travail.

Le tableau ci-dessous illustre de façon claire que depuis plu-sieurs années le Québec se distingue par un plus grand nombre de jours-personne perdus en raison de grèves et de lock-out.

Les écarts importants révélés par les chiffres indiqués pour les années 1972, 1976, 1979 et 1980 peuvent s'expliquer dans une certaine mesure par les nombreuses grèves survenues dans le secteur public. Cette explication est insuffisante; elle n'explique pas tout le phénomène.

Tableau 1		Conflits de travail							
		Pourcentage du temps ouvrable perdu							
	1968	1972	1976	1977	1978	1979	1980	1981	1982
Canada	0,32	0,43	0,55	0,15	0,34	0,34	0,38	0,37	0,25
Québec	0,25	0,71	1,15	0,24	0,33	0,60	0,71	0,31	0,24
Ontario	0,41	0,25	0,19	0,13	0,38	0,31	0,20	0,26	0,26
Colombie Britannique	0,26	0,90	0,61	0,06	0,20	0,28	0,16	1,12	0,41
États-unis	0,28	0,15	0,19	0,17	0,17	0,15	0,14	0,11	—

SOURCES: QUÉBEC: **Grèves et lock-out au Québec,** Ministère du Travail

CANADA: **Grèves et lock-out au Canada,** Travail-Canada.

ÉTATS-UNIS: **Handbook of Labor Statistics,** Department of Labor.

N.B.: 1) La formule générale utilisée pour obtenir cet indicateur est:

$$\frac{\text{jours-personne ouvrables perdus} \times 100}{\substack{\text{nombre de travailleurs} \\ \text{non-agricoles rémunérés}} \times \substack{\text{nombre de jours ouvrables dans l'année} \\ \text{moins nombre de jours fériés}}}$$

(l'indicateur se lit: 0,32 = 32 jours/personne perdus par 10 000 jours/personne de travail.)

2) Aux États-Unis, les travailleurs agricoles sont inclus mais ceux de la forêt et des pêches sont exclus.

Tableau préparé par M. Mario Giroux, assistant de recherche, sous la direction du professeur René Doucet.

Le secteur privé

Un deuxième tableau, reproduit de l'édition d'avril 1983 de la revue *Le Marché du Travail*, nous donne une lecture plus précise du comportement des partenaires sociaux dans le secteur privé de compétence provinciale.

Ce deuxième tableau nous indique que pour les années 1978 à 1982 le nombre de jours-personne perdus par les conflits dans le secteur privé est toujours plus élevé au Québec que dans l'ensemble du Canada. Par rapport à la province voisine, l'Ontario, ce nombre est toujours supérieur, sauf pour l'année 1979 où il est inférieur. La moyenne québécoise des années 1978 à 1982 est sensiblement supérieure au chiffre retenu pour l'Ontario ainsi qu'à la moyenne nationale.

Plusieurs questions

De telles statistiques soulèvent plusieurs questions quant à notre habileté comme collectivité à résoudre nos divergences et à développer des rapports harmonieux.

Trouver réponse à ces questions est d'une importance capitale pour notre économie. Toute personne susceptible d'investir des capitaux tiendra compte, dans son appréciation du risque, des avantages comparés d'investir au Québec plutôt que dans une autre province. Les coûts associés au règlement des différends pèsent lourd dans la balance.

Peu de réponses

Le groupe d'étude chargé de la révision du Code du travail aura fort à faire pour trouver les réponses à l'ensemble de ces questions. Certaines ont trait, bien sûr, aux mécanismes prévus au Code du travail, **mais la plupart ont trait aux caractéristiques institutionnelles des parties en cause, ainsi qu'à la conjoncture économique, sociale et politique dans laquelle elles négocient.**

Tableau II
Jours perdus par personne touchée par les conflits du secteur privé de compétence provinciale.
Québec, Ontario, Canada
1978 - 1982

Année	Québec	Ontario	Canada
1978	31,54	24,52	22,07
1979	21,77	26,41	21,49
1980	41,67	22,21	23,80
1981	39,33	38,26	29,77
1982	31,22*	23,3*	17,1*
Moyenne annuelle 1978-1982	33,1	26,9	22,9

SOURCES: Compilation spéciale du C.R.S.M.T. à partir des données de Travail Canada. Cité dans *Le Marché du Travail* - avril 1983.

Note: Le secteur privé comprend l'ensemble des secteurs moins l'administration publique provinciale, l'éducation et la santé.

* Ces pourcentages couvrent la période de janvier 1982 à novembre 1982, les données pour le mois de décembre n'étant pas encore disponibles pour l'Ontario et le Canada.

Caractéristiques institutionnelles

Un exemple des rapports qui peuvent exister entre, d'une part, les caractéristiques institutionnelles des parties en cause, et, d'autre part, le nombre et la durée des conflits dans lesquels ces parties sont impliquées nous est donné par le tableau 3 ci-après.

Tableau III
Conflits de travail selon l'affiliation syndicale

Québec 1982	Travailleurs affiliés		Nombre de conflits	Nombre de travailleurs touchés	Jours-personne perdus	
	Nombre	%			N	%
CTC	62 665	7,5	7 (2%)	953	63 098	4,7
CEQ	70 481	8,4	2 (1%)	68	2 812	,2
CSD	44 711	5,3	24 (10%)	6 913	91 130	6,8
CSN	189 561	22,6	87 (34%)	11 230	465 775	34,8
FTQ	261 665	31,2	106 (42%)	10 529	459 917	34,3
Indépendants[1]	204 819	24,4	26 (10%)	1 836	25 871	1,9
Autres[2]	—	—	2	186 858	230 753	17,2
Total			254	218 387	1 339 356	100,0

SOURCES: Le Marché du Travail, juin 1982.
Le Marché du Travail, avril 1983.

1) À ne pas confondre avec les syndicats "de boutique", i.e. dominés par l'employeur, qui ne peuvent pas être accrédités en vertu du Code du travail.
2) Sont regroupés sous la rubrique "autres" les conflits dans lesquels sont impliqués plusieurs syndicats d'allégeance différente.

Ce tableau nous révèle plusieurs aspects intéressants de l'activité de grèves et de lock-out.

Plusieurs organisations syndicales sont impliquées dans un nombre beaucoup plus élevé de conflits que permettrait de le supposer leur part du marché des syndiqués. Telles sont la CSD (écart de près de 50%), la CSN (écart de 12%) et la FTQ (écart de 11%). D'autre part, certaines organisations sont impliquées dans un nombre moindre de conflits: tels sont les syndicats indépendants (écart de − 14%), le C.T.C. (écart de − 5%) et la CEQ (écart de − 7%, écart peu significatif puisque 1982 n'est pas une année représentative de l'activité de grève dans le secteur de l'éducation).

De tels écarts institutionnels établis sur une seule année ne sont probablement pas d'un très grand secours. Il serait toutefois extrêmement intéressant d'étudier sur plusieurs années l'évolution de ces écarts et de tenter de dégager les facteurs institution-nels les plus susceptibles d'expliquer ces écarts. Les composantes organisationnelles telles l'idéologie, la structure et la pratique influent certes sur le nombre et la durée des conflits de travail. La question est: jusqu'à quel point?

Il serait également intéressant de faire l'étude de tels écarts institutionnels chez les employeurs, regroupés soit par secteurs industriels soit par affiliation à divers organismes patronaux.

Une telle recherche s'impose. Il en va de notre avenir écono-mique.

3

TECHNOLOGIE— ORDINATEUR

L'INFORMATISATION:
UNE RESPONSABILITÉ À NE PAS DÉLÉGUER

Pierre-Paul Pilon

Avant d'entreprendre un projet important, vous avez certainement le réflexe d'identifier les principaux facteurs avec lesquels vous devrez composer. Face au projet d'informatisation, il n'y a aucune raison pour que vous ne poursuiviez pas cette bonne habitude. J'aimerais rappeler quatre des facteurs qui sont souvent oubliés:

1) L'équipe de Direction regroupe les individus qui connaissent le mieux l'entreprise. Cette expertise ne peut être transmise ni facilement ni rapidement, quel que soit le budget de consultation affecté au projet.

2) L'ordinateur est, relativement à votre système d'information, un outil qui contribuera à en améliorer ou en diminuer l'efficacité. L'outil est suffisamment complexe pour que le statu quo soit brisé inexorablement.

3) L'élément "changement" impliqué lors du passage du système actuel au système informatisé sera déterminant dans le succès de l'opération: moins le changement perçu par l'ensemble des utilisateurs sera important, plus grande sera la probabilité de réussite.

4) L'informatisation d'un système complet est différente de la simple mécanisation d'une ou de quelques tâches spécifiques, comme la production d'états de compte. Cette dernière opération est localisée et n'implique aucun changement.

Si vous reconnaissez l'existence de ces facteurs, vous devrez consacrer une part importante de vos activités à l'élaboration et à la surveillance du projet d'informatisation. À première vue, cette recommandation peut vous apparaître accablante mais elle est justifiée et soutenue par la morale de trois adages éprouvés par le temps:

1) Le temps, c'est de l'argent

Si vous investissez beaucoup de temps pour préparer le projet, vous maîtriserez le dossier qui concerne le nerf de vos opérations et vous permettra de prendre une décision parfaitement justifiée.

En particulier vous éviterez une faute que plusieurs dirigeants font: en cas de doute, ils acquièrent un système exclusivement en fonction du prix. Si la Direction perd le contrôle des opérations parce que le système d'information est déficient, le prix réel est alors énorme.

Le temps investi pendant l'implantation vous sera aussi remboursé, pendant toute la durée de vie du système, sous forme de satisfaction des employés, de qualité du travail et de support que le système offrira à la croissance de l'entreprise.

2) Une personne avertie en vaut deux

Impliquez, à différentes étapes du travail préparatoire, tous les membres de votre personnel. Ainsi, tous auront eu l'occasion de prendre connaissance du futur système, plusieurs surprises dues au changement auront été désamorcées et vous pourrez profiter de l'expérience irremplaçable que les employés possèdent des opérations quotidiennes.

Si tout le monde est mis à contribution, les changements implicites au nouveau système auront eu le temps d'être mieux compris et assimilés et le projet ne sera pas perçu comme une corvée imposée et une menace mais comme une amélioration nécessaire et souhaitable. Au moment de l'installation de l'équipement, l'apprentissage de l'outil ne constituera que le seul élément de changement auquel le personnel devra s'adapter.

3) On n'est jamais aussi bien servi que par soi-même

Avant de faire appel à toute forme d'expertise externe, utilisez votre profonde connaissance de l'entreprise et celles des ressources qui y oeuvrent. L'ordinateur n'étant qu'un outil, la décision d'informatiser n'est qu'une autre facette de votre environnement d'affaires. Agissez naturellement et faites confiance à votre bon sens et à votre expérience.

Si vous confiez la responsabilité de l'informatisation à une personne qui ne fait pas partie de votre équipe de direction, vous perdrez fatalement le contrôle de cette partie de vos opérations. Les experts peuvent certainement vous venir en aide mais ils ne peuvent pas conduire vos affaires à votre place.

Puisque vous êtes maintenant convaincu de piloter le projet vous-même, je me permets de vous rappeler, à titre indicatif, les principales étapes qui vous permettront d'analyser, de justifier et d'améliorer chacune des composantes de votre système d'information.

1) Dressez un bilan détaillé des opérations

Qui sont vos clients et vos fournisseurs? Quels produits et services offrez-vous? Comment les responsabilités sont-elles réparties entre les membres du personnel? Quels sont les documents de référence? Comment les rapports de gestion sont-ils préparés, acheminés et utilisés?

En fonction du plan et des objectifs de développement de votre entreprise, faites les projections impliquées et intégrez-les à ce bilan. Vous aurez ainsi eu l'occasion de réviser vos pronostics et d'en évaluer le réalisme.

Cet exercice vous permettra de reprendre contact avec les opérations routinières de l'entreprise, d'en évaluer le coût actuel, d'identifier les secteurs dont la productivité pourrait être améliorée et de produire les données de base qui serviront à déterminer les équipements nécessaires à l'informatisation.

2) Analysez les opérations actuelles afin d'en réduire la complexité, de faciliter la circulation d'information et d'y intégrer certains éléments trop onéreux lorsque produits par le système actuel mais qui seraient accessibles grâce à la vitesse d'exécution de l'ordinateur. C'est aussi le moment d'identifier les éléments du système actuel, tels que les délais de livraison et l'accumulation de paperasserie, qui sont devenus indésirables et que le nouveau système doit éliminer.

3) **Avec cet examen minutieux** de la situation, vous serez alors en mesure de fabriquer les prototypes des rapports de gestion que le système aura à produire par la suite. Le contenu de chaque rapport doit faire l'objet de discussions et être approuvé par l'ensemble de ses utilisateurs. Vous serez assuré de minimiser la production de papier inutile. L'espace sur papier étant limité, le vocabulaire utilisé dans les rapports doit être précis, ce qui assurera l'uniformité des termes retenus et une plus grande clarté dans les communications internes.

4) **Lorsque la batterie de rapports sera établie,** la formulation des documents d'entrée de données pourra être effectuée, en utilisant les mêmes termes de référence. La comparaison des documents d'entrée et des rapports de gestion permettra de vérifier que rien n'a été oublié ou n'est superflu.

   L'analyse serrée des méthodes de travail vous conduira à distinguer les cas d'exception inévitables de ceux qui peuvent être éliminés. Il vous sera alors plus facile d'établir et de faire respecter la procédure de travail puisque les principes sur lesquels elle sera fondée apparaîtront plus clairement.

5) En procédant à une simulation des opérations informatisées, vous serez en mesure d'en estimer les coûts d'opération. En y ajoutant l'investissement nécessaire, comparez avec le coût établi au paragraphe 1) précédent.

   En prenant en considération les avantages tangibles et intangibles du système informatisé vous pourrez alors prendre la décision d'informatiser ou simplement de réviser la procédure existante.

   Si vous prenez la décision de reporter l'informatisation, ce travail vous aura permis de réaliser immédiatement les bénéfices suivants:

   a) La révision systématique des problèmes et des documents assurera plus de cohésion et de compréhension entre les membres de la Direction.

   b) L'élaboration d'une procédure de travail contribuera à infuser au personnel plus de rigueur et de discipline.

   c) Tous auront eu l'occasion de réviser la raison d'être de leurs actions et de valoriser la routine: les automatismes feront place à la raison.

   d) À tous les niveaux, chaque membre du personnel aura amélioré sa capacité d'adaptation et atteint un plus haut niveau de polyvalence.

6) **Si vous prenez la décision d'informatiser,** le cahier des Charges est maintenant terminé. Seule la partie technique de l'informatique reste à définir. Cette tâche peut être confiée à un consultant ou vous pouvez laisser les soumissionnaires libres de recommander le système qu'ils jugent convenable.

7) **Pendant la période de développement du logiciel,** profitez-en pour implanter solidement la procédure de travail et pour faire réviser chacune des composantes du système, au fur et à mesure qu'elles sont produites, par les employés qui seront responsables de leur application. Ce travail de vérification assurera que le système livré correspondra au système commandé et familiarisera d'autant plus le personnel avec le futur outil de travail.

8) **Lors de l'installation du système,** il sera temps de déléguer la tâche de continuer ce qui a été mis en oeuvre. Choisissez le responsable parmi vos collaborateurs de la phase précédente.

C'est à ce moment que vous réaliserez que le temps bien utilisé est synonyme de profit.

L'ORDINATEUR ET LA PME
Claude Choquette

Le passage d'un système d'information manuel à un système d'information sur ordinateur (S.I.O.) constitue, pour le personnel de l'entreprise, une excellente occasion d'améliorer son rendement, d'augmenter sa productivité, d'accroître son jugement, de développer sa créativité et d'aiguiser son sens critique.

Pour apprendre à gérer l'information, il faut en payer le prix. On devrait profiter de cette période pour réviser certaines méthodes et procédures et s'imposer un effort particulier pour adapter le nouveau système aux besoins précis de l'entreprise.

Étapes
— Analyse descriptive des activités de la firme.
— S.I.O. comme investissement.
— Établissement des critères de rentabilité d'un S.I.O.

— Identification des postes contribuant à cette rentabilité.
— Critères de choix d'un S.I.O.
— Liste de manufacturiers, distributeurs et agents.
— Calendrier de rencontres avec les représentants.
— Bref rapport écrit sur chaque rencontre.

1. Analyse descriptive des activités de la firme

Ce type d'analyse est crucial. C'est l'une des étapes les plus importantes du travail préliminaire. À titre d'exemple, une analyse descriptive d'une firme de distribution pourrait prendre la forme suivante:

— Évolution du chiffre d'affaires, du taux de croissance, de l'expansion des activités durant les dernières années.
— La provenance de cette croissance.
— Les objectifs de croissance à court et à moyen terme.
— Évolution du nombre de transactions effectuées.
— Le nombre de clients: leurs volumes respectifs.
— Le nombre de fournisseurs.
— Le nombre de produits vendus.
— Les méthodes de gestion des achats, des stocks (distribution et entreposage).
— L'organisation des ventes. Systèmes de commission.

Cette analyse devrait permettre au responsable de PME de décrire très rapidement aux représentants les activités de sa firme, le flot des informations et le type de documents utilisés dans l'accomplissement des tâches.

2. S.I.O. comme investissement

— Déterminer le montant que l'on désire investir dans un tel système.
— Déterminer ce qui semble un taux acceptable de rendement pour cet investissement: 10%, 15%, 20%, 25%.
— S'efforcer d'identifier les postes susceptibles de contribuer à cette rentabilité; faire une liste des postes par ordre d'importance en termes de capital investi.
  Exemple: *Entreposage et distribution.*
  Si ce poste exige un capital de $400 000, il faut se poser la question suivante: Un S.I.O. me permettrait-il d'améliorer la productivité de ce capital, et de combien?
— Faites le même exercice pour les différents postes en évitant de chercher une solution immédiate. Demandez-vous plutôt: Un tel système me permettra-t-il de réduire le personnel? *Ne pas oublier que la productivité provient d'une meilleure gestion du capital et des ressources humaines.*

3. Critères de choix

— Déterminer, pour l'achat d'un S.I.O., une fourchette de prix qui, a priori, vous semble un investissement raisonnable, approprié à vos besoins et compatible avec votre objectif de rentabilité.

Si vous avez l'intention d'investir de \$25 000 à \$30 000, vous devriez ajouter de 35% à 40% à votre estimé, car pour des systèmes inférieurs à \$100 000, les coûts de programmation sont relativement importants dans le budget total.

Critères d'entretien

— Évaluer dans quelle mesure la bonne marche d'un S.I.O. est essentielle à la poursuite de vos activités. En d'autres mots, lorsque votre organisation sera informatisée, pourra-t-elle s'accommoder de pannes et d'arrêts du système?

Plus est faible cette marge de tolérance, plus est importante la qualité du service après-vente et de l'entretien comme critère de choix.

— Est-ce que le S.I.O. envisagé vous permettra d'atteindre vos objectifs de croissance, et à quels coûts?

Quelles modifications devront être apportées au modèle original, et dans quel délai?

Liste des manufacturiers

— Dresser une liste de manufacturiers qui offrent des S.I.O. dans la gamme de prix qui vous intéresse.

— Calendrier de rencontres avec les représentants.

Il est probable que lors de ces rencontres vous serez exposé à un langage qui vous est inconnu: "bits", "capacité de mémoire", "converter", etc. Ne vous en faites pas. Ce n'est pas votre problème, c'est celui du représentant. Vous ne désirez pas acheter une machine quelconque, mais un système complexe (y compris le service) qui vous permettra d'accroître votre rentabilité et votre productivité.

Le représentant a pour tâche de vous prouver, dans votre langue à vous, que tel système représente la meilleure solution à votre problème.

Bref rapport sur chacune des rencontres

— La lecture de ces rapports vous servira à identifier vos besoins, à évaluer les solutions offertes et à préciser vos critères de choix.

L'industrie du S.I.O. se caractérise par une multitude de fabricants, de distributeurs, d'agents offrant une variété considérable de systèmes.

L'objectif de cette approche est de mieux vous préparer à rencontrer leurs représentants de sorte que la décision d'achat vous occasionne le moins de traumatisme, de confusion et de coûts possible.

L'implantation

Il est généralement admis que la période d'implantation aura une durée de 4 à 6 mois et sera particulièrement contraignante pour le personnel et la direction de la PME. En effet, ils doivent encore utiliser le système manuel en place pour les opérations régulières, tout en participant à la conception, à l'intégration et à l'apprentissage du S.I.O. Ils doivent donc concilier les impératifs du travail quotidien avec un nouveau système exigeant l'intégration de tous les besoins d'information de l'entreprise. Cette période de transformation pose des problèmes sérieux.

Remise en question

Il arrive souvent qu'au fil des années on continue à répéter des gestes dont plusieurs ont perdu leur raison d'être. L'introduction d'un S.I.O. nous oblige à porter un regard critique sur ces habitudes. Cette remise en question est rarement un exercice agréable et la formulation d'une réponse adéquate à la question "Pourquoi fait-on les choses de cette manière?" se réalise rarement dans la joie.

Retour aux sources

L'introduction du S.I.O. oblige fréquemment le personnel et la direction à réapprendre et à redéfinir leurs activités. Alors que le système manuel pouvait s'accommoder d'un langage imprécis, l'informatique ne peut le tolérer.

L'identification des éléments fondamentaux d'information et l'apprentissage d'un nouveau langage peuvent occasionner des frustrations intenses; il n'est pas rare d'observer des cycles de dépression suivis d'euphorie, ou de voir naître le doute sur le bien-fondé d'une telle acquisition, surtout durant la période de rentrée des données brutes.

Batterie de rapports

Les périodes euphoriques surviennent généralement à la phase de la conception et du dessin du S.I.O. À ce stade, les carences du système manuel (contenu fragmentaire des rapports, lenteur dans la production de ces rapports, etc.) deviennent de plus en plus évidentes.

La direction et le personnel ont tendance à percevoir le S.I.O. comme une source intarissable d'information. Et l'un des premiers réflexes est d'exiger du S.I.O. une multitude de renseignements d'une utilité discutable pour la gestion. Il faut éviter de tomber dans cet excès. On doit rechercher la pertinence plutôt que la quantité de l'information.

Système manuel: pierre de base du S.I.O.

On peut se protéger contre ce danger en revenant au système manuel qui s'est développé au cours des années. Normalement, il exprime les éléments de base des activités de la firme: il est essentiel d'identifier les raisons qui ont conduit au développement du système manuel. On découvrira sans doute que le désir d'améliorer la quantité et la qualité de l'information, tout en reflétant le style de gestion privilégié par la firme, constitue la source principale des améliorations apportées. Un système d'information sur ordinateur (S.I.O.), conçu en négligeant ces aspects fondamentaux du système manuel, serait probablement mal adapté aux réflexes de l'entreprise; il ne serait qu'une source de frustration pour l'utilisateur, et un investissement à faible rendement.

S.I.O. conçu par les utilisateurs

De façon générale, il est essentiel de concevoir un S.I.O. à partir de besoins très précis, car la rentabilité du S.I.O. et l'accroissement de la productivité doivent provenir de la qualité des services qu'on en retirera.

Lors de la conception et du dessin du système, il est indispensable:

1° d'identifier chacun des utilisateurs du S.I.O.;
2° d'exiger que chaque utilisateur spécifie ses besoins d'information;
3° qu'il justifie le bien-fondé de ses demandes;
4° qu'il présente clairement ses arguments au cours des séances d'intégration.

On peut utiliser le même processus pour la préparation des formulaires et des rapports.

En général, les administrateurs sont en mesure de comprendre très rapidement les liens entre les divers éléments d'information. Le personnel subalterne n'a pas toujours l'occasion d'acquérir une telle perspective. Une déficience de compréhension dans ce domaine peut occasionner certaines frustrations et retarder la contribution créative que ce dernier peut apporter à la conception du S.I.O.

PME ET RÉVOLUTION MICRO-ÉLECTRONIQUE

Jeannine David-McNeil

L'évolution technologique récente dans l'électronique et l'informatique a été marquée par l'apparition des microprocesseurs; ceux-ci ont donné accès à une automation programmable, flexible, peu coûteuse et d'application dans tous les secteurs d'activité. Les utilisations de la microtechnologie portent plusieurs noms: la bureautique, la robotique, la télématique mais toutes ont un même objectif: l'informatisation du processus de travail tant au niveau des tâches de production qu'au niveau des emplois de bureau. Sous la forme de machines à écrire à mémoire, machines à traitement de textes, robots, caisses enregistreuses électroniques... la nouvelle technologie envahit les bureaux, les banques, les laboratoires, les usines, les institutions d'enseignement, les hôpitaux, les bibliothèques... Une foule d'automatismes électroniques qui, à l'ère des gros ordinateurs, étaient réservés aux grandes firmes sont maintenant, avec la miniaturisation de l'électronique, accessibles aux petites et moyennes entreprises. Alliés à la mécanique, les micro-ordinateurs rendent possible la reproductions des gestes humains plus rapidement, avec une efficacité accrue et sans fatigue.

Malgré ses aspects attrayants, en particulier une haute performance à un coût de moins en moins élevé, il n'est pas certain que la microtechnologie soit un investissement indispensable à toute entreprise. Comme pour tout investissement, il faut savoir l'adapter à ses besoins et l'utiliser efficacement. Malheureusement certaines PME qui se sont lancées dans l'aventure de l'informatique sans analyse de systèmes et sans planification ont eu de mauvaises expériences. Le marché des micro-ordinateurs est nouveau, il évolue très rapidement: en dix ans, la puissance de la microplaquette a centuplé tandis que son coût est devenu mille fois moindre. L'éventail des produits micro-électroniques est très vaste et très diversifié. Il faut donc au préalable bien identifier ses besoins et connaître les avantages et les limites des produits offerts. Avant de décider d'informatiser les opérations d'une entreprise, il faut s'assurer:

— que cette décision est rentable pour la firme;
— et que l'ordinateur choisi est en mesure de remplir les fonctions attendues.

Si l'on opte pour l'achat d'un micro-ordinateur, il faut l'utiliser de façon efficace, ce qui peut impliquer une réorganisation de l'entreprise et la formation des travailleurs. Il faudra peut-être réduire le temps en dactylographie, modifier la gestion des informations contenues dans les dossiers, changer l'aménagement interne des bureaux, revoir le traitement des informations, repenser les responsabilités de chaque employé, diminuer le nombre de postes de travail. Les travailleurs devront être préparés à accepter les changements techniques par une formation adéquate leur permettant de maîtriser leurs nouvelles tâches et par une participation aux décisions concernant les changements organisationnels nécessités par la nouvelle technologie. Un système très puissant risque, sans la collaboration des travailleurs, d'être un investissement moins rentable qu'un système plus modeste opéré par des employés compétents et motivés.

La microtechnologie choisie avec soin et utilisée intelligemment peut être pour les PME un facteur important de croissance. Elle permet:

— la disparition des tâches répétitives et l'augmentation des possibilités d'enrichissement des tâches;
— l'amélioration de la productivité et ainsi l'augmentation de la rémunération des salariés et des profits des entreprises;
— l'accès rapide à une information plus complète, continue, désagrégée et diversifiée, ce qui facilite la prise de décisions des gestionnaires.

Pour s'assurer que la microtechnologie soit au service de la collectivité, condition indispensable d'une évolution technologique souhaitable, il faut apprendre à l'apprivoiser en la planifiant, la contrôlant et en l'implantant de façon ordonnée. Les connaissances en gestion de la production et des ressources humaines, en particulier tout ce qui concerne le qualité de vie au travail et ses effets bénéfiques sur la productivité et la rentabilité des entreprises, nous confirment qu'il est réaliste d'exiger que l'utilisation de la microtechnologie permette non seulement un progrès économique mais aussi une amélioration des conditions de travail et du bien-être de toutes les classes de la société.

LE ROBOT ET LA PME

PME Gestion

"L'avènement du robot équivaut à une révolution. Il permet de ranimer des industries déclinantes *et de procurer aux entrepri-*

ses de dimensions restreintes tous les avantages de la production de masse... Les robots peuvent réduire de 80% à 90% les coûts de fabrication en séries trop courtes pour justifier l'installation d'une chaîne de montage." (*Time*, 8 décembre 1980.)

Qu'est-ce qu'un robot?

Selon M. Paul de Villers, conseiller en automatisation, le robot est une pièce d'équipement, mécanique ou électrique, qui remplace un être humain dans l'exécution d'une tâche ou d'un travail. La tâche peut être très simple ou extrêmement complexe. En théorie, le robot est capable d'accomplir les mêmes fonctions mécaniques que l'être humain.

On peut diviser en trois phases les multiples inventions, dont le robot est l'une des plus récentes, ayant pour but de substituer la machine aux efforts de l'homme.

Dans la première phase, on utilisait un système simple de jeux — avec leviers ou cames — pour capter et transmettre une force déjà disponible: cours d'eau, vent et plus tard des sources d'énergie plus sophistiquées. On trouve des modèles de cette technologie dans tous les pays. Les gens d'un certain âge se souviendront du système qui utilisait un jeu presque sans fin de poulies et de courroies pour actionner toute une série de machines à même l'énergie produite par une seule bouilloire à vapeur.

Dans une deuxième phase, on a vu se réaliser le mariage de la mécanique et de l'électronique. Pour remplacer la force de l'homme, on a eu recours au moteur auquel on adjoignait, selon les besoins d'énergie, l'air comprimé ou l'hydraulique, ou encore les deux à la fois. Cette technologie est largement répandue au Canada et au Québec, notamment dans le domaine de la forêt, où on l'emploie pour la coupe, l'ébranchage et le transport des arbres. Dans cette phase intermédiaire, on ne fait pas appel au cerveau électronique et les machines sont contrôlées directement par l'homme.

Le robot, qui appartient à la troisième phase de cette dimension du progrès technologique, se caractérise par une autonomie beaucoup plus grande. Même si, pour des raisons d'efficacité, on ne se préoccupe pas de lui donner une forme humaine, il est doué d'un cerveau, d'un coeur et de membres. Son cerveau est un circuit électronique qui lui permet de recevoir et de garder en mémoire les ordres qui lui sont donnés. Il a pour coeur un moteur muni d'une pompe hydraulique qui, sous l'impulsion du cerveau imprimera aux membres les gestes désirés. Ses membres, des tiges métalliques articulées terminées par une "main" adaptée à la tâche, lui permettent d'accomplir les travaux les plus lourds comme les plus délicats.

L'autonomie du robot se limite à reproduire les programmes qu'on lui a enseignés. Pour le programmer, on le met en position de travail et, au moyen de colliers, on attelle à ses membres un ouvrier compétent qui exécute en tandem la tâche que le robot devra accomplir seul par la suite. La séquence des gestes est enregistrée sur un ruban magnétique ou sur un disque qui constitue la mémoire du robot.

Coût et rendement

Compte tenu de la "compétence" requise, le prix d'un robot varie de 7 500 $ à 150 000 $. Selon l'article déjà cité de la revue *Time* on peut opérer sur une chaîne de montage un robot dont le prix d'achat est de 40 000 $ à un coût total de 4,80 $ l'heure, alors que le salaire d'un ouvrier est de 15 $ à 20 $ l'heure. Monsieur de Villers cite le cas d'une entreprise qui, ayant affecté deux robots à la peinture au pistolet — un travail particulièrement délicat — en acquitta le coût dans une période de neuf mois. Et ces deux appareils fonctionnent depuis 12 ans.

Une fois programmé, le robot accomplit sa tâche avec une exactitude impeccable et, si on le veut, 24 heures par jour. Il suffit de lui fournir les éléments nécessaires à son travail et de lui assurer un entretien préventif adéquat. Les bandes magnétiques ou disques sont numérotés, de sorte qu'on peut le faire passer d'une tâche à l'autre en quelques minutes.

Le robot n'exige ni vacances ni congés de maladie; il est insensible à la fatigue et aux intempéries; il échappe aux lois du travail et peut fonctionner sans dommages dans des conditions d'insalubrité inacceptables à l'homme. Comme on peut lui donner en quelques heures le savoir-faire qu'un travailleur mettrait des mois ou des années à acquérir, il présente une réponse toute désignée à la pénurie de candidats pour certaines fonctions spécialisées.

Enfin, le robot offre à l'administrateur la possibilité de déterminer à l'avance et avec exactitude les coûts, la qualité et la quantité de sa production; les rejets, par exemple, sont entièrement éliminés, toute erreur entraînant l'arrêt immédiat du système.

La PME robotisée?

Sous l'impulsion des grands de l'automobile et de quelques autres industries, l'emploi du robot se répand rapidement; et le Canada est entré dans le mouvement. Mais le robot n'est pas réservé aux grandes entreprises. Paul de Villers affirme que de nombreuses PME devront y avoir recours pour échapper à la hausse incontrôlable des coûts, en particulier les PME que la nature même de leur production ou des procédés vétustes soumettent aux interventions de plus en plus fréquentes de l'état ou condamnent à l'obsolescence.

Un autre danger guette les PME. Plusieurs d'entre elles opèrent à des niveaux de production trop faibles pour que les grandes entreprises trouvent intérêt à leur disputer leurs marchés. Mais l'emploi de robots permettant de réduire le seuil de rentabilité jusqu'à 30% de la capacité, plusieurs PME pourraient devoir faire face à des concurrents très puissants dans un avenir prochain, à moins de recourir elles-mêmes aux robots pour conserver les avantages relatifs liés à leur taille.

Robots et emploi

L'une des conséquences immédiates de l'utilisation des robots sera fatalement de diminuer le nombre des emplois. Mais gros ou petits, les employeurs canadiens et québécois ont-ils un autre choix que celui d'adopter les mêmes méthodes que leurs concurrents? Pour nombre d'entre eux, le robot constitue, de l'avis de M. de Villers, la seule possibilité de survivre, donc de maintenir au travail un minimum d'employés. Il ajoute toutefois que le Canada pourrait créer des dizaines de milliers d'emplois nouveaux en se lançant à son tour dans la fabrication des robots. C'est ce qui se prépare présentement, grâce à des collaborations actives entre des spécialistes du secteur privé et des équipes gouvernementales.

Il reste que l'état, le patronat et les syndicats devraient, en travaillant de concert, s'efforcer de prévenir certaines conséquences négatives du progrès technologique et de mettre au point des solutions appropriées au problème déjà grave de l'emploi. Mais, c'est là une autre question, qui dépasse le cadre de cet article.

LE VIDÉOTEX, LES PME ET LEURS ASSOCIATIONS

John F. Bulloch

PME GESTION présente ici des extraits de la conférence prononcée par M. John F. Bulloch, président de la Fédération canadienne de l'entreprise indépendante, au 8ᵉ Symposium international de la petite entreprise, à Ottawa, le 20 octobre 1981. La "révolution" dont parle M. Bulloch est déjà engagée. Elle affectera sûrement et rapidement plusieurs aspects de l'administration des affaires.

La fusion de la technologie des communications dans celle de l'informatique est en train de créer une révolution. Des réseaux entiers de communication informatisée, dont la consommation énergétique est minime, nous permettront bientôt de réduire considérablement notre dépendance envers les moyens tradition-nels de communication, dont l'automobile et l'avion.

Cette révolution technologique a été baptisée VIDÉOTEX. Il s'agit essentiellement d'une technique de communications qui utilise la polyvalence de l'ordinateur, l'attrait visuel de graphi-ques en couleur et les plus récentes techniques de communica-tion. Grâce à un réseau d'ordinateurs, tout homme d'affaires indépendant pourra communiquer avec un collaborateur d'un autre continent, comme s'ils étaient assis face à face.

Les associations d'hommes d'affaires assureront la liaison du Vidéotex. Elles établiront les données de base requises, installe-ront les ordinateurs, coordonneront le réseau de communication et donneront aux commerçants l'entraînement nécessaire pour utiliser adéquatement la nouvelle technologie.

Les progrès dans le développement de cette technique sont rapides et les prix baissent rapidement. Une chose est cependant évidente jusqu'ici: les entreprises, leurs associations et institu-tions constituent une clientèle de choix pour Vidéotex.

Vidéotex est un terme générique servant à décrire un éven-tail de techniques de communications interagissantes (réception-transmission). Il s'agit essentiellement du mariage d'un réseau de transmission avec un ordinateur et un récepteur du type télévi-sion. Vidéotex permet à des personnes liées par le même réseau informatique ou par des ordinateurs différents reliés par un ré-seau Vidéotex de communiquer entre elles. Vidéotex permet aussi à la personne utilisant un terminal Vidéotex d'obtenir de l'information d'une banque de données.

Exemple d'utilisation par les petites entreprises

Muni d'un tel terminal, le propriétaire d'une petite entre-prise pourra avoir un accès illimité à toute information prodiguée par les gouvernements, les entreprises financières et autres asso-ciations et institutions privées.

Grâce au Vidéotex, il sera possible aux commerçants de pour-voir rapidement et précisément aux besoins des consommateurs en quête de biens ou services. Des terminaux placés dans les hôtels, par exemple, permettront d'indiquer aux voyageurs où se trouvent les restaurants, spectacles ou boutiques qu'ils désirent, au simple toucher de quelques boutons. Des pages d'information, fournies par les petits commerces permettraient aux hôtels d'offrir des indications précises sur les produits et services disponibles. Même des cartes géographiques pourraient apparaître sur l'écran; cet exemple spécifique a d'ailleurs été utilisé lors d'une démonstration-pilote à la Conférence Vidéotex de Toronto en mai 1981. Les participants à l'expérience, la plupart des petits commerçants, avaient accru leur volume de vente de 20 à 30 pour cent, par rapport aux méthodes traditionnelles d'opération.

Approvisionnement au commerce

Comme Vidéotex permet la transmission et la réception de données, il permettra aux acheteurs de recueillir des informations sur les produits disponibles autant sur le marché domestique qu'international.

Ainsi, l'acheteur d'un petit commerce pourra communiquer avec une association locale et obtenir les informations de base qu'il désire, sinon il pourra effectuer ce type de recherche sur une base nationale. Il communiquera ensuite avec les fournisseurs qui l'intéressent et ceux-ci lui répondront sur son Vidéotex.

Implications pour les PME

La petite entreprise, dont la logique économique de base est la spécialisation, constatera que le nombre de marchés spécialisés augmentera avec l'arrivée de la technologie Vidéotex. Plusieurs types de commerces de détail pourront commencer à produire avec un investissement minime, puisqu'un simple entrepôt et un service de livraison remplaceront la devanture de magasin traditionnelle.

Comme les produits les plus courants pourront être obtenus par Vidéotex, la viabilité des grands magasins à rayons et des centres commerciaux sera remise en question.

Dans plusieurs cas, des liens directs entre les détaillants et leurs fournisseurs, nationaux et internationaux, seront plus faciles à établir, réduisant du même coup le nombre d'intermédiaires et les frais de mise en marché. Le système de commande du client au marchand sera remplacé par un nouveau type de service personnalisé et plus sophistiqué. Il en découlera donc une nouvelle rationalisation de la structure de la fabrication et de la distribution.

Sur une base d'opérations quotidiennes, le Vidéotex offrira d'intéressantes alternatives. Ainsi, le propriétaire-gérant d'un commerce pourra effectuer ses calculs de comptabilité, faire la paie et réaliser ses transactions bancaires dans le confort de son foyer, loin des distractions extérieures.

Les implications de cette révolution technologique sont d'autant plus intéressantes qu'il est possible de marier les avantages d'un ordinateur domestique et ceux du Vidéotex. Ces petits ordinateurs domestiques ne sont ni plus ni moins que des mini-ordinateurs qui permettront aux hommes d'affaires de stocker leurs transactions comptables, d'en tirer des rapports et des bilans, de faire de la tenue générale de livres et de placer leurs commandes dès qu'ils seront rattachés au réseau Vidéotex. Il serait aussi possible aux commerçants d'avoir accès à certains programmes spéciaux, initiés par des associations dynamiques. De cette manière, il sera possible de combiner la flexibilité et le bas coût d'un mini-ordinateur avec le pouvoir et les ressources de l'ordinateur de l'association.

À partir de ces faits, il semble évident que l'utilisation combinée d'un mini-ordinateur et du Vidéotex gardera beaucoup de petits commerçants à la maison où ils effectueront leurs affaires sur le terminal, en collaboration avec toute la famille, des enfants aux grands-parents qui pourront être entraînés à opérer le système.

Associations

La vaste gamme d'usages du Vidéotex permettra également aux associations qui offrent des services spécialisés ou se concentrent sur les affaires publiques et le lobbying, de modifier substantiellement leur façon de travailler au cours de la prochaine décennie. De nouvelles sources de revenus en découleront également puisque les annonceurs auront la possibilité, sur une base sélective, de payer pour avoir accès aux membres d'une association. Les membres ne pourront se dire harcelés par les annonceurs, puisqu'ils décideront eux-mêmes s'ils veulent ou non presser le bouton qui fera paraître les messages publicitaires à l'écran. À ce moment, des données précises sur le membership des associations deviendront donc extrêmement importantes et la mise à jour régulière de la liste des membres, essentielle.

Il serait possible à une association de lancer un sondage sur un sujet chaud de l'actualité, de recevoir un nombre significatif de réponses et d'interpréter les résultats en moins de 48 heures, grâce au réseau Vidéotex. Il est possible aux associations d'utiliser cette technologie dans le domaine de l'éducation également en rendant disponibles aux membres des cours qui leur permettent d'améliorer leurs connaissances générales des affaires.

Les associations qui décideront d'adopter cette nouvelle technologie offriront un éventail de services unique. Elles pourront négocier des escomptes sur les volumes d'achat pour leurs membres, servir d'intermédiaires pour des transactions entre leurs membres et mettre au point un grand nombre de services spécialisés, afin d'aider les membres à maximiser l'usage de cette technologie dans leur propre entreprise.

Les associations spécialisées dans les échanges commerciaux seront particulièrement bien servies par la technologie en devenant le canal de communication par excellence entre leurs membres. Certaines associations n'auront d'ailleurs pas d'autre choix que d'offrir ce service si elles ne veulent pas être condamnées à disparaître.

Conclusion

Le défi est là: celui de maîtriser la nouvelle technologie des communications (et particulièrement la technologie de l'interaction) pour les associations commerciales et les organisations-parapluie de petites entreprises à travers le monde. La maîtrise de cette technologie signifiera l'expansion et la stimulation économique d'une multitude de petites entreprises, autant sur le plan international que domestique.

Nous devons cependant faire en sorte que le pouvoir et le contrôle de ces réseaux de communications ne tombent pas entre les mains de monopoles qui pourraient en réduire l'accès. Nous devons garantir aux hommes d'affaires de cette société l'utilisation universelle du Vidéotex, afin qu'il ne devienne pas l'instrument de profit de quelques privilégiés.

4

MARKETING — VENTE

LE MARKETING — UNE FONCTION DE LA GESTION

Claude Choquette

Selon Booz, Allen, maison de conseillers en gestion de New York, on devait, au cours de la décennie 1960-70, évaluer 50 idées ou avant-projets avant de pouvoir en extraire un nouveau produit ou service viable. Au terme des années 70, la proportion était devenue de 7 à 1. Cette économie d'efforts, de temps et d'argent est due à une révision radicale du rôle du marketing. Après l'avoir considéré comme une activité de "création" plus ou moins indépendante du reste de l'entreprise, on se préoccupe de le relier de façon organique aux autres fonctions: production, finance, contrôle, personnel...

Cette intégration a permis d'assigner au marketing un objectif primordial: celui de contribuer à l'accroissement de la rentabilité de l'entreprise, mais dans le prolongement de ses compétences établies et en évaluant avec une grande prudence les initiatives qui ne cadrent pas avec l'expérience et les ressources disponibles. Ce mandat a obligé le marketing à dépister et à définir de façon beaucoup plus rigoureuse la position de l'entreprise dans son marché et à contribuer à la rentabilité, considérée comme plus importante que la hausse pure et simple des revenus. À cause de la confiance excessive engendrée par une longue période de prospérité, il aura fallu attendre trente ans pour apprendre que c'est le solde qui compte, et que la production et la vente doivent être orientées par une politique de rentabilité définie et appliquée avec soin.

Respect du consommateur

Gâtés par les conditions d'après-guerre, les gens de marketing s'étaient peut-être laissé griser par l'aspect presque mythique de leur fonction, au point de tenter d'imposer leurs vues aux gestionnaires et de se livrer à une manipulation à peine déguisée des marchés. Depuis 1975, ils ont acquis une conception plus réaliste de leur rôle et une compréhension plus objective des marchés. Cette attitude les porte à rechercher un équilibre convenable entre les besoins et désirs des acheteurs et l'intérêt normal de l'entreprise. Équilibre difficile à maintenir par les temps qui courent, puisque les consommateurs s'efforcent de conserver leur pouvoir d'achat à travers les ravages de l'inflation. Pour le moment du moins, l'époque est révolue où le producteur était roi.

Saturation des marchés

On doit tenir compte, par la force des choses, de la saturation des marchés, phénomène qui occupe une place essentielle dans la planification du marketing. Il oblige
— à s'interroger sur le niveau de saturation auquel on en arrivera;
— à prévoir un horizon de temps, soit la durée probable de la demande pour les produits; certains seront périmés au bout de trois ou quatre ans: et après, qu'est-ce qu'on fait? qu'est-ce qu'on offre?

À cause de ces conditions d'instabilité du marché, on doit faire une distinction entre
— les opérations courantes de marketing, consacrées à la promotion des produits "actuels",
— et la planification du marketing, qui consiste à anticiper les besoins éventuels des consommateurs afin d'y répondre au bon moment... et de rester dans la course.

Chacune de ces deux démarches implique des interventions nettement différentes. Ce qui peut poser des problèmes à la PME où les deux fonctions relèvent souvent du même individu. Si, par manque de temps ou de vision, il ne parvient pas à s'adapter assez tôt aux goûts changeants de la clientèle, il court le risque d'arriver trop tard et de se faire déclasser par des concurrents plus habiles.

Le style de vie, ça donne quoi?

On s'est aperçu que l'analyse de ce qu'on appelle les facteurs socio-démographiques (origine sociale, profession, revenus, etc.) ne permettait pas de saisir avec une objectivité suffisante les motivations des consommateurs. En se penchant sur leurs "styles de vie", on a pu identifier avec beaucoup plus de précision leurs besoins, leurs désirs et leurs habitudes d'achat.

Il en ressort que les marchés sont plus fragmentés, donc plus restreints qu'on l'avait cru. Cette constatation a permis

— de réaliser que les diverses composantes d'un marché constituent autant d'unités de profit, chacune ayant son propre taux de rentabilité;

— d'adapter plus adéquatement les efforts de production et de vente à ces mêmes composantes;

— de mettre l'accent sur la rentabilité de chacune de ces unités de profit plutôt que sur l'accroissement indifférencié de l'ensemble du chiffre d'affaires.

Dans un domaine aussi complexe, les interventions ne seront profitables que si elles sont supportées par une politique de gestion qui coordonne toutes les fonctions de l'entreprise, y compris le marketing.

Le marketing rend des comptes

À cause du prestige qu'on lui attribuait, peut-être trop naïvement, le marketing a pu longtemps jouir d'une liberté d'action exceptionnelle. Ce temps est révolu. Les dépenses de marketing sont maintenant comptabilisées, non par mesquinerie, mais par souci normal d'objectivité et d'évaluation. On peut d'ailleurs observer qu'en le soumettant à la règle générale on augmente son efficacité et la qualité de ses rapports avec l'ensemble de l'entreprise.

Marketing et PME

Pour des raisons liées aux coûts et à la complexité de ses opérations, le marketing n'a pas pénétré très loin dans la catégorie des PME. L'avènement du micro-ordinateur lui permet maintenant de se rapprocher de la PME, de se familiariser avec ses problèmes et de lui rendre des services précieux. Il faut s'en réjouir. Car les entreprises, grandes ou petites, font face à une situation où l'offre est plus forte que la demande, où la concurrence devient de plus en plus serrée et les marges de profit de plus en plus minces.

Dans un tel contexte, les politiques traditionnelles fondées sur le chiffre d'affaires ne permettent plus de déceler ni de corriger les erreurs de parcours dans des délais suffisamment courts pour permettre à la PME de s'ajuster aux changements avec la rapidité nécessaire. Plus intégré aux diverses composantes de l'entreprise, le marketing se trouve mieux placé pour mettre à profit les ressources et l'information dont elles disposent. Son utilité croîtra à mesure que se perfectionnera la qualité de l'information. Ce mouvement s'accélère, car les dirigeants sont de plus en plus conscients de la portée de l'information sur la valeur des décisions.

Voir, interpréter, entreprendre

Le marketing n'est pas un pur exercice de l'imagination. Il consiste à observer des choses que tout le monde connaît: produits, services, marchés, acheteurs, et à organiser entre ceux-ci et le vendeur des relations susceptibles de servir les meilleurs intérêts des deux parties. Si tout le monde peut "voir les choses", il est plus difficile d'interpréter les faits, d'établir et de maintenir des activités rentables à travers les conditions changeantes du marché.

En dépit de nombreuses recherches, la division Cadillac de General Motors a pris plusieurs années avant de s'apercevoir que les acheteurs du marché-cible (cadre ou professionnel, 30-39 ans, revenu élevé) achetaient de préférence et en grand nombre des voitures européennes. Ce n'est qu'à la suite de cette constatation qu'on décida de fabriquer la Cadillac Cimarron, de petites dimensions. Les gestionnaires de Cadillac avaient fini par comprendre ce que bien des pompistes auraient pu leur dire. La leçon: l'aptitude à écouter un marché permet de découvrir des opportunités même dans une conjoncture difficile. Cette aptitude ne tient pas à la grosseur de la firme, ni au nombre d'employés, ni à l'importance du département de marketing, mais à une prédisposition personnelle à écouter et à observer.

Le marketing consiste à orienter vers les marchés des produits qui sont l'oeuvre commune de tous les services de l'entreprise. C'est à la haute direction qu'il appartient, en définitive, de faire les choix de base et de veiller à la collaboration des divers services dans l'exécution du plan d'ensemble. Cette tâche relève d'une compétence administrative, d'une volonté d'action sûre de ses moyens. Si le chef d'entreprise possède, en plus, la vision et le dynamisme propres à l'entrepreneur, alliés à l'aptitude à écouter le marché, il pourra couper court à une foule d'hésitations et de tâtonnements et accroître considérablement l'efficacité du marketing. Âgé de 74 ans, retiré de l'administration active, l'ancien président du conseil de Sony se préoccupa d'inventer, pour son propre usage, cet appareil de radio portatif à écouteurs, connu aujourd'hui sous le nom de Walkman. Devant le manque d'intérêt du service de marketing, le président en poste de Sony décida d'en piloter lui-même le développement. On connaît la suite de l'histoire.

Cas spectaculaire? Oui. Mais loin d'être unique. Le souci du marché est un outil précieux entre les mains d'un dirigeant habile doublé d'un entrepreneur décidé.

LA PUBLICITÉ, LE MARKETING ET LE MARCHÉ

François Colbert

Si on demande au consommateur comment s'effectue la communication entre l'entreprise et son marché, tout de suite le mot "publicité" lui vient à l'esprit. Par sa présence continuelle et agressive, la publicité soulève relents et passions chez le public; on est "pour" ou "contre", mais on est rarement indifférent.

Cependant, la publicité n'est qu'un des moyens de communication dont dispose l'entreprise. En effet, la publicité s'insère de façon bien spécifique au sein d'un tout qu'on appelle le marketing. En fait, on comprend mieux le rôle et la place de la publicité quand on connaît ce qu'est le marketing.

A. Le marketing mix

Dans "Fundamentals of Marketing" de N.Y. Stanton, on trouve la définition suivante du marketing: "Le marketing est un ensemble d'opérations commerciales interdépendantes destinées à concevoir des produits et/ou services, à en établir les prix, à en assurer la promotion et la distribution en vue de satisfaire les besoins de clients actuels ou futurs et d'assurer la rentabilité de l'entreprise."

Notions de besoin et de marché

L'élément fondamental de cette définition est le mot "besoin". En effet, la fonction première du marketing est de découvrir un besoin du marché et de chercher à le satisfaire. En fait, toute la théorie du marketing repose sur la **satisfaction des besoins du consommateur.** Le marché étant constitué de l'ensemble des individus et des entreprises qui réclament des biens et services, le marketing identifiera les divers besoins ressentis par ces consommateurs et cherchera à les satisfaire du mieux possible. Pour ce, il devra tenir compte à la fois des diverses forces économiques, sociales et politiques qui s'exercent sur le marché et des réactions possibles de la concurrence.

Segments du marché

Lorsque le marketing a identifié un besoin au sein du marché, il peut le satisfaire de différentes façons selon les désirs des différents groupes qui constituent le marché. De fait, chaque consommateur est unique et chacun veut qu'on lui donne quelque chose d'unique. Il serait évidemment trop onéreux de développer un produit ou un service à la mesure de chaque consommateur; d'un autre côté, un produit unique pour tout le monde risquerait de mécontenter la majorité des clients.

C'est pourquoi le marketing identifie des sous-ensembles à l'intérieur même du marché; les consommateurs qui partagent des caractéristiques géographiques, économiques, sociales ou de comportement bien spécifiques sont regroupés. Les divers sous-ensembles alors obtenus constituent ce qu'on appelle des "segments".

Somme toute, le marché sera divisé en segments et le marketing cherchera à satisfaire le besoin de chacun de ces segments d'une façon bien particulière.

Appliquons notre modèle à la réalité et prenons l'exemple de l'automobile: Aucune compagnie d'automobiles ne sort un modèle unique; chaque compagnie cherche à satisfaire les besoins des consommateurs en leur offrant diverses catégories de voitures: des modèles sport, des modèles économiques, des compactes, des sous-compactes... En fait, chacune de ces catégories d'automobiles s'adresse à un segment bien déterminé du marché.

L'entreprise

L'entreprise est un système socio-économique qui possède des ressources humaines, techniques et monétaires et sur qui s'exercent des contraintes légales, fiscales et économiques. Pour satisfaire les besoins du marché, ou d'un segment du marché, l'entreprise utilise un ensemble d'outils appartenant au marketing.

Le marketing se définit à l'aide de quatre variables qu'on appelle le "marketing mix". Ces quatre variables sont: le produit, le prix, la promotion et la distribution, ou PPPD en abrégé.

— Le produit:

L'entreprise détermine les caractéristiques du produit susceptibles de répondre au besoin: produit simple ou sophistiqué, gros ou petit, de telle couleur, de telle saveur...

— Le prix:

L'entreprise fixe le prix du produit selon ce que demande le segment-cible: un brix élevé ou bas...

— La promotion:

Pour communiquer l'existence de son produit, l'entreprise dispose de plusieurs outils: la vente personnelle (vendeurs), les relations publiques, la publicité, la promotion au point de vente...

— La distribution:

Pour rendre le produit accessible au segment-cible, l'entreprise utilise un canal de distribution particulier: chez Eaton ou chez Cardinal...

À l'aide de ces quatre variables, l'entreprise élabore donc une stratégie qui lui permet de satisfaire le besoin du segment-cible en lui offrant le bon produit, au bon prix, à l'endroit où le consommateur veut le trouver après avoir été informé de son existence. Et des combinaisons différentes de ces quatre variables permettent à chaque entreprise d'utiliser une stratégie originale et appropriée.

Ainsi Bulova pourra offrir ses montres en or à un prix élevé chez Birks après avoir annoncé dans Time ou Life. Par contre, Timex distribuera son produit dans le plus de magasins possible, à un prix très bas et après une campagne publicitaire intensive à la télévision. Bref, chacune des deux compagnies vise à satisfaire un même besoin mais pour deux segments ayant des désirs distincts.

Feed-back

Après avoir mis en marche sa stratégie de marketing, l'entreprise obtiendra un feed-back du client qui achètera ou n'achètera pas son produit. Mais en questionnant directement le consommateur, c'est-à-dire en effectuant ce qu'on appelle une recherche commerciale, l'entreprise peut obtenir un feed-back bien plus précis. Et par cette recherche commerciale, l'entreprise ferme la boucle de la communication.

Si nous résumons brièvement, nous dirons que dans un premier temps l'entreprise identifie le besoin du consommateur, que dans un deuxième temps elle y répond par un marketing mix approprié et que dans un dernier temps la recherche commerciale lui permet de savoir si elle a comblé le besoin et de réajuster son PPPD en conséquence.

B. La publicité

Quelle est donc la place de la publicité dans le processus de communication? La publicité est une des composantes de la variable du marketing mix appelée "promotion". La promotion peut prendre plusieurs formes dont les plus fréquentes sont les relations publiques, la promotion au point de vente mais surtout la publicité et la vente personnelle.

Dans l'éventail d'outils de communication du marketing mix, la publicité est le plus efficace quand il s'agit de communiquer un message simple à une large audience. Plus le produit est complexe, moins la publicité est efficace et plus s'impose le recours à d'autres outils de communication. En fait, tout est question de degré; la publicité a partout sa place mais en importance variable.

Ainsi, pour un produit industriel complexe qui requiert la diffusion d'un message complexe, on confiera la tâche de communication de préférence à des vendeurs; ceci n'exclut toutefois pas l'utilisation de l'outil publicité par des annonces dans un magazine industriel. Pour un produit simple s'adressant à toute une masse de consommateurs, on aura plutôt recours (pas toujours cependant) à la publicité de masse; le rôle du vendeur sera alors réduit au minimum (vendeurs derrière le comptoir d'un commerce de détail). Le schéma qui suit illustre parfaitement toute cette dynamique.

Schéma illustrant l'importance relative de la vente et de la publicité

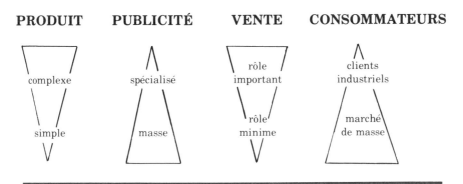

PRODUIT	PUBLICITÉ	VENTE	CONSOMMATEURS
complexe	spécialisé	rôle important	clients industriels
simple	masse	rôle minime	marché de masse

C. Conclusion

En résumé, la publicité est une des composantes de la variable du marketing mix qu'on appelle "promotion". C'est l'outil de communication de l'entreprise qui frappe le plus parce que omniprésent dans la vie de tous les jours. Cependant, la publicité occupe une place très spécifique et n'a pas l'exclusivité de la communication. En fait, chacune des variables du marketing mix participe à la communication: le produit, par son emballage, sa présentation et ses caractéristiques, transmet une partie du message; les vendeurs de même que le prix et le réseau de distribution transmettent aussi une partie du message; enfin, l'entreprise elle-même, en tant qu'entité propre, communique une autre partie du message ne serait-ce que par l'image positive ou négative qu'elle projette dans le public.

C'est après avoir déterminé les besoins et les désirs des consommateurs ou d'un segment du marché que l'entreprise déterminera le mix de marketing le plus approprié à satisfaire le marché.

LA VIE DES PRODUITS
Claude Choquette

Dans un article de PME Gestion, M. Roger Charbonneau faisait remarquer que les études de marché dans la PME sont généralement simples à réaliser: la plupart des PME opérant au plan local ou régional, leurs dirigeants sont en mesure de saisir directement le pouls du marché. Cet élément devrait faciliter l'utilisation par les PME d'un concept fondamental de marketing, soit le cycle de vie des produits.

Tout produit passe par les mêmes phases: lancement, croissance, maturité et déclin. L'historique des ventes d'un produit sur un marché illustre clairement ces étapes.

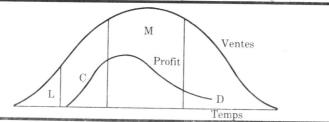

La période de lancement (L)

Elle se caractérise par un volume de vente relativement limité et le nombre de producteurs est restreint.

La période de croissance (C)

Le rythme de vente s'accroît rapidement de même que le nombre de producteurs ou vendeurs.

La période de maturité (M)

Le rythme de croissance des ventes fléchit, pour ensuite se stabiliser puis décroître sensiblement, alors que le nombre de producteurs ou vendeurs atteint son maximum.

La période de déclin (D)

Les ventes du produit subissent un fléchissement plus ou moins accéléré et les producteurs se retirent du marché à un rythme correspondant

Après l'étape initiale du lancement, on peut s'attendre:

1. À ce que la *demande* soit plus forte que *l'offre* dans les premières phases du cycle de vie du produit;
2. À ce que l'offre devienne plus forte que la demande à la phase de maturité; et ce déséquilibre devrait se maintenir durant la phase de déclin.

Or, cette relation *demande* et *offre,* selon les étapes du cycle de vie du produit, montre que le maximum de profit devrait se situer dans la partie gauche du cycle, généralement au début de la phase de maturité, à l'endroit où la demande est encore supérieure à l'offre, pour ensuite fléchir.

Or, le niveau de profit dépendra davantage de l'accroissement des quantités vendues que de l'accroissement des marges; en effet, celles-ci ont généralement un comportement distinct de la courbe de profit.

Les quantités vendues sont fonction de l'intensité de la demande et de l'aptitude des fournisseurs à satisfaire cette demande. Les marges brutes, elles, seront surtout fonction de l'écart entre la rareté de l'offre et l'intensité de la demande. En d'autres mots, une demande plus forte que l'offre entraînera généralement des marges plus élevées pour les producteurs ou vendeurs.

Or, comme l'entrée de nouveaux producteurs réduit cet écart, on doit s'attendre à un fléchissement des marges durant le cycle de vie du produit quoique, dans certains secteurs, elles puissent se raffermir en fin de cycle, quand le nombre des fournisseurs a diminué suffisamment.

Donc, l'identification des étapes dans lesquelles se trouvent les divers produits d'une PME permet dans une certaine mesure d'anticiper:

1. l'intensité de la concurrence;
2. l'évaluation des marges de profit;
3. l'évaluation de son chiffre d'affaires;

4. l'évaluation de sa profitabilité.

Essayons d'illustrer à l'aide d'un exemple simple le cas de deux firmes.

Colonne 1: Étapes de cycle de vie du produit.

Colonne 2: Nombre de produits à chaque étape.

Colonne 3: % des ventes de la firme selon les produits aux différentes étapes.

Colonne 4: % de la marge brute sur les produits aux différentes étapes.

Tableau 1

Firme A

1 Phase du cycle de vie du produit	2 Nombre de produits	3 % des ventes	4 Marge brute
Lancement	1	4%	34%
Croissance	3	12%	30%
Maturité	20	60%	25%
Déclin	6	24%	20%
Total	30	100%	24,8%

Firme B

1 Phase du cycle de vie du produit	2 Nombre de produits	3 % des ventes	4 Marge brute
Lancement	3	12%	35%
Croissance	7	24%	30%
Maturité	14	44%	25%
Déclin	6	20%	20%
Total	30	100%	26,4%

Conséquences

En considérant ce qui a été mentionné précédemment, on devrait s'attendre à ce que la Firme B voie son chiffre d'affaires et sa profitabilité croître plus rapidement que la Firme A.

Raisons

1. 36% de ses revenus proviennent de la vente de produits qui sont aux étapes d'accroissement rapide des ventes;

2. la marge brute moyenne pour l'ensemble des ventes est plus élevée pour la Firme B (26,4%) que pour la Firme A (24,8%).

La conclusion est qu'il est nécessaire pour la croissance et la profitabilité d'une firme d'avoir une gamme équilibrée de produits aux différentes étapes, de manière à pouvoir remplacer éventuellement et de façon continue les produits rendus à la phase de maturité ou de déclin.

En terminant, on peut poser les questions suivantes:

1. Sur quels produits le gérant des ventes de la Firme B devrait-il diriger l'effort de vente de ses représentants?

2. Est-ce que la commission aux représentants devrait être identique indépendamment du produit vendu?

L'utilisation du concept du cycle de vie du produit doit être faite de façon prudente et pondérée. La réalité est beaucoup plus difficile à saisir. Il n'en reste pas moins que cet exercice permet de se concentrer sur un élément essentiel: la gamme de produits d'une firme.

Les produits aux étapes de lancement et de croissance demandent une attention soutenue. Ils sont la source future de bénéfices de l'entreprise mais les zones d'investissement d'aujourd'hui. Si elle désire éviter de se retrouver dans une position concurrentielle marginale et de compromettre sa profitabilité future, la direction se doit d'investir à ces étapes et particulièrement à l'étape de croissance.

L'étape de maturité est celle de la rentabilité des investissements, celle où les bénéfices sont généralement le plus élevés et où les exigences sur les ressources devraient fléchir. C'est l'étape d'où doivent provenir les bénéfices qui seront réinvestis dans de nouveaux produits rendus aux premières étapes de leur cycle. Si, parce que les investissements aux étapes de lancement et de croissance ont été insuffisants, les produits rendus à la phase de maturité se trouvent dans une position concurrentielle difficile, il est fort probable que l'entreprise ne pourra pas générer de façon interne les fonds requis pour assurer sa croissance.

L'étape du déclin peut être encore une source de bénéfices, même s'ils diminuent, dans la mesure où ces produits jouissaient d'une position avantageuse à l'étape de la maturité. Il serait dangereux, par ailleurs, d'assumer que des produits qui ne laissent qu'un faible bénéfice lors de la période de maturité, puissent résister à la concurrence et rester une source de profits durant la période de déclin. Il serait plus juste de croire que ces produits seront les premiers à être affectés par le fléchissement de la demande, donc à disparaître du marché rapidement (voir tableau 2).

Tableau 2

CYCLE DE VIE DU PRODUIT

ÉTAPES	INVESTISSEMENTS		BÉNÉFICES
	FINANCIERS	HUMAINS	
Lancement	Importants	Importants	Nuls
Croissance	Importants	Importants	Faibles
Maturité	Faibles	Moyens	Très élevés
Déclin	Nuls	Très faibles	Faibles

Ce tableau nous permet de dégager les étapes du cycle de vie des produits qui sont susceptibles d'être des **zones d'investissement** et des **sources de bénéfices.**

L'art de la gestion des lignes de produits réside dans l'habileté du gestionnaire à affecter les ressources humaines et financières de l'entreprise en tenant compte des différentes étapes du cycle afin d'atteindre des objectifs de croissance et de profitabilité réalistes.

Le concept de cycle de vie du produit est un élément fondamental dans la gestion des investissements et des bénéfices.

Application:

1. Identifier chacun des produits.
2. Classer les produits à leur étape respective.
3. Dégager le nombre de produits par étape, les revenus, les marges respectives et les bénéfices.
4. Établir la position concurrentielle actuelle de chaque produit.
5. Identifier la durée (temps) du cycle de vie de chaque produit et la durée des étapes.
6. Évaluer à court et moyen terme l'évolution de chaque produit: revenus, marges, bénéfices.
7. Identifier les sources de bénéfices.
8. Identifier les zones d'investissement. (Voir tableau 3).

L'utilisation du concept de cycle de vie du produit nous oblige à concentrer notre attention sur les faits suivants: les produits d'une firme sont à la fois des zones d'investissement et des sources de bénéfices; la croissance et la profitabilité d'une firme sont nécessairement le résultat du comportement des produits dans le marché; les sources futures de bénéfices proviendront des zones d'investissement d'aujourd'hui.

Tableau 3

PROJECTION DE L'ÉVOLUTION DU PRODUIT "A"

ÉTAPES	ÉTAPE DU PRODUIT "A"	DURÉE (mois)	REVENUS ($/an)	MARGE BRUTE (%)	PART DU MARCHÉ (%)	BÉNÉFICES ($)
Lancement	X	12	100 000	50	20	(50 000)
Croissance		18	400 000	40	25	50 000
Maturité		30	1 300 000	30	30	125 000
Déclin		24	500 000	10	25	25 000

Tous les produits passent en principe par le même cycle: lancement, croissance, maturité, déclin, ceci n'empêchant pas cependant certains produits d'obtenir plus de succès que d'autres, ou encore de connaître, par la force des choses, des périodes de croissance et de maturité plus intenses et plus prolongées.

La notion de cycle de vie permet précisément d'obtenir une image de la courbe de pénétration de chacun des produits. Dans les pages précédentes on mentionnait qu'il est utile de classer chacun des produits selon ses étapes respectives de manière à dégager ses marges et sa contribution aux ventes totales provenant des différentes étapes du cycle.

On aborde cet examen en établissant la part du marché global occupée par chacun des produits, selon la formule suivante:

$$\text{Part de marché} = \frac{\text{Ventes produits } 1,...,7 \text{ de la firme}}{\text{Ventes produits } 1,...,7 \text{ (Concurrents + firme)}}$$

Cet exercice à caractère descriptif est nécessaire. Mais les mêmes données permettent de pousser plus loin l'analyse et, dans le cas où les ventes sont insuffisantes, d'en découvrir les causes et d'y apporter des correctifs.

À titre d'exemple, examinons le tableau 4 dont nous appliquerons les données successivement à la situation de la firme A, puis à celle de la firme B.

Firme A. La firme A est spécialisée dans le marché du vêtement; elle conçoit, fabrique et distribue de petits accessoires de haut de gamme (produit de luxe). Dans ce marché, il est connu que les produits de haut de gamme ont un cycle de vie plus court que ceux d'un marché de masse.

Dans une telle situation, la politique de la firme A semble conforme aux exigences de ce marché spécialisé: ses ventes connaissent une certaine intensité pour des périodes relative-

Tableau 4

Produits 1 à 7 d'une PME

Tableau applicable à la situation respective des firmes A et B

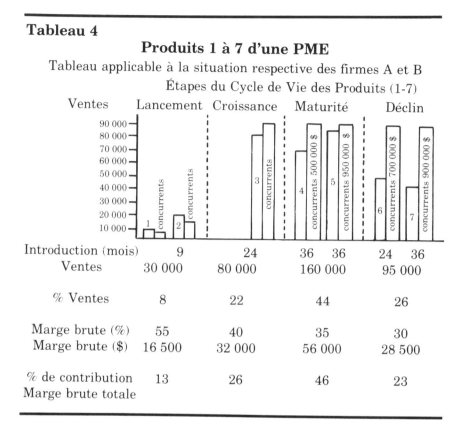

Étapes du Cycle de Vie des Produits (1-7)

	Lancement	Croissance	Maturité		Déclin	
Introduction (mois)	9	24	36	36	24	36
Ventes	30 000	80 000	160 000		95 000	
% Ventes	8	22	44		26	
Marge brute (%)	55	40	35		30	
Marge brute ($)	16 500	32 000	56 000		28 500	
% de contribution Marge brute totale	13	26	46		23	

Causes possibles . . . . Correctifs suggérés

— Réseaux de distribution inadéquats

— Modifications au plan de marketing

— Les dirigeants sont préoccupés par la recherche et le développement au détriment de la politique de vente

— Engagement d'un gestionnaire de marketing

— Produits: peu d'améliorations apportées aux produits après le lancement

— Modifications dans la gestion de la recherche et développement

— Prix trop élevés: coûts de production varient peu en fonction des quantités produites

— Modifier l'unité de production

— Retard constant dans l'introduction de nouveaux modèles par manque de connaissance des besoins du marché

— Études de marché

ment brèves, au terme desquelles elle sait renouveler ses produits afin de répondre à une demande toujours changeante.

Firme B. La firme B se situe dans un marché de masse où le cycle de vie des produits est long. Il semblerait que la firme éprouve certaines difficultés dans la gestion de ses produits. Sa position concurrentielle qui est avantageuse aux étapes Lancement et Croissance décroît très sensiblement lors de la Maturité et de la phase subséquente. Le passage de l'étape de Croissance à la Maturité en est un difficile pour la firme B.

Une évaluation des modes de gestion de cette firme permettrait d'identifier les causes de cette déficience et d'y apporter les correctifs appropriés.

La liste qui suit est soumise à titre strictement indicatif et ne se veut pas exhaustive.

On peut poursuivre l'exercice en s'efforçant d'identifier les causes réelles des déficiences et en précisant les correctifs pour y remédier. L'élément important à retenir est que l'évaluation régulière des produits d'une firme et de leur position concurrentielle respective permet au moins partiellement d'identifier les forces et les faiblesses dans ses activités commerciales.

Dans le cas de la firme A, on peut reconnaître que sa position dans le marché à chaque étape du cycle de vie de ses produits semble cohérente avec sa stratégie de marketing.

Pour ce qui est de la firme B, on devrait réévaluer soit sa stratégie, soit ses moyens d'implantation ou encore tous les éléments de ses opérations commerciales.

GESTION DES PRODUITS
Claude Choquette

La récession économique de 1981 à 1983 est probablement le facteur qui a le plus contribué à rétablir un axiome de gestion qui avait été oublié dans l'euphorie de la dernière décennie:

La croissance des ventes n'implique pas nécessairement une augmentation des profits.

Dans un trop grand nombre de firmes, petites ou grandes, les ressources humaines et financières sont parfois utilisées sans que l'on ait le souci de se préoccuper de leur profitabilité.

Il faut toujours se rappeler la relation entre ventes et profits.

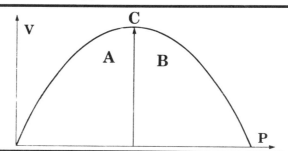

Le graphique indique que la relation profits/ventes sera positive dans la zone A et que passé le point C la relation deviendra négative.

Il est évident que l'on retrouve une telle situation parce que dans la zone A les revenus sont supérieurs aux coûts et que dans la zone B les revenus générés par les ventes additionnelles ne compensent pas les coûts requis par ces ventes.

Donc, au niveau de la zone B, un dollar de vente entraîne des coûts supérieurs qui peuvent dépasser la marge de profit brut.

De nombreux gestionnaires ont vécu l'expérience de la zone B et plusieurs autres la vivront. Bien qu'aucun d'entre eux n'ait consciemment ou inconsciemment le désir de réduire la profitabilité de son entreprise, dans les faits c'est précisément ce qui peut se produire.

Être contre la croissance brute n'est pas être contre la profitabilité.

Question: Si une firme se retrouve dans la Zone B, par où faut-il commencer à intervenir?

Réponse: Par les produits vendus par la firme.

Analyser chaque ligne et item de la gamme de produits.

Ex.: Évaluation des ventes, des marges et de la contribution de chaque ligne ou item au profit.

Dégager les lignes selon l'importance de leur contribution.

Constatation probable: un nombre restreint d'items ou de lignes de produits sont responsables d'un pourcentage très important du profit global.

Maintenant, faire l'exercice de l'allocation des frais fixes selon les lignes de produits. Lors de cet exercice, avoir en mémoire le dicton suivant: **la roue qui grince est celle qui reçoit l'huile.** Il faut donc examiner les frais avec un oeil particulièrement critique.

Se garder de la tentation de répartir les frais fixes selon l'importance de la contribution au chiffre de vente, à moins qu'une telle approche ne soit justifiée.

Dans les faits, la tendance est de sous-estimer la profitabilité des lignes de produits qui demandent peu de ressources humaines et financières, et de minimiser les coûts de produits plus exigeants.

L'analyse des coûts fixes et leur répartition doivent être objectives et refléter le coût des ressources effectivement allouées. Toute autre approche a pour effet d'encourager l'introduction de produits à partir du principe que les frais fixes étant ce qu'ils sont, tout produit additionnel vendu avec marge a nécessairement une contribution positive. C'est à partir de ce faux principe de gestion qu'une firme peut se retrouver dans la zone B.

En conclusion, un gestionnaire averti devrait considérer les frais fixes comme étant variables et faire un effort particulier pour identifier l'origine de ces coûts et pour en assurer ainsi une allocation plus objective.

Une telle approche réduira le risque de passer de la zone A à la zone B.

QU'EST-CE QU'UN MARCHÉ?
Claude Choquette

Dans un programme de marketing destiné à une PME, la définition du marché est très difficile à mettre au point. Quand elle existe, la description du marché est souvent très imparfaite, beaucoup trop sommaire. Parce qu'elle ne contient pas de "jus", c'est-à-dire trop peu de données pour représenter de façon objective et réaliste la clientèle recherchée, elle ne peut pas donner prise à des interventions directes, susceptibles de générer un rendement maximum. L'objectif de l'entreprise est de servir une clientèle. Mais avant d'établir une politique de marketing, il est essentiel de déterminer à qui on s'adressera. Le dynamisme du marketing dépendra du soin qu'on aura mis à bien définir son marché.

Définition du marché

Quels que soient les services ou les produits offerts, la définition d'un marché comporte quatre éléments, toujours les mêmes, dont chacun doit être identifié et considéré séparément. Ce sont:

1- Le nombre de personnes;
2- Les personnes susceptibles d'acheter;
3- Les personnes qui désirent acheter;
4- Les personnes ayant les moyens financiers de se procurer les services ou produits du vendeur.

Parmi ces quatre éléments, le 1er, le 2e et le 4e constituent autant de contraintes qui échappent à l'action de l'entreprise. Même si elle doit en tenir compte dans le choix de ses politiques, elle est forcée de s'y adapter puisqu'elle est incapable d'en modifier les données. Par ailleurs, l'entreprise est en mesure d'exercer une influence considérable sur le troisième élément: **le nombre de personnes qui désirent acheter.** Le rôle essentiel du marketing est d'augmenter le désir du marché de se procurer les produits de l'entreprise.

Le nombre de personnes

En règle générale, on peut considérer que plus est élevé le nombre d'individus dans un marché donné, plus on y trouvera d'acheteurs... et vice versa. Mais il ne faut pas croire qu'un marché est composé d'un nombre fixe d'individus. Ce nombre peut, pour diverses raisons, varier rapidement et considérablement. Une lecture rapide des projections démographiques, au Québec, permet, par exemple, d'anticiper des fluctuations relativement importantes dans les populations de certaines catégories d'âges:

— de 0 à 4 ans:
le nombre des individus croîtra jusqu'en 1987, alors qu'il se stabilisera, et pourrait même décroître;

— de 5 à 9 ans:
croissance d'environ 40,000 individus de 1983 à 1986;

— de 10 à 14 ans:
baisse d'environ 14,000 individus de 1983 à 1986;

— de 15 à 19 ans:
baisse de 122,000 individus de 1983 à 1991, soit une chute de plus de 20%.

On le voit, les populations de certaines catégories d'âges connaissent, au cours de périodes restreintes, des variations considérables dont l'entreprise doit tenir compte sous peine de s'exposer à des surprises coûteuses. Car ces contraintes démographiques sont absolues; aucune intervention de l'entreprise ne peut les modifier. L'industrie pharmaceutique seule est en mesure

d'influencer les mouvements de population, à la baisse naturellement. À long terme, cette tendance peut affecter durement la
rentabilité des entreprises. L'industrie pharmaceutique est
consciente de ce danger et elle sait que certains de ses produits
sont en voie de réduire ses propres marchés. Tels sont les effets de
"la pilule"! Mais que pouvons-nous y faire?

Les personnes susceptibles d'acheter

Cette notion est plus difficile à saisir, globalement, que la
précédente. Elle recouvre des éléments divers, les uns relativement simples, les autres plus complexes. Si le service ou le produit
répond à un besoin primaire, toute la population est susceptible
de s'en procurer. C'est le cas du pain. Mais il existe une très
grande variété de pain. De sorte que la motivation à acheter tel
pain plutôt que tel autre tient à une foule de considérations
personnelles. C'est au vendeur qu'il appartient de trouver la
combinaison (présentation, goût, qualité, prix) qui soulèvera le
désir d'acheter.

Le facteur géographique peut aussi influer sur le désir d'acheter. Dans certaines localités ou dans certains quartiers d'une
même ville, on consommera de préférence telle sorte de pain ou de
vêtements, on achètera plus d'outils ou d'appareils stéréo que
dans la moyenne de la population.

À ces attitudes personnelles ou psychologiques qui suscitent
le désir d'acheter, il faut ajouter les facteurs psychosociaux, soit
les pressions de groupe qui agissent sur les individus, souvent à
leur insu, et engendrent des processus d'imitation, des "modes"
plus ou moins persistantes.

Soulignons deux autres facteurs: les changements technologiques, qui compromettent la rentabilité d'un nombre croissant de
produits; et les politiques de protection de l'environnement dont
les effets sont de plus en plus sensibles: pour avoir négligé d'en
tenir compte, les fabricants d'automobiles américains ont subi
des revers sérieux aux mains de leurs concurrents étrangers.

Les éléments nombreux qui affectent dans un sens ou dans
l'autre la susceptibilité d'acheter sont parfois difficiles à détecter.
Il est néanmoins important de tenter de les identifier afin d'en
dégager les indications les plus claires possible sur les motivations des consommateurs et sur les tendances du marché.

Les personnes possédant les moyens d'acheter

De toute évidence, le niveau de revenu est un facteur domi-
nant de la décision d'acheter. La capacité de payer a une influence
directe sur la qualité et la quantité de biens qu'un consommateur
peut acquérir.

Dans une économie où le pouvoir d'achat est en croissance, on s'attend généralement à une demande plus forte pour les biens de qualité supérieure et à une réduction de la demande pour les biens de qualité inférieure. Quand le pouvoir d'achat diminue, c'est ordinairement le marché des produits de moyenne gamme (prix moyens) qui est le plus durement touché. Dans l'industrie du vêtement masculin, par exemple, c'est le marché de moyenne gamme qui a subi les baisses les plus sérieuses au cours de la récession des deux ou trois dernières années.

Résumé

Il faut bien constater que les variations démographiques, la conjoncture économique et les facteurs psychosociologiques exercent des influences déterminantes sur le potentiel du marché. Ces éléments doivent être compris, articulés et anticipés. Le seul élément du marché contrôlé par la firme relève de son aptitude à rendre ses produits désirables. Elle ne peut rien changer au nombre de personnes qui constituent un marché, ni à leur capacité de payer; et elle exerce très peu d'influence, à court terme, sur leur susceptibilité d'acheter. Quand on a bien identifié les éléments 1,2 et 4 de la définition du début de ce texte, il devient plus facile d'adopter des politiques réalistes de mise en marché.

VOS MARCHÉS ÉVOLUENT — LES SUIVEZ-VOUS?

Claude Choquette

Il est toujours difficile de définir son marché avec une précision suffisante pour permettre aux gestionnaires de prendre les décisions les plus profitables, celles qui permettront à l'entreprise d'atteindre son objectif final: bien servir sa clientèle.

Mais on peut se poser la question: cette clientèle, une fois identifiée, est-elle stable? Ses besoins et désirs sont-ils constants dans le temps? Il semble que non. En effet, il suffit d'appliquer ici un concept très important de marketing pour constater que les besoins et désirs de la clientèle sont presque toujours en évolution. Ce concept, c'est celui du **cycle de vie de la famille.**

Vos clients vous aiment bien, mais...

L'expérience nous réapprend tous les jours que besoins et désirs varient en fonction de l'âge des individus. Les besoins d'une personne de 20 à 24 ans sont différents de ceux d'une personne de 30 à 35 ans ou de 45 à 55 ans. Associées à l'âge, se trouvent les étapes de la vie des individus: les premières années de la vingtaine sont celles du mariage; dans les débuts de la trentaine le couple a des enfants en bas âge; ceux-ci sont à l'école secondaire quand les parents approchent de leur quarantième année; et quand ces derniers sont dans la quarantaine avancée, les enfants ont vraisemblablement accédé au marché du travail et choisi leur orientation professionnelle propre.

Toute personne qui, à titre de parent, a vécu les différentes étapes du cycle familial, sait à quel point ses besoins et désirs, et ceux des siens, ont pu changer au cours de ces 20 ou 30 années, se traduisant par la recherche d'une succession ininterrompue de produits différents, en nature, en quantité, en qualité.

Pour voir plus clair dans cette situation, on peut considérer un ménage ou une famille comme une entreprise et observer son évolution. Un individu dont la vie active commence à 24-26 ans voit son revenu augmenter graduellement pendant environ 25 ans, et atteindre son maximum quand il frise la cinquantaine. Son pouvoir d'achat se trouve donc à son apogée à une période où ses obligations familiales sont normalement au plus bas ou du moins en forte décroissance.

Au début du cycle familial, par contre, la situation financière du jeune couple présente généralement les aspects suivants: actifs plus ou moins importants, dettes correspondantes ou même plus élevées, avoir de la "famille-entreprise" relativement faible. Le plus souvent, cette situation suivra une courbe prévisible: actifs de plus en plus considérables, réduction de l'endettement, hausse sensible de l'avoir des "actionnaires".

Cette description contient un enseignement. La PME qui a taillé son marché dans les premières étapes du cycle de vie familial se trouve face à une clientèle dont les revenus sont presque totalement alloués, donc très sensible aux prix. Mais cette clientèle évolue dans le temps et, à mesure que ses revenus s'accroissent, devient moins sensible aux coûts et davantage à la qualité des produits, ce qu'elle ne pouvait pas se permettre au cours des étapes antérieures. Donc, la petite firme dont le marché se situe dans les premières étapes du cycle de vie familial, et qui compte se limiter à ce marché, verra ses clients la délaisser dans le temps, indépendamment de la qualité de son service. Le seul moyen de les retenir, c'est d'adapter ses produits aux nouveaux besoins de sa clientèle initiale.

Choisir son marché, c'est choisir sa taille

Volkswagen constitue un exemple pertinent de l'entreprise qui n'a pas tenu compte de ce concept. Au début des années 60, la Coccinelle a connu une popularité phénoménale qui s'est manifestée par une pénétration accélérée du marché des très jeunes: pour eux, c'était **la** voiture. S'est-on jamais demandé, chez Volkswagen, si ces clients continueraient à acheter une Coccinelle quand ils auraient 25, 30 ans ou plus? Il semble que non. Il aurait pourtant dû être évident que cette voiture, d'une conception et d'une allure particulières, présenterait moins d'attraits pour les anciens acheteurs, même satisfaits, quand l'âge aurait modifié leurs goûts, leurs besoins, leurs attentes. Quels que soient les motifs de leur choix, les autorités de Volkswagen ont décidé de ne pas exploiter la popularité et le "good-will" engendrés par la Coccinelle afin d'élargir leur gamme de produits; ils ont plutôt misé sur la possibilité de recruter de nouveaux clients dans la même catégorie de jeunes, quitte à perdre ceux d'entre eux que le vieillissement attirerait fatalement vers d'autres types de véhicules.

Comme nous l'avons déjà démontré à l'aide de quelques statistiques, les catégories d'âges peuvent varier en nombre en peu de temps et dans des proportions considérables. Le marché des jeunes sur lequel elle comptait ayant diminué fortement, Volkswagen essuya des baisses de ventes substantielles. Pour prévenir cet échec, elle aurait pu offrir un deuxième modèle de voiture et tenter de conserver les clients dont la confiance lui était acquise. (Ce qu'elle a d'ailleurs fait par la suite).

C'est précisément la solution que les Américains ont adoptée depuis longtemps et que les Japonais utilisent maintenant avec succès pour pénétrer nos marchés. General Motors a bien saisi ce concept et l'applique systématiquement. G.M. nous offre toute une gamme de véhicules qui répondent aux besoins les plus variés, quel que soit notre âge, littéralement de la naissance à la mort. Dans ces deux cas extrêmes, bien sûr, ce sont d'autres que l'intéressé qui tiennent le volant!

Des politiques conformes aux objectifs

Parmi les multiples producteurs d'automobiles du début du siècle, certains sont devenus les géants actuels pour avoir su définir leur marché avec précision et pour avoir pris les moyens de répondre adéquatement aux besoins et aux goûts particuliers des clientèles spécifiques qui constituent ce marché.

La même méthode vaut pour les PME. Elles ne sont pas toutes appelées à devenir les General Motors de leur secteur. Mais elles ont toutes un intérêt vital à posséder l'image la plus claire possible du marché auquel elles s'adressent. Le fabricant ou le vendeur de vêtements peut viser toutes les catégories d'âges, ou se limiter à un marché restreint, par exemple celui des enfants, celui des dames ou des messieurs. S'il sait utiliser les statistiques disponibles sur le nombre de ménages, sur le cycle de vie familial et sur le nombre d'individus inclus dans telle ou telle catégorie d'âges, il disposera de renseignements précieux sur la nature et l'étendue de son marché. Il pourra anticiper avec une exactitude convenable ses niveaux de ventes et de profit et ajuster en conséquences ses investissements en équipements, en inventaire, en personnel et en marketing. Un tel effort de vérification et surtout d'anticipation de l'évolution du marché doit être repris assez fréquemment pour permettre au dirigeant d'adapter ses politiques aux fluctuations de la conjoncture et au jeu de la concurrence. Agir autrement, c'est mettre dans le hasard une confiance qu'il ne mérite pas.

VOS FUTURS CLIENTS: COMMENT LES ATTEINDRE?

Claude Choquette

Nous avons tenté de démontrer:
— l'importance de bien définir le marché auquel l'entreprise se propose de s'adresser;
— la nécessité de suivre son marché, et non seulement de s'adapter à son évolution, mais de l'anticiper afin de continuer à répondre à des besoins réels.

Nous abordons aujourd'hui un aspect particulièrement encourageant du marketing. Il serait inutile de posséder le portrait et le nombre des acheteurs éventuels si on était condamné à ignorer où ils se trouvent. Heureusement, il existe, à la portée de tous, des moyens simples de repérer les lieux où résident les plus fortes concentrations de cette clientèle en puissance.

Des publications fort utiles

Que son centre d'intérêt se situe dans le Montréal métropolitain ou dans toute autre région, une PME est en mesure d'obtenir le pourcentage de personnes ou de familles répondant au profil socio-économique de son consommateur-type actuel, ou de celui qu'elle cherche à attirer. Il lui suffit d'utiliser les instruments précieux que sont les publications du gouvernement du Canada sur le recensement[1].

Le Bureau de recensement a divisé le territoire du pays en

— **secteurs de dénombrement,**
— **subdivisions de recensement,**
— et en **circonscriptions électorales (fédérales).**

La plus petite unité est le secteur de dénombrement. En utilisant le **répertoire post-censitaire des rues** (par exemple pour la région de Montréal), on peut repérer, divisés par quadrilatères, les secteurs de dénombrement et les subdivisions de recensement. Après avoir identifié les secteurs qu'on veut retenir, on se réfère à la publication pertinente pour la région de Montréal. On y trouvera l'information suivante:

— population au dernier rencensement (1981),
— langue parlée à la maison,
— origine ethnique,
— lieu de naissance,
— période de construction des logements,
— mobilité de la population depuis les cinq dernières années,
— préférences religieuses,
— revenus,
— distribution de la population par catégories d'âge,
— valeur des logements, etc.

Ces données permettent d'établir sans difficulté le nombre de personnes qui, dans tel ou tel secteur géographique, répondent au profil socio-démographique du consommateur recherché. Répétons-le, elles permettent de découvrir les lieux où se trouvent les concentrations les plus fortes de clients potentiels.

Une étude-maison

Il est possible à toute personne, même si elle ne possède aucune connaissance particulière dans le domaine, d'effectuer une étude préliminaire de provenance de la clientèle. Le bon sens suffit. Une première démarche peut consister à faire un relevé des factures portant l'adresse des acheteurs; ou encore à organiser un petit concours avec bon de participation sur lequel le répondant inscrit son adresse et son numéro de téléphone.

---

1. *Pour toute information concernant les publications du Bureau de recensement du Canada, téléphoner à: (514) 283-5725.*

Ces méthodes simples, tout comme les données du recensement, permettent de circonscrire les réserves d'acheteurs les plus prometteuses et d'appliquer à leur endroit une politique d'attraction progressive. Quitte à pousser plus loin, progressivement, l'étude de provenance de la clientèle.

Bâtir une clientèle

Plusieurs entreprises (pas nécessairement de petite taille) utilisent des techniques semblables comme base d'une campagne de publicité par la poste (direct mail). Lorsqu'on a situé géographiquement les catégories de population visées, il ne reste plus, pour leur transmettre un message, qu'à utiliser les routes de livraison des postes canadiennes. Les coûts du courrier "sans timbre" sont relativement minimes; ils peuvent être aussi bas, pour certaines quantités, que quelques cents par pièce livrée. (On obtient les renseignements sur le courrier "sans timbre" auprès de la Division Marketing du district postal où on est situé, ou du bureau de poste local.) On peut évidemment se limiter, pour une première expérience, à une partie seulement de la population visée. Un essai partiel permet d'évaluer à peu de frais l'efficacité du message publicitaire et le degré d'intérêt manifesté par le ou les groupes sollicités.

Les PME qui ne disposent ni du personnel, ni du temps requis pour aborder de tels travaux peuvent recourir aux services d'une entreprise privée, Compusearch Marketing & Social Research Ltd., de Toronto, qui possède des succursales dans toutes les grandes villes canadiennes. (Numéro de téléphone à Montréal: (514) 286-7045.) Cette firme fournit les mêmes données que le bureau de recensement (voir ci-dessus) en utilisant comme unité géographique le territoire délimité par chacun des codes postaux du pays.

Si, par exemple, après avoir déterminé le profil socio-économique de votre clientèle vous désirez connaître le nombre de personnes ou de ménages possédant les mêmes caractéristiques et habitant la région de Trois-Rivières, Compusearch pourra vous faire parvenir une liste des codes postaux couvrant le territoire en question, chacun portant la mention du nombre de personnes ou de ménages répondant à vos spécifications.

Autre exemple: vous possédez un commerce de détail, et vous avez l'intention d'en ouvrir un deuxième. Entre plusieurs emplacements possibles, vous choisirez celui qui présentera, dans un rayon d'un mille et demi, la plus forte densité de personnes se situant dans une catégorie socio-démographique donnée: vous pourrez recevoir de la même firme l'information que vous désirez, soit le nombre de propriétaires, le niveau de revenu, l'origine ethnique, le statut professionnel, etc.

Tous les moyens mentionnés ici sont peu coûteux. On ne peut les employer avec profit, cependant, qu'après avoir défini le plus exactement possible le marché auquel on veut s'adresser. Si cette condition n'est pas remplie, il est très difficile d'effectuer des activités de promotion efficaces et productives.

Après l'identification des besoins, l'élément le plus important, dans l'art du marketing, consiste à évaluer au plus près le nombre de personnes qui désirent satisfaire ces besoins. Dans l'accomplissement de ce travail, les publications du recensement et les autres moyens suggérés dans ce texte sont des instruments très utiles.

LES COÛTS D'ACCÈS ET DU SERVICE À LA CLIENTÈLE
Claude Choquette

Nous abordons ici un aspect du marketing qui, depuis dix ans, a connu des applications de plus en plus nombreuses: la comptabilité propre au marketing.

Il ne faut pas oublier que l'objectif global du marketing est la gestion efficace des transactions entre un producteur ou un marchand et ses clients. Nous nous arrêtons donc à la dimension comptable de ces transactions, à la nécessité d'établir ce qu'il en coûte, a) pour aller chercher les commandes et, b) pour remettre les biens ou services entre les mains des consommateurs.

Contrôle des coûts: une priorité

Les firmes les plus importantes ont été les premières à se préoccuper du niveau des coûts liés à l'ensemble des opérations de marketing. Étant donné le nombre très élevé de leurs transactions, toute baisse, même minime, de leurs coûts par unité peut se traduire par une augmentation considérable des profits.

L'argument s'applique à toutes les entreprises qui ont dépassé le stade artisanal. Il est essentiel que les dirigeants possèdent en tout temps une idée relativement juste de ce type de coûts. Grâce à l'ordinateur, les travaux requis pour l'analyse et le contrôle de cette information sont de plus en plus à la portée des PME.

On peut répartir les coûts de marketing de la façon suivante:

A. Coûts liés à l'obtention de la commande

1. Les coûts des ventes:
— Salaires et commission des vendeurs
— Frais de voyage
— Salaires du personnel de bureau
— Avantages sociaux
— Assurances
— Loyer
— Maintenance
— Frais de poste et articles de bureau

2. Publicité et promotion des ventes
— Prolongations de crédit
— Escomptes de quantité
— Coût de la garantie, s'il y a lieu
— Frais de recherche commerciale, s'il y a lieu

B. Coûts d'exécution de la commande
— Entreposage et manutention
— Maintien des inventaires
— Emballage et livraison
— Préparation des documents
— Enregistrement et envoi des comptes à recevoir
— Marchandises retournées
— Service à la clientèle, s'il y a lieu.

Chacun devrait réaménager ces catégoires de coûts et les adapter à ses propres besoins. La somme de ces coûts pouvant atteindre, dans certaines entreprises, jusqu'à 30% du prix de vente, on peut constater qu'une connaissance aussi exacte que possible des dépenses affectées aux diverses phases du marketing est d'un intérêt indiscutable.

Les mines souterraines...

Pour illustrer cette affirmation, il suffit de rappeler que les marges de profit brut ont tendance à évoluer selon le cycle de vie du produit; elles sont généralement plus fortes aux étapes du lancement et de la croissance et fléchissent ensuite, quand la concurrence entre en jeu. Si, à ce moment, on ne prend pas les mesures nécessaires pour comprimer les coûts d'opération, ils risquent d'affecter sérieusement la marge brute totale. Et l'entreprise peut subir une baisse substantielle de rentabilité. Le gestionnaire avisé doit chercher continuellement à réduire ses coûts d'opération et procéder à une révision attentive de la situation au moins une fois par année.

... inventaires

L'un des postes les plus importants à cet égard est celui des inventaires. Même si on les considère rarement comme des frais de marketing, ils en sont! L'entreprise qui conserve des stocks suffisants pour effectuer ses livraisons à 24 ou 48 heures d'avis, le fait pour satisfaire ou augmenter sa clientèle, donc pour des motifs de mise en marché. Elle devrait se préoccuper d'évaluer le rendement d'une telle politique, se demander si les coûts de financement, de manutention, de dépréciation des stocks contribuent vraiment à l'expansion des ventes ou ne servent qu'à satisfaire quelques clients capricieux. Principe louable, sans doute. Mais quel en est le prix?

... escomptes

Un autre type de coûts rarement imputés au marketing: les escomptes. Le plus souvent ces remises apparaissent au compte d'exploitation sans qu'il soit possible de les relier au marketing. Mais elles en relèvent directement. On peut donc appliquer aux escomptes la remarque déjà faite au sujet des inventaires.

Le contrôle des coûts prend de plus en plus d'importance dans la gestion d'une firme. Alors que l'on avait l'habitude, autrefois, d'évaluer assez naïvement la rentabilité d'après le volume des ventes, on estime — plus sagement — qu'elle dépendra dans les années 80 de l'habileté du gestionnaire à contrôler ses coûts.

Les PME devraient faire un effort déterminé pour identifier clairement les catégories de coûts mentionnées ici, en prenant évidemment le soin de les adapter à leur propre situation. Il s'agit d'un instrument indispensable au gestionnaire qui tient à garder une perception juste des frais divers associés à toutes les étapes de ses relations avec la clientèle. La rentabilité de l'entreprise en dépend!

LE MARCHÉ: DES ILLUSIONS À LA RÉALITÉ

Claude Choquette

Le dirigeant qui compte sur une étude de marché pour justifier un investissement très important ferait bien de recourir à un spécialiste. Mais la personne qui n'est pas disposée à consacrer une certaine somme à un programme de marketing, ou qui songe à fonder une entreprise, peut tirer d'une étude de marché - maison les éléments nécessaires à la prise de décision.

L'étude de marché - maison est à la portée de tout homme d'affaires. Elle lui permet de déterminer, presque sans frais et avec une exactitude raisonnable:

1. les avantages de son produit;
2. le marché auquel il veut s'adresser;
3. l'état du marché;
4. le comportement de ses concurrents.

Les avantages du produit

Les divers produits destinés à un même usage ont naturellement des traits communs. Mais ils ne sont pas nécessairement identiques. Ils peuvent différer par la qualité, le prix, la commodité d'emploi, la durée, etc. Vous avez tout intérêt à identifier les avantages spécifiques de votre produit et de ses attributs: présentation, service, garantie... Mais cet effort d'analyse ne vous sera vraiment utile que si vous prenez la peine de comparer vos produits objectivement à ceux de la concurrence. Il faut surtout se débarrasser de ses propres illusions et regarder la situation avec les yeux des consommateurs. C'est alors seulement que vous pourrez prendre les mesures qui déclencheront chez eux la décision d'acheter.

Le marché

Un marché, c'est d'abord une population plus ou moins nombreuse résidant dans un territoire donné. Cette population est modeste ou argentée, stable ou mobile. Le territoire est résidentiel, commercial ou mixte, restreint ou étendu; les communications y sont plus ou moins commodes.

Si on a bien identifié les caractéristiques de son produit, il devient plus facile de définir son marché géographique et ses clients potentiels. En somme, il doit exister un rapport logique entre produit et marché. Mieux on les connaît, plus il est facile d'adapter l'un à l'autre et, jusqu'à un certain point, de prévoir son débit.

La facilité d'accès à un emplacement est d'une importance déterminante. Peu de consommateurs feront de longs détours pour se rendre à un magasin éloigné s'ils peuvent se procurer les mêmes biens dans un endroit plus accessible et aux mêmes conditions. L'un des fondateurs de Mac Donald's, à qui on demandait quels sont les quatre principaux facteurs de succès pour un commerce de détail, fit cette réponse: 1- l'emplacement; 2- l'emplacement; 3- l'emplacement; 4- l'emplacement.

L'état du marché

Les marchés évoluent continuellement. La question à se poser est la suivante: À quelle phase de son évolution mon marché en est-il rendu?

Dans **un marché en pré-croissance,** le défi consiste à créer la demande pour une marchandise ou un service présentant des aspects de nouveauté. Il faut alors vaincre des habitudes, des liens établis entre consommateurs et fournisseurs en faisant valoir les avantages du nouveau produit et sa supériorité sur les substituts. L'objectif est de réduire la résistance au changement, de susciter l'intérêt et le désir de passer à l'essai.

La phase de croissance est celle qui présente le moins de difficultés. Puisque "la demande tire l'offre", il est relativement facile de trouver une niche disponible et de l'occuper en pouvant espérer des résultats rapides. À ce stade, les avantages distinctifs du produit sont de moindre importance: l'élément déterminant est la disponibilité du produit sur le marché.

Quand le marché a atteint **la phase de maturité**, les consommateurs deviennent beaucoup plus critiques et leurs besoins sont plus précis:ils peuvent choisir, l'offre étant abondante. Pour s'y faire une place, il faut que les avantages du produit et des conditions de vente soient assez apparents pour entraîner la préférence des consommateurs.

Quel que soit le marché auquel on fait face, il est important de se rappeler que les responsables d'opérations commerciales à succès sont souvent animés par un même souci: réduire l'effort que constitue pour le consommateur l'acte d'achat. Ayant réussi à identifier des besoins précis, ils offrent des produits qui y répondent pleinement.

En général, plus un produit est distinct, différencié, plus son marché géographique est étendu.

Les concurrents

Une certaine curiosité à l'égard des concurrents permet de réagir à temps et d'adopter la stratégie qui s'impose. Il existe des moyens simples d'évaluer à distance leur comportement et les résultats qu'ils obtiennent: l'espace alloué en étalage est une bonne mesure de la popularité de tel produit; on peut estimer d'assez près le chiffre d'affaires d'un concurrent selon le nombre de ses employés, et sa rentabilité selon l'état des lieux et de l'équipement; les commentaires des clients et fournisseurs sont aussi de bonnes sources d'information. Enfin, Dun & Bradstreet publie chaque année, sur de nombreux secteurs industriels et commerciaux, des indices et ratios qui sont d'une grande utilité.

Conclusion

L'étude de marché - maison peut aider tout homme d'affaires à se libérer des idées préconçues et à s'orienter de façon réaliste dans le jeu de l'offre et de la demande.

CRÉATION D'ENTREPRISE ET MARCHÉ
Jacques Filion

La plupart des gens qui veulent fonder une entreprise sont à la recherche d'un secteur de pointe. Ils veulent démarrer dans un domaine où la demande pour un produit ou un service sera en grande croissance. Ils cherchent les moyens de l'identifier. Il s'agit là d'une démarche louable, mais avant de l'aborder comme telle, voyons quelques prérequis.

Bien évaluer ses propres forces

Il importe que la personne concernée évalue ses propres expériences antérieures, ses propres intérêts. Si elle a déjà acquis des connaissances pratiques ou une expérience particulière dans un secteur d'activité, elle a grandement avantage à commencer par évaluer le marché de ce secteur. Voici un exemple qui illustre cette suggestion. Je discutais avec un graphiste qui désirait se lancer dans l'importation de bonbons.

Nous analysions la part de marché de différentes marques ainsi que les segments d'âge et de goût auxquels chacune s'adressait. Après la séance de travail je demande à l'individu s'il aime son emploi actuel, s'il pratique des loisirs, etc. Il commence à parler de camping et il en parle longuement.

Il raconte de quelle manière il conseille à ses amis l'achat de tel ou tel équipement. Il a déjà entrepris dans son sous-sol la réparation de tentes pour des gens qu'il connaît. Je lui dis que ce n'est pas dans le commerce des bonbons qu'il doit se lancer, mais dans la vente d'équipement de camping. "Il te faudra des années avant d'accumuler "dans les bonbons" autant de connaissances que tu en as dans l'équipement de camping".

Il a ouvert une petite boutique où il a placé un commis pendant le jour et où il travaillait le soir, les fins de semaine et pendant ses vacances. Il a organisé des sessions d'information sur le camping et l'équipement de camping dans un local au sous-sol de l'église de sa paroisse. Après quelques années, il laissait son emploi pour s'occuper d'un commerce qui maintenant le fait bien vivre.

Bien comprendre les besoins du consommateur

Ce que nous venons de décrire présente une première alternative, la plus évidente. On a souvent avantage à se lancer dans le domaine qu'on connaît le plus. De toute façon, il faudra analyser à fond le domaine dans lequel on envisage de démarrer. Il ne faut se risquer que dans un domaine qu'on aime et en lequel on croit profondément.

Trop souvent quelqu'un songe à un produit dont il attend des merveilles sur le marché. On lance ensuite le produit sans trop se préoccuper des besoins du consommateur et de ce qu'il désire acheter. Tout le monde se lance dans le "fast food" mais peu l'ont fait selon un concept articulé, après avoir bien analysé les besoins des consommateurs de leur région.

Quel que soit le domaine, il faut regarder le produit ou le service à partir de l'oeil du consommateur: que veut-il, qu'achète-t-il vraiment, pourquoi préfère-t-il tel type de point de vente à tel autre? C'est à partir des réponses à ces questions qu'on élaborera et raffinera son produit ou son service.

Les matrices de découverte de produits

On utilise diverses méthodes afin de stimuler des idées de produits ou de services: les voyages, le brain-storming, des rencontres avec des entrepreneurs, les publications des futurologues, etc. L'une des plus connues, "la méthode des matrices de découverte" est aussi appelée la carte des déserts de l'imagination. À chaque fois qu'on l'utilise méthodiquement, on en tire quelques idées.

Il s'agit d'inscrire sur un tableau à double entrée, d'un côté des technologies, de l'autre des besoins ou des activités.

On sait que les musulmans doivent se tourner vers La Mecque pour prier cinq fois par jour. C'est ainsi que quelqu'un a eu l'idée de mettre en marché une boussole qui indique la direction de La Mecque. Avec la recrudescence de la religion chez les musulmans et les revenus du pétrole, son produit fait fureur depuis quelques années dans ces pays.

La sous-traitance

À chaque fois que quelqu'un me dit: "J'aimerais bien me lancer en affaires mais je voudrais avoir au moins un petit marché d'assuré", je lui conseille d'aller rencontrer les personnes respon-

MATRICE DE DÉCOUVERTE

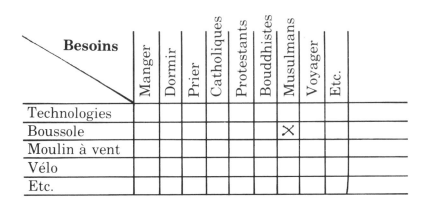

Besoins	Manger	Dormir	Prier	Catholiques	Protestants	Bouddhistes	Musulmans	Voyager	Etc.		
Technologies											
Boussole							X				
Moulin à vent											
Vélo											
Etc.											

sables des achats dans les grandes entreprises. En Mauricie, chaque personne à qui j'ai recommandé d'aller rencontrer les responsables des achats de moulins à papier ou de grosses entreprises du secteur public est revenue avec quelques idées, souvent avec une bonne dizaine d'idées.

Évaluation du marché

Une fois qu'on a identifié un produit ou un service qu'on trouve intéressant, il faut évaluer le potentiel du marché pour ce produit ou ce service. Les statistiques tant fédérales que provinciales présentent une première source de référence. On y obtient les données démographiques, l'échelle des revenus, etc. Il existe cependant deux publications que ceux qui s'intéressent au marché conservent à portée de la main et qui offrent les renseignements de base sur les principales villes canadiennes.

Il s'agit du "Survey of Markets" du Financial Post, qui est publié à chaque année et d'une nouvelle publication québécoise en français: "Marketstat 82".

On observe le positionnement des produits ou services déjà disponibles sur le marché. On essaiera d'identifier un segment de marché et si possible une niche, un créneau pour le produit ou le service qu'on veut lancer. Ensuite on a avantage à procéder à une analyse du marché par questionnaire. Ceci permettra en particulier de déterminer le prix qu'on fixera éventuellement au produit. Une fois les faits rassemblés, on peut procéder à une analyse et évaluer d'assez près la capacité du produit ou du service à pénétrer le marché, de même que son potentiel de pénétration.

LE DÉVELOPPEMENT D'UN COMMERCE DE DÉTAIL

Claude Choquette

Vous possédez un commerce de détail qui vous rapporte un revenu intéressant. Vous ne voulez pas vous arrêter là et vous jouez avec l'idée d'ouvrir une deuxième place d'affaires. Mais vous hésitez, avec raison: il est toujours utile d'appuyer l'ambition et l'enthousiasme sur un examen objectif de la réalité.

Les produits ont une logique

Pour votre première démarche, tournez-vous vers vos produits. Ils contiennent une logique interne qui vous indiquera où, à qui et comment les vendre. Vos produits ou services devraient normalement se situer dans l'une des trois grandes catégories suivantes.

1- Consommation courante

Les articles usuels et menus objets de consommation courante: alimentation, journaux et revues, tabac... la liste est inépuisable. Cette catégorie de biens provoque des réactions immédiates où le raisonnement intervient très peu. On les achète à l'endroit le plus commode ou le plus rapproché. Et comme les sources d'approvisionnement sont nombreuses, chacune exerce une force d'attraction limitée. Dans un tel marché, la saturation de la clientèle et le chiffre d'affaires plafonnent rapidement. Si vous administrez un commerce dans une situation semblable, vous en retirez peut-être des profits assez intéressants pour compter augmenter vos revenus en prenant de l'expansion dans le même secteur. L'une des solutions possibles est évidemment d'ouvrir un second point de vente en espérant pouvoir créer, dans un nouvel environnement, les conditions qui ont fait votre succès.

Il peut arriver cependant que les circonstances vous obligent à modifier votre stratégie et que vous décidiez de vendre des produits spécialisés ou d'opérer dans un établissement à plus grande surface.

Pour éviter des surprises désagréables, vous devrez envisager au moins trois difficultés: a) vous vous écarterez peut-être du style de gestion auquel vous êtes habitué; b) vous vous adresserez à un marché différent qui pourrait réagir plus lentement que vous l'espérez; c) la gestion à distance s'avère souvent, du moins au début, plus onéreuse. Ces dernières remarques ont pour but de souligner que certains entrepreneurs ont subi des échecs pénibles dans des circonstances pareilles pour avoir sous-estimé leurs besoins de financement.

2- Les achats réfléchis

On peut classer dans une deuxième catégorie les articles qui font l'objet d'un achat réfléchi. Il est question ici d'objets plutôt coûteux, qu'on se procure à intervalles éloignés et auxquels on attache une certaine importance: les meubles, les automobiles, par exemple.

Avant de choisir un mobilier de salon, le client tiendra à en voir un certain nombre, à les comparer, à en examiner le style, les matériaux, les dimensions, la couleur. Son comportement est très différent de celui de l'acheteur d'articles courants. Celui-ci pose un geste quasi automatique alors que l'autre, faisant face à une situation plus complexe, pourra visiter de nombreux magasins avant de prendre sa décision.

Cette attitude de l'acheteur de meubles (ou de produits de la même catégorie), sa disposition à se déplacer à ses propres frais contribuent à élargir de beaucoup (et gratuitement) la zone d'attraction des commerces en cause. Leur croissance est alors liée à la qualité de leurs produits et aux autres caractéristiques qui influencent le choix des consommateurs.

Dans un contexte semblable, certaines "mailing houses" ont pu, à partir d'un simple bureau de commandes, développer un marché d'envergure nationale.

3- Les biens spécialisés ou de luxe

Dans une troisième catégorie on trouve des biens très spécialisés, répondant à des exigences si précises que le client n'hésite pas à faire des efforts exceptionnels pour les acquérir. C'est le cas des voitures Ferrari ou Maserati. Ces produits étant très dispendieux et leur clientèle se limitant à une mince couche de la population, les points de vente sont très peu nombreux et couvrent des marchés très étendus. S'il habite les Maritimes, l'amateur de Ferrari trouvera le plus proche point de vente à Montréal.

Produit = marché

La classification, c'est-à-dire la nature même du produit, définit sa zone d'attraction, son marché géographique. Le marketing et la publicité doivent tenir compte de l'étendue du marché et de sa portée sur la gestion de la croissance.

Dans un marché géographique restreint (celui de la première catégorie de produits) il faut procéder rapidement, c'est-à-dire disposer d'un capital suffisant pour attirer vigoureusement une clientèle de base et pour atteindre le plus tôt possible sa vitesse de croisière.

Dans les deux autres types de situations, le processus est généralement plus lent. Plus vaste est le marché, plus on devra compter avec le temps pour bâtir une clientèle et pour atteindre la rentabilité. Toutes proportions gardées, l'investissement initial peut être moins important, la pression se faisant plutôt sentir sur le fonds de roulement pendant une période plus ou moins longue. Si on a adopté une politique de marketing, il faut alors être en mesure de la maintenir assez longtemps pour qu'elle porte fruit.

Nous avons défini trois catégories de produits et de marchés. Mais entre ces trois pôles il existe toute une série de situations intermédiaires qu'il faut savoir identifier si on veut connaître les conditions dans lesquelles on devra fonctionner. De prime abord, on peut croire qu'un salon de coiffure rend un service simple (achat courant) consistant à drainer la clientèle plus ou moins prisonnière d'un quartier donné: ce qui est souvent le cas. L'expérience démontre néanmoins qu'on ne confie pas sa tête à n'importe qui. Le choix d'un coiffeur constitue, pour une certaine proportion de consommateurs, un acte réfléchi qui classe ce genre de service dans la deuxième catégorie de biens et même, à la limite, dans la troisième: on sait que certains salons, américains notamment, desservent une clientèle exclusive provenant de tous les coins du pays. Répétons-le: le choix du produit — ou du service — conditionne le choix du marché.

Cet exemple permet de toucher du doigt deux critères de choix dans la définition d'un marché. Dans un marché local ou de quartier, le nombre de clients potentiels est limité par un bassin fixe de population. Dans un marché ouvert (p.e. le centre ville) la clientèle est fonction de l'intensité des mouvements de population. Les restaurants Mac Donald ont fondé leur croissance initiale sur des points de vente de quartier, à population fixe. Ils évoluent maintenant vers le coeur des villes où la densité de la circulation peut assurer la rentabilité d'un restaurant à tous les trois coins de rue.

Votre marché: quartier, centre ville ou autre?

Les marchands désireux de se renseigner sur l'intensité des mouvements de population à Montréal n'ont pas besoin de se livrer à des recherches complexes. La ville publie une carte géographique indiquant la densité de la circulation des personnes et véhicules le long des lignes de métro et d'autobus ainsi que des rues et grandes voies de communication. Et la CTCUM offre une brochure contenant les mêmes renseignements pour l'ensemble de la communauté urbaine. Deux outils précieux, non seulement pour ceux qui veulent s'installer dans le feu de l'action, mais pour tout homme d'affaires qui, ayant défini les caractères de son marché, est à la recherche de l'emplacement le plus favorable à l'exécution de son projet.

QU'EST-CE QU'UN CLIENT?

Benoit Duchesne

Une définition exacte de ce qu'est un client est essentielle à l'orientation d'une entreprise. C'est le point de départ du plan de marketing: le client constitue la raison d'être de l'entreprise. Pas de clients, pas d'entreprises; mauvais clients, mauvaises affaires, pour ne pas dire plus. Le profit demeure la logique centrale de l'entreprise.

Tout client éventuel représente un chiffre d'affaires potentiel, mais il constitue d'abord un coût, une dépense d'acquisition: publicité, visites de vendeurs, frais généraux. On peut tout aussi bien dire qu'au point de départ un client est d'abord un risque. Sera-t-il un bon ou un mauvais client? Combien de mauvais clients faut-il dans une clientèle pour ruiner une entreprise?

C'est évidemment l'importance de chaque commande ou le montant total des ventes à crédit qui permet d'évaluer le risque ou le problème.

Le problème de la définition d'un client se pose de façon plus sérieuse dans le cas de vente à des entreprises, en particulier à des intermédiaires. Nous n'épuiserons pas dans un court article toute la réalité des clients possibles: une réponse complète exigerait des détails complexes et beaucoup de nuances.

Mentionnons tout de suite un principe fondamental dans le cas de transactions intermédiaires dans un réseau: "Les clients de nos clients sont aussi nos clients."

Quand notre client doit revendre nos produits, il est essentiel d'avoir une bonne idée du circuit et du consommateur final, ce qui compliquerait notre réponse ou notre définition si nous allions dans les détails.

Comme notre objectif est beaucoup plus une amorce à la réflexion qu'une étude approfondie, nous présenterons notre réponse sous forme de "check-list" qu'on pourra préciser au cours de discussions, d'analyses ou d'études sur le sujet.

Il s'agit par ce moyen d'obtenir toute l'information requise pour évaluer le risque d'une transaction. L'information, dit-on, est la cinquième ressource de l'entreprise. Il faut investir dans l'information si on veut maximiser l'autre ressource que représente le client éventuel: l'achalandage, la clientèle est un actif. Elle vaut ce que vaut votre information à son sujet.

Les questions qui suivent peuvent donc servir de base à diverses opérations comme:

  i) les décisions rapides au sujet des commandes importantes à crédit;
  ii) la négociation d'ententes ou contrats avec des intermédiaires, distributeurs, concessionnaires;
  iii) la définition de vos secteurs (territoires) de vente ou de distribution;
  iv) la définition et l'équilibre de la charge de travail de vos vendeurs et la fréquence des visites à chaque type de client;
  v) l'établissement de vos dossiers de clients, fiches, classifications, codes;
  vi) le calcul de vos coûts d'acquisition, coûts d'accès, dépenses de voyage, etc.
  vii) la détermination de la nature des relations de vos vendeurs avec vos clients: messages, visites, service, commandes, etc.

En résumé, de tels renseignements peuvent maximiser vos ventes et vos profits en minimisant vos risques et vos coûts. Ils permettent aussi un meilleur contrôle de la distribution et de la pénétration du marché.

Critères de choix d'un client

1. Généralités:
Genre d'affaires, statut de l'entreprise, taille, importance dans son secteur, structure et organisation; Direction: habileté, âge, réputation. Stade de croissance, progrès. Nombre d'employés internes. Nombre de vendeurs.

2. Caractéristiques commerciales
Vente (depuis 5 ans). Part de marché. Pénétration du marché. Clientèle desservie: *détails*. Stabilité du marché. Produits / services (lignes, gammes). Marques (concurrentes). Fournisseurs (concurrents). Notre part éventuelle:%. Prix; stabilité des ventes et des prix.

3. Besoins et problèmes
Goûts, préférences. Projets, sens de l'innovation

4. Installations et opérations
Organisation de la production. Technique et technologie. Outillage, usine, entrepôts, magasins, succursales. Productivité. Ressources matérielles.

5. Caractéristiques financières
Ressources $. Capital, chiffre d'affaires, financement. Rapports de crédit. Capacité d'accorder du crédit aux clients. Assurances (sécurité). Rentabilité. Publie-t-on un bilan?

6. Distribution
Importance dans le réseau. Contrôle: stratégie de distribution. Capacité d'entreposage: peut-il maintenir des stocks suffisants? Sécurité. Localisation, distances, transport, mouvement des marchandises.

7. Relations commerciales
Accessibilité. Pouvoir, contrôle. Loyauté: respect d'ententes.

8. Politiques d'achat
Habitudes d'achat: processus. Caractéristiques des commandes. Volume, fréquence; rentabilité de chaque commande. Comité d'achat, soumissions, coûts/bénéfices. Retours, plaintes.

9. Vente et service
Publicité, promotion. Service aux clients. Livraison. Service après-vente. Règlement des plaintes. Coopération: publicité coopérative. Formation des vendeurs (commis).

Pourquoi tant de barda?

Cette liste déjà longue pour certains sera incomplète pour d'autres. Pour recueillir ces informations (il est essentiel de les tenir à jour) on peut consulter notamment les sources suivantes: dossiers internes, vendeurs, autres clients, banques, agences (Dun & Bradstreet, Better Business Bureau), index, bottins, associations professionnelles et chambres de commerce, ministère du commerce, etc.

Un client bien choisi est une source de profits et aussi une source d'idées et de nouveaux clients. Un client est un être vivant, votre propre santé commerciale dépend largement de la sienne. Or, si celle-ci se détériore, vous ne serez probablement pas le premier à en être averti: sa maladie peut vous coûter cher. À vous de faire les bonnes analyses pour poser les bons diagnostics, à temps.

Beaucoup de travail, d'efforts, de dépenses? Peut-être. Mais c'est le seul moyen d'éviter de passer des nuits blanches à s'interroger passivement sur le sort de ses comptes à recevoir... et à payer.

QUE FONT VOS VENDEURS?

Benoit Duchesne

Les vendeurs sont-ils autre chose qu'un mal nécessaire? Les mythes et les préjugés qui entourent encore les vendeurs et la gestion de la vente sont nombreux et tenaces. On ne comprend pas toujours que les vendeurs ont des fonctions très particulières et on les traite de la même façon que les autres employés. Voici quelques-unes de ces particularités et les problèmes qui en découlent.

Extérieur: Vos vendeurs travaillent sans trop de surveillance immédiate. Comment savoir s'ils sont au poste au bon moment? S'ils font leurs visites selon une tournée bien organisée? Font-ils des visites inutiles? Arrêtent-ils pour un café ou deux, "arrosés" ou non? Est-ce que vous avez déterminé avec vos vendeurs l'objectif de chacune de leurs visites, en fonction du potentiel d'achat de chaque client?

Efforts et résultats: Le travail de vente comporte inévitablement un pourcentage très élevé d'échecs. Mais il ne faudrait pas que ce phénomène normal serve d'échappatoire. Comment améliorer la "moyenne au bâton" des vendeurs? Beaucoup de visites de vente ne rapportent rien parce qu'elles sont mal préparées: trop de visites "à froid" (sans rendez-vous) ou sans objectif spécifique. Si on calcule le coût des visites ratées, on pourra très facilement justifier les frais d'une meilleure planification. Vos vendeurs vous soumettent-ils un plan hebdomadaire de leurs visites? Sinon, comment vous expliquent-ils leur programme de travail et leur gestion du temps?

Frustrations: Comment maintenir la motivation des vendeurs à un niveau satisfaisant dans un climat marqué par la concurrence, les objections et les refus des clients, les échecs, le travail seul à l'extérieur, le stress de relations toujours nouvelles?

Pour trop de patrons de PME, la vente reste un mystère; le vendeur n'a qu'à se débrouiller avec ses problèmes! Au contraire, le vendeur doit être intégré dans l'entreprise. Plus on le tient à l'écart, plus il se crée des règles personnelles qui vont finalement à l'encontre de celles du patron.

> Le budget de vente est la base de tous les autres budgets de votre entreprise. Il doit donc être établi sur des prévisions de marché réalistes qui permettent de fixer les quotas de vos vendeurs.

Rotation: Une enquête du Conference Board mentionne que, sur une période de 5 ans, 90% des vendeurs changent d'emploi. Je prétends que les vendeurs changent d'emploi, non par instabilité, mais plutôt parce que leurs patrons les dirigent mal, ou pas du tout.

Il n'existe pas de tâche-type dans la vente. Et ce n'est pas au vendeur à déterminer seul ce que sera sa tâche. On ne peut exiger qu'il connaisse le marché, les clients, leurs besoins, les techniques de vente et de prise de commandes. Si le patron ne définit pas avec lui ces éléments essentiels, le vendeur travaillera dans l'insécurité.

On croit contourner la difficulté en choisissant un vendeur d'expérience. Illusion! L'expérience acquise dans une entreprise ou un marché ne vaut habituellement pas grand-chose dans un autre. Il ne semble exister qu'un seul moyen de former un bon vendeur: la participation à l'ensemble de l'entreprise.

Description du poste: Sans une description exacte des activités du vendeur, il n'y a pas de gestion rationnelle possible. Commencez par dresser, avec votre vendeur et autres intéressés, un document déterminant dans tous les détails ce que votre vendeur doit faire. Voici les points principaux d'un tel document:

— Titre de la fonction.

— Supérieur immédiat: qui est responsable de l'équipe de vendeurs?

— Relations avec les autres services. Est-il permis au vendeur de régler les problèmes de ses clients avec la comptabilité, la livraison, etc., ou bien doit-il passer par son supérieur, ou par un superviseur?

Description générale

— **Clients:** Quels sont les clients qui doivent être visités par le vendeur? À quelle fréquence? Dans quel but spécifique à chaque visite?

— **Clients réservés:** Quels sont les clients réservés (house-accounts)?

— **Produits:** Quels sont les produits que le vendeur doit vendre et son quota pour chaque produit?

— Quel volume de vente moyen justifie des visites à un client? Quelle est la commande minimum?

— **Secteur:** Quelles sont les limites du secteur confié au vendeur?

— **Tâches occasionnelles:** Quelles tâches secondaires le vendeur doit-il accomplir? Doit-il former les commis du détaillant? Faire des étalages? Recueillir des renseignements sur la solvabilité de ses "prospects"? Etc.

— **Tâches administratives:** Quelles sortes de rapport attendez-vous du vendeur? À chaque visite, chaque jour, chaque semaine? Quels renseignements désirez-vous sur ses activités, ses progrès?

— **Charge de travail, emploi du temps:** Si vous rémunérez votre vendeur surtout à salaire avec une faible commission, comment contrôlez-vous l'exécution de son travail? Lui avez-vous confié une charge de travail bien équilibrée? Par exemple:

		Visites
Clients:	100 à 10 visites par an	1 000
Prospects:	100 à découvrir à 1 visite au moins	100
Tiers:	100 visites	100
		1 200

Ce qui fait en moyenne 6 visites par jour.

— **Assistance au vendeur:** Avez-vous déterminé clairement quelle aide vous fournissez au vendeur? Auto, frais d'hôtel, repas? Catalogues, dépliants, échantillons? Quels rapports doit-il vous faire à ce sujet?

Assez! Si vous avez précisé les réponses à ces questions, votre vendeur devrait se sentir plus à l'aise. À une condition essentielle: que vous ayez consulté le vendeur sur ses activités et, si possible, des clients, les autres services de votre entreprise, etc. Seuls les faits comptent!

Si vous mettez vos cadres au courant de ces exigences, ils comprendront mieux le rôle du vendeur dans le succès de votre entreprise.

COMBIEN VOUS COÛTE UNE VISITE DE VENDEUR?

Benoit Duchesne

Il semble facile de calculer le rendement d'une visite de vente quand le vendeur revient avec une commande. Mais cet heureux événement est l'exception. Et dans la vente, l'exception est la norme: sur dix visites de vente, combien rapportent? Existe-t-il une règle qui permettrait de mesurer le résultat des visites de vos vendeurs? Jusqu'ici la seule règle est celle de Pareto: la règle du 80/20. Cette loi statistique veut qu'environ 80% de vos ventes proviennent de seulement 20% de vos clients. Autrement dit, 80% de vos clients, ou à peu près, ne vous rapportent rien... ou plus ou moins 20% seulement de votre chiffre d'affaires.

Ce qui peut être plus grave, c'est de découvrir, si vous vous donnez la peine d'en faire l'analyse, que vous affectez 80% de vos dépenses de vente à un ensemble de "soi-disant" clients pour ne récolter que 20% de vos affaires.

Assez tourné le fer... le jeu en vaut-il la chandelle? Si vous faites le calcul, vous constaterez probablement que vos vendeurs dépensent 80% de leur temps, de leurs efforts et de votre argent pour "faire des visites" qui coûtent cher chez des acheteurs qui ne méritent peut-être pas le nom de "clients".

Les coûts d'accès

On appelle "coûts d'accès" l'ensemble des dépenses encourues pour acquérir un client et obtenir une commande. Ces coûts peuvent comprendre bien des choses, selon la façon de voir:

1. frais de publicité (à répartir sur le nombre de clients actuels)
2. rémunération du vendeur (salaire, commission, boni, avantages sociaux, etc.)
3. frais de transport, voyage, hôtel
4. repas, entretien
5. frais de représentation
6. coût des outils de vente (dépliants, catalogues, échantillons, modèles, etc.)
7. frais de préparation des soumissions.

À tout cela, il faut ajouter des frais généraux... etc.

Une enquête récente

Une enquête de l'excellente revue SALES MARKETING MANAGEMENT, décembre 1980, nous éclaire sur les coûts des visites des vendeurs.

Comparez le pourcentage d'augmentation 1979-80 et 1978-79. Il y a vraiment matière à réflexion quand le coût d'une visite de vendeur atteint $100. (Noter que les chiffres du tableau indiquent *des moyennes.)*

Type de vendeur	Coût moyen d'une visite en 1980	% d'augmentation des coûts	
		1979-80	1978-79
Représentant (client)	$58,56	4,3%	2,7%
Démarcheur (détail)	27,50	8,5	7,2
Ingénieur (ventes)	60,95	15,3	10,7
Vendeur (industriel)	42,95	16,1	8,0
Préposé au service après-vente	31,95	9,6	3,2

Que faut-il faire?

On peut exiger des vendeurs qu'ils ne visitent que les clients qui rapportent ou encore qu'ils dosent leurs visites selon le volume de commande espéré. Cette démarche n'est possible que si elle se fait conjointement, c'est-à-dire par la direction avec la collaboration des vendeurs. Il faut créer ou améliorer le système de "FICHES-CLIENTS".

La direction peut décharger les vendeurs d'une partie de la tâche de prospection. Il est plus économique de faire préparer un plan de vente et de visites par le personnel de bureau.

Si vous êtes une entreprise, vous êtes répertorié; vos clients éventuels le sont également. Le principe fondamental d'un tel fichier a été énoncé par Peter F. Drucker qui a dit que la clientèle est la seule et unique raison d'être d'une entreprise. Pour trouver la clientèle, il faut utiliser des répertoires: commencez par les pages jaunes. Il faut d'abord déterminer les types ou catégories de clients possibles, puis dresser les fiches. Chaque fiche peut comprendre divers renseignements selon les besoins de l'entreprise, du client, du vendeur.

Il faut au moins:

FICHE-CLIENT

1. Nom du client
2. Adresse (siège social, succursale)
3. Nom du préposé aux décisions d'achat
4. Estimation des besoins ou du potentiel
5. Autres fournisseurs (concurrents)
6. Estimation de vos ventes possibles pour telle période.
7. Nature du rapport de visite. Dates des visites — résultats, etc.
8. Nom du vendeur responsable.
9. Autres détails, selon vos besoins d'information.

Plan de vente

Si vous examinez l'ensemble de ces fiches, vous aurez une idée globale de votre plan de vente pour une période donnée. Vous pourrez, à partir de ces fiches, organiser plus méthodiquement:

1. la charge de travail de vos vendeurs;
2. les objectifs globaux de vente de votre entreprise;
3. les quotas de chaque vendeur.

Vous pourrez estimer dans une certaine mesure, la croissance possible de votre entreprise à court terme.

Il faudra préciser les prévisions, les estimations et améliorer le fichier. C'est un moyen de contrôler le travail de vos vendeurs. Et le coût de leurs visites.

En conclusion, il faut toujours avor présente à l'esprit cette idée: "Au commencement était le marché!"

DANS UNE PME: POURQUOI ET COMMENT FAIRE DES RÉUNIONS DE VENDEURS

Benoit Duchesne

D'abord pourquoi une réunion... pour trois ou quatre vendeurs? Le directeur a l'occasion de les voir individuellement pour toutes sortes de raisons. Et à quel moment les avoir tous ensemble? D'ailleurs les vendeurs ont les prétextes qu'il faut: "un rendez-vous très important", "c'est sur la route qu'on fait des ventes", "perte de temps". Ces excuses sont très convaincantes... si le patron n'a pas d'arguments solides à y opposer.

On peut comprendre que certains types de vendeurs de haut calibre fassent exception à la règle. Mais la grande majorité des vendeurs pourraient bénéficier de réunions bien organisées; et l'entreprise pourrait voir ses ventes progresser.

Pourquoi de telles réunions alors qu'on n'en fait pas pour les autres employés (ce qui n'est pas une excuse... ni un bienfait!). La gestion de l'équipe de vendeurs, si petite soit-elle, ne suit pas les mêmes règles que la gestion du personnel en général.

Trop de vendeurs craignent les réunions qui menacent d'étaler leurs résultats (80% d'insuccès!!) au grand jour, devant leurs collègues. Les réunions permettent de connaître la "moyenne au bâton" (20% de succès, normal), de réaliser qu'on n'est peut-être pas aussi mauvais qu'on le pensait.

Soutenir le moral

Les réunions permettent de créer un certain sens de l'équipe, d'améliorer le moral, de relever l'enthousiasme, de mieux comprendre, mieux accepter et vaincre les difficultés particulières de la tâche.

Les réunions de vente sont un outil de gestion essentiel même pour une petite équipe. Si la direction n'a pas établi les règles du jeu (calendrier de réunions) au moment de l'embauche, il sera plus difficile de commencer. Mais les vendeurs comprennent vite, à la condition que le directeur ait des objectifs précis: réunions d'information, de formation, de résolution de problèmes (difficultés rencontrées par les vendeurs), planification, quotas, secteurs, évaluation, etc, etc.

Tout est question de besoins, ceux du vendeur, de l'entreprise mais aussi des clients. Question de coûts et de temps aussi; oui, mais donnez-vous la peine de contrôler le rendement amélioré par l'effet des réunions: vous serez surpris.

Pas de "sermon du patron"

Chaque réunion doit être planifiée, justifiée, de préférence en dressant un dossier de réunion (y compris une "formule d'évaluation") qui définira les sujets, les rôles, etc. Il faut éviter que les réunions deviennent "le sermon du patron". Une réunion vaut par la participation active de chaque vendeur. Pour le patron, une réunion c'est un autre moyen d'évaluer les talents de ses vendeurs: expression verbale, communication, pensée claire, rapide, réponse aux objections, etc.; s'il leur permet de s'exprimer... Un autre moyen d'animer des réunions est d'y présenter des films ou diaporamas[1] sur les techniques de la vente.

Une réunion, ça se prépare...

Si on veut résumer l'idée de réunion voici quelques points sommaires à considérer:
1. Quels sont les besoins, les problèmes? Quoi, comment, etc. (dossiers).
2. Objectifs: que veut-on faire, pourquoi?
3. Qui doit y assister outre les vendeurs? Inviter un directeur, un chef de département, un fournisseur, un client? Dans quel but précis?

1. Pour se procurer des films ou diaporamas sur la vente, consulter INFORMATECH FRANCE-QUÉBEC, Place Bonaventure, Montréal (514) 875-8931, ou LE BOTTIN TÉLÉPHONIQUE, Pages jaunes, sous la rubriques FILMS, DISTRIBUTEURS.

4. Lieu de la réunion... (voir à éviter les interruptions), durée.
5. Matériel, tableau, tables, papier, crayons, matériel audio-visuel, etc.
6. Rôles! organisation: ordre du jour, dossiers, rapports, graphiques.
7. Qui prendra des notes? Qui rédigera clairement les décisions? Qui s'occupera du suivi?

Voilà pour le contenu qui est variable à l'infini suivant les besoins, circonstances, etc. Enfin il faudra décider de la fréquence des réunions, du calendrier, etc.

Si vos réunions sont bien menées, elles compenseront le sentiment d'isolement et d'échec assez courant chez les vendeurs. Les plus jeunes bénéficieront de l'expérience des spécialistes. Les communications avec les autres services s'amélioreront.

... Un ordre du jour aussi!

Voici un modèle d'ordre du jour:

1. Suivi de la dernière réunion.
2. Information: nouvelles, innovations, rapports des vendeurs, discussion.
3. Allure des affaires: résultats (acheteurs, vendeurs), part de marché, croissance, etc.
4. Succès particuliers.
5. Difficultés particulières: concurrence, objections de clients, plaintes.
6. Revue des meilleures réponses aux nouvelles objections.
7. Discussion de nouveaux arguments de vente à tester: nouveaux produits, prix.
8. Méthodes, techniques de vente, présentations nouvelles.
9. Besoins des vendeurs, relations avec les autres services.
10. Nouveaux objectifs.
11. Formule d'évaluation.

Voilà de quoi choisir selon ses propres besoins. L'important, c'est que chacun sache ce que l'on cherche à obtenir d'une réunion: une plus grande efficacité de l'équipe de vente. On ne peut se fier à l'improvisation. Une fois le programme préparé, il faut orienter les discussions vers cet objectif. Ce qui est aussi la responsabilité du directeur. Sans imposer une discipline de fer, il devra savoir limiter le "placotage", ramener les discussions sur le sujet, s'assurer que chacun des postes reçoit l'attention requise et une conclusion appropriée. Quitte, au besoin, à reporter tel sujet à la prochaine assemblée.

Avec un peu de prévision, de fermeté et de bonne humeur, vos réunions de vente devraient augmenter la satisfaction et le nombre de vos clients et faire de vos représentants des gens plus fiers d'eux-mêmes, et de vous.

Bonne chance!

RÉFLEXIONS APRÈS UNE VISITE DE VENTE...!

Benoit Duchesne

Ratée! Il ne s'agit pas de tourner le fer dans la plaie, mais si certains patrons pouvaient deviner ce qui se passe dans la tête (et l'estomac!) d'un vendeur après une visite ratée, l'efficacité de l'équipe changerait. Oui, mais... soyons positifs diront certains et pensons aux cas où le vendeur est parti avec une commande en main. Il y a un autre "oui, mais...". Ce n'est que dans environ 20% des visites que le vendeur réussit. Et analyser les ventes réelles, c'est analyser 20% de la réalité de la tâche du vendeur. Si au contraire on pense à ces quelque 80% de visites qui se soldent par un score nul, le vendeur les mains vides et l'estomac noué, est-ce la bonne réaction que de dire "soyons positifs et pensons à nos succès"?

La vente est un de ces curieux secteurs de l'entreprise où il faut "penser à côté", raisonner différemment. Analyser les échecs des visites de vente, chercher les causes des non-réussites, faire l'autopsie de ces "flops" (dictionnaire Robert!), c'est analyser une réalité qui, répétons-le, constitue 80% de la tâche de vente.

Cependant, il existe énormément d'obstacles à ce type d'analyse. Les vendeurs n'aiment pas discuter de leurs échecs; j'ajouterai: les patrons non plus, et les humains, en général, encore moins. Ça se comprend! La revue *Psychology To-day* a déjà fait un sondage sur les sujets que les gens n'aiment pas discuter: au deuxième rang, nos échecs.

Comment alors, dans la gestion de la force de vente, vaincre la résistance à cette importante analyse? Il faut beaucoup de courage et de maturité pour accepter de discuter de ses erreurs, soit avec son gérant, soit en réunion. Il faut un climat de travail très permissif et très compréhensif. Comprendre les échecs des vendeurs exige beaucoup d'expérience pratique. Qui n'a pas vécu ce genre d'échecs peut difficilement les analyser et les comprendre. C'est au directeur des ventes ou, dans la PME, au patron qu'il appartient de créer le climat favorable pour amener les vendeurs à discuter ouvertement de leurs non-réussites. Les objectifs: 1) chercher à éliminer les faiblesses de leurs présentations; 2) améliorer leur formation; 3) mieux préparer les nouveaux vendeurs, la relève.

En pratique, le patron serait prudent de ne pas forcer la note au début; les réticences et la résistance ne manqueront pas. Aussi, pour vous aider à amorcer le processus, voici un questionnaire que vous pourrez proposer à une réunion.

Questionnaire

1- Que valaient les objectifs que je m'étais fixés? Les ai-je dévoilés trop vite? Représentaient-ils un changement trop violent par rapport à la situation actuelle du prospect?

2- Comment ai-je procédé pour connaître les problèmes du client et pour analyser ses besoins? Ai-je fait plus d'affirmations que je n'ai posé de questions? Ma façon de questionner donnait-elle l'impression d'une recherche de service ou d'une enquête indiscrète?

3- Ma présentation avait-elle un ton de "professeur qui fait la leçon"? Ai-je cherché à découvrir les perceptions, les réactions, les attitudes du client quand j'ai proposé mon affaire?

4- Ai-je écouté les objections attentivement? Qu'ai-je appris à travers ces objections? Comment ai-je répondu?

5- Pourrais-je répéter ici, avec une certaine exactitude, les parties difficiles de notre conversation? Qu'ai-je répondu, en substance, à chacune de ses objections?

6- Ai-je procédé méthodiquement, point par point, dans ma démonstration? La preuve? Ai-je cherché à contrôler l'entrevue de façon trop évidente?

7- Ai-je obtenu l'assentiment du prospect sur quelques points, même mineurs? Lesquels? Ai-je vraiment cherché à atteindre mes objectifs au cours de cette visite?

8- Si mon objectif était de conclure la vente, ai-je vraiment cherché à fermer la vente? Comment? Avec quelles réactions de la part du prospect?

9- Me suis-je gardé des avenues pour reprendre la discussion lors d'une nouvelle tentative?

10- Si c'était à refaire, comment procéderais-je? Pourquoi?

11- Et qu'est-ce que les collègues feraient, s'ils ne sont pas d'accord? Pourquoi? Comment? Suis-je prêt à reprendre le contact?

Voilà donc un échantillon de matériel pour une révision essentielle après une non-réussite.

Calculez, avec vos vendeurs, ce qu'une amélioration de 5%, par exemple, de leur "moyenne au bâton" ajoutera à leurs revenus et à vos profits. Si vous éprouvez de la résistance à cet exercice, consultez les grandes équipes sportives. Après chaque partie, on fait le "debriefing", on analyse et on cherche les moyens de gagner la prochaine! Ayez l'esprit sportif! Ça aide à gagner!

VOS VENDEURS ONT-ILS LE TRAC?

Benoit Duchesne

Les grands artistes admettent qu'ils ont le trac avant d'entrer en scène! Vos vendeurs admettent-ils qu'ils ont des réactions semblables avant leurs visites à certains clients? Il existe un moyen relativement simple de se débarrasser de la peur. C'est tout simplement de faire disparaître un certain nombre d'inconnues dans l'équation vendeur-acheteur. Comment?

En préparant méthodiquement la visite de vente par une série de questions sur ce qui va se passer au cours de la rencontre. Voici un questionnaire simple qui pourra inspirer vos vendeurs, surtout si vous l'utilisez comme pièce de résistance à discuter lors de la prochaine réunion de vos vendeurs.

Préparation d'une visite à un client

Voici une série de questions pour stimuler l'imagination et la créativité d'un représentant avant une visite.

1- Dossier

I- Quelle information a-t-on sur ce prospect? S'agit-il d'une première visite? Que vaut l'information? Faut-il la compléter avant le contact? A-t-on un rapport D.B.?[1] La qualifica-

---

1. Rapport Dun & Bradstreet.

tion n'est-elle possible que lors de la visite? Nature de l'entreprise, ressources?

II- S'il s'agit d'une visite de rappel, connaît-on les résultats de la
visite précédente?

III- La fréquence des visites est-elle prévue au dossier? Sinon,
pourquoi?

2- Importance

I- Cette visite représente-t-elle une étape importante dans le
développement de nos affaires avec ce client?
Création ☐   Entretien ☐   S.A.V.[2] ☐

II- Pourquoi? Ce client vaut-il la peine d'une visite? N.B. règle
du 80/20.

3- Climat

A-t-on prévu les difficultés du contact? La qualité de l'accueil? La
résistance? Autres difficultés? Les possibilités d'échec. Y a-t-il eu
des plaintes? Lesquelles? Quelles en sont les causes? Comment
s'organiser pour réduire la résistance? Outils? Aide? Etc.
A-t-on obtenu un rendez-vous?

4- Objectifs: qualitatifs et quantitatifs

Quels sont les buts précis de chacune des visites? Ouverture?
Information? Analyse? Proposition, fermeture?
Il est essentiel de pouvoir formuler clairement les objectifs de la
visite.
Que veut-on communiquer au client?
Que veut-on changer?
Que veut-on obtenir?
Comment le fera-t-on? Faut-il de l'aide ou quoi encore?

5- Contact

I- Qui faut-il rencontrer? Doit-on voir plus d'une personne?
Dans quel ordre?

II- Quelle information dois-je transmettre? Message?

III- A-t-on fait une liste des questions qu'il faut poser?

IV- Qui détient le pouvoir de décision? Une personne ou un
groupe?

6- L'analyse de la situation

Peut-on prévoir quels sont les problèmes potentiels de ce client?
Peut-on prévoir quels sont les besoins potentiels de ce client?

2. Service après vente.

Quelles en sont les causes? Comment les découvrir? Comment les évaluer?

7- Diagnostic

Est-on en mesure de poser un diagnostic sur la situation? Lequel?

8- Fournisseurs

Qui sont les fournisseurs actuels de ce client? Sommes-nous sur la "liste"? Quel pourcentage d'affaires avons-nous? Quel pourcentage d'affaires pouvons-nous espérer? Que doit-on faire pour améliorer notre position? Quand? Quelles sont les raisons pour lesquelles ce client devrait traiter avec nous? L'inverse?

9- Objections

A-t-on fait une liste des objections possibles de la part du client? A-t-on établi des réponses?

10- Témoignages

Quels "tiers" utiliser? Quelles "aides à la vente"? Doit-on visiter bureaux, usines, entrepôts?

11- Résultats et suivi

Quel est le résultat à ce jour? Prévoit-on une prochaine visite? Quel objectif? Quand? Qui? Quelle aide? Etc.

Discussion

1- Si vous utilisez ce questionnaire dans le contexte de votre visite, dans quelle mesure convient-il à vos besoins? Que manque-t-il? Qu'enlèveriez-vous? Pourquoi?

2- À votre avis, le représentant a-t-il assez d'ordre et de discipline pour suivre méthodiquement ce modèle ou un modèle comparable? Pourquoi? Quoi faire alors?

3- Si la vente s'échelonne sur plusieurs visites et sur une période de temps relativement longue, quelle sorte de contrôle organiseriez-vous pour vous assurer que la méthode est bien appliquée?

4- Comment contrôler et évaluer les résultats:
   a) Qualitativement?
   b) Quantitativement?

5- Comment assurer le suivi?

Commentaires

Les réactions et commentaires de vos vendeurs à ce questionnaire, présenté tel quel ou modifié, vous permettront de l'adapter à leurs besoins et à ceux de votre entreprise. Pour atteindre ce résultat, le responsable des ventes pourrait bien être appelé à utiliser habilement ses pouvoirs de persuasion. Il s'agit pour lui de convaincre les vendeurs qu'ils obtiendront de meilleurs résultats en planifiant soigneusement leurs entrevues avec les clients plutôt qu'en se fiant à l'improvisation. L'augmentation des ventes devrait récompenser votre équipe de ses efforts... tout en la délivrant du trac.

MÉFIEZ-VOUS DU VENDEUR QUI...

Benoit Duchesne

Quels sont les secrets de ceux qui réussissent dans la vente? Et quels sont les remèdes aux difficultés qu'éprouvent tant de PME dans la gestion de leurs vendeurs? Regardons les faits ou l'histoire de la vente dans de nombreuses entreprises.

Dans beaucoup de PME, à leurs débuts, la tâche de vente est assumée par le patron lui-même, en plus de la production, de la direction générale, etc. C'est avec la croissance que les difficultés naissent. Ne pouvant être partout à la fois et peut-être plus intéressé par la production, le patron décide de déléguer et c'est la vente qui prend le coup. C'est là que commencent l'histoire des vendeurs et les problèmes qui s'ensuivent.

Le patron qui délègue la vente a peut-être l'impression qu'il vaut mieux confier à un spécialiste le soin de développer la clientèle déjà établie. Ce dont le patron ne se rend sans doute pas compte, c'est qu'il délègue la tâche dont le succès ou l'échec va conditionner largement la croissance de son entreprise: une tâche beaucoup plus difficile et complexe qu'il ne semble au premier abord. Quand la vente va... tout va! Mais qu'est-ce qui fait aller la vente?

Le premier secret: la sélection

Qu'arrive-t-il quand le patron décide d'embaucher un vendeur? Quelles sont exactement les activités qui constituent cette tâche? Quelles sont les connaissances, l'expérience, et surtout quelles sont les qualités humaines requises chez un candidat?

Dans la suite de l'histoire... il se présente un candidat, peut-être deux! Pas beaucoup plus, car les bons vendeurs à la recherche d'un emploi sont rares.

Une erreur fréquente viendra du fait qu'on choisira le candidat selon des critères "passés de mode". Le beau causeur, charmant, à la poignée de main franche, au regard direct, qui affirme être "intéressé à relever un défi" réussit à impressionner. Surtout, il dit qu'il a de l'expérience dans la vente. Votre chance, selon lui, vient du fait que son dernier employeur était en mauvaises affaires.

L'histoire est classique! Vous n'allez pas vérifier ses dires, il a tellement l'air honnête. Et vous héritez sans le savoir de la cause des mauvaises affaires auxquelles il faisait allusion. Là où vous, le patron, aviez réussi à créer une clientèle, lui échouera.

Peut-on parler d'une autre erreur? Vous confiez la tâche de vente, vous déléguez globalement, oralement et surtout sommairement la responsabilité d'établir ou de maintenir des relations avec vos clients actuels et futurs. Les clients ont-ils été prévenus du changement? Comment? Où en était exactement l'état des relations avec chaque client à ce moment? C'était écrit où? Où sont les dossiers de clients actuels et futurs? Qui doit-il visiter, quand, combien de fois, pourquoi? Quel est l'objectif de chaque visite? Objectif qualitatif et objectif quantitatif?

Pourquoi tout ce chichi, quand on embauche un vendeur? La réponse est simple! C'est que les "choses" ont considérablement changé depuis 20 ans, depuis l'avènement des méthodes du marketing.

Le vendeur d'aujourd'hui est une unité de marketing dans un plan de marketing. Son travail s'insère dans un "plan de vente" précis: il faut calculer le coût d'acquisition de chaque client et la contribution ou le profit à réaliser avec chaque client. Ces calculs doivent se faire avant la visite! La concurrence, la réduction des marges de profit, l'augmentation des coûts ne permettent plus de laisser le vendeur à sa fantaisie. Même s'il prétend avoir de l'expérience, il faut lui enseigner à choisir les clients rentables, à ne prendre que des commandes rentables, à réduire les coûts d'acquisition de chaque client. En résumé, il faut que les règles du jeu de la vente soient claires. Sinon, comment et quand saurez-vous si ses activités sont rentables? N'attendez pas à la fin de l'année pour fixer les règles du jeu et pour vérifier son efficacité.

Faisons une comparaison

Dites-vous que si vous aviez à décider de l'achat d'une machine de $100 000, vous exigeriez des plans, devis, conseils, soumissions, tests, garanties de performance et de service, etc. Mais quand vous embauchez un vendeur: salaire, dépenses, clientèle à gagner ou à perdre, vous décidez de bien plus que $100 000. Vous décidez de la croissance de votre entreprise, vous risquez l'avenir. Quelles précautions prenez-vous? Il est plus difficile et plus risqué de choisir un vendeur au plan humain que de choisir une machine au plan matériel.

Dans la vente, aujourd'hui, il faut de la méthode.

1° Déterminez en détail par écrit les règles du jeu: la tâche, les activités, l'emploi du temps, les clients à choisir, les messages à livrer, etc.

2° Déterminez par écrit les qualités requises pour l'emploi: elles constituent les critères à la base de votre décision.

3° Vérifiez avec précaution la compétence et les dires du candidat.

4° Organisez systématiquement les entrevues d'embauche. Si vous êtes seul, demandez la collaboration d'un directeur de banque ou de caisse, d'un directeur d'association qui vous aidera dans les entrevues.

5° Ouvrez un dossier personnel pour le candidat choisi et notez tout.

6° Si vous ne pouvez énoncer clairement par écrit, avec documents et témoignages à l'appui, les éléments et les raisons de votre décision, si vous ne pouvez écrire votre plan de travail de vente, il y a lieu de consulter quelque spécialiste consultant. C'est encore plus économique que de payer un mauvais vendeur qui peut vous rogner $100 000 avant que vous n'y voyiez clair. Calculez!

DE L'INFORMATION COMMERCIALE VALABLE À PORTÉE DE LA MAIN

Fernand Amesse

Ce que tous les praticiens du marketing appellent "l'intelligence marketing" est fait de l'utilisation éclairée des données et de l'information disponibles soit de sources publiques, soit de sources privées. Mais ces sources sont tellement nombreuses et tellement éparses qu'il est parfois difficile de les identifier clairement.

Nous allons essayer ici d'indiquer quelques-unes des sources les plus communément utilisées ou les plus commodes. Pour faciliter la chose, nous allons procéder par questions en nous référant tantôt à des sources publiques (principalement Statistique Canada), tantôt à des sources privées diverses, généralement accessibles sans coût ou à coûts minimes.

Questions	Sources d'information	Commentaires sur la source
1. Ventes (en dollars) d'un produit par les fabricants canadiens au cours des dernières années?	— Produits livrés par les fabricants canadiens (Catalogue 31-211). (annuel). Statistique Canada. **et/ou** — Tableau V intitulé: Livraison de propre fabrication apparaissant au catalogue de l'industrie publié annuellement par Statistique Canada.	Bien qu'annuel, le catalogue 31-211 paraît avec environ 2 ans de retard sur l'année en cours. Le délai de parution du catalogue de l'industrie est un peu plus court.
2. Valeur des importations de tel produit?	— Importations: Commerce de marchandises, détail des produits (catalogue 65-207) (annuel). Statistique Canada.	
3. Valeur des exportations de tel produit par les fabricants canadiens?	— Exportations: Commerce de marchandises (catalogue 65-202) (annuel), Statistique Canada.	
4. Quelle est la taille du marché canadien mesuré au prix de vente des fabricants?		Un "estimé" de la taille du marché peut être obtenu à partir des données sur les livraisons, les importations et les exportations.
5. Combien chaque ménage au Canada a-t-il dépensé en moyenne pour tel produit?	— Dépenses des Familles au Canada, Ensemble du Canada: Régions urbaines et rurales (Catalogue 62-551) (occasionnel), Statistique Canada. — Dépenses Alimentaires des Familles Urbaines, Catalogue 62-548 (occasionnel), Statistique Canada.	L'enquête pour l'année 1982 vient d'être complétée.
6. Quelle a été l'évolution des prix à la consommation pour tel produit?	— Prix à la consommation et indice de prix (Catalogue 62-010) (trimestriel), Statistique Canada.	
7. Quel est le nombre de ménages au Canada ou sur certains territoires et quelles sont les projections de ménages?	— Projection des ménages et des familles. Canada, provinces et territoires, 1976-2001. Catalogue 92-522, Statistique Canada.	

(suite de ce tableau à la page suivante)

Questions	Sources d'information	Commentaires sur la source
8. Quel est le pouvoir d'achat pour à peu près n'importe quelle région et/ou ville au Canada pour tel produit (s'il s'agit d'un produit de consommation)?	— Canadian Survey of Buying Power, Revue Sales and Marketing Management numéro de juillet de chaque année. **ou** — Canadian Markets, publié annuellement par The Financial Post.	Sales and Marketing Management, 633 3rd ave. New York N.Y. 10164 - 0563 The Financial Post, 1001 ouest, boul. de Maisonneuve, Montréal (H3A 3E1) Tél.: 845-5141
9. S'il s'agit d'un produit qui peut être consommé non seulement par les ménages mais aussi par d'autres industries (marché industriel) et par d'autres institutions (restaurant - hôtel - gouvernement), quelle est la part qui va au marché industriel et institutionnel?	— La structure par entrée-sortie de l'économie canadienne (niveau d'agrégation L) 191 industries, 602 biens et 136 catégories de demande finale (Sur commande auprès de Statistique Canada) (Annuel).	
10. Existe-t-il des études ou des analyses sur l'industrie ou le marché qui m'intéresse et qui seraient disponibles pour consultation?	— Index par secteur industriel des analyses de produits, de marché et de viabilité (miméo). (Ministère fédéral de l'Expansion économique et régionale) **et/ou** Répertoire des études économiques et commerciales (Centre de Recherche Industrielle du Québec).	
11. Existe-t-il des articles parus dans divers périodiques ou journaux sur le marché de tel produit au Canada ou ailleurs?	— Predicasts F & S index of Corporation and Industries (référence à environ 700 périodiques dans le monde). — Éco-index (couvre les principaux journaux au Québec).	On peut consulter ces deux index aux bibliothèques de l'École des H.E.C. et autres écoles de gestion. Plusieurs autres index de périodiques et journaux sont également disponibles.

Fernand Amesse

LE CHOIX D'UN EMPLACEMENT
Claude Choquette

L'homme d'affaires à la recherche de l'emplacement le plus favorable à l'installation d'un commerce de détail peut être porté à mettre de côté les quartiers ou les rues comportant une forte concentration d'entreprises du même genre.

Avant de céder à sa première impulsion, l'intéressé aurait avantage à faire sa petite enquête personnelle. La multiplicité des points de vente peut en effet, dans certaines conditions, constituer un facteur favorable pour un nouveau venu.

Une recherche facile

La première démarche consiste à:

— dresser un plan de la rue ou du secteur considéré;

— indiquer sur ce plan les types de commerce existants;

— identifier ces commerces selon le type de produits (voir la classification proposée dans "Le développement d'un commerce de Détail", octobre 1984), soit:
  — achats courants,
  — achats réfléchis,
  — achats spécialisés.

Rappelons que les commerces consacrés aux achats courants exercent sur la clientèle une force d'attraction limitée; et que la zone d'attraction géographique s'étend progressivement quand on passe aux produits faisant l'objet d'achats réfléchis, puis d'achats spécialisés.

Quand on possède des renseignements raisonnablement complets sur le nombre et l'importance des commerces répondant à chacune des trois catégories de produits, on peut établir assez exactement leur pouvoir d'attraction sur les consommateurs. En somme, la multiplicité des points de vente au détail influence les habitudes d'achat et incite une certaine population à se déplacer sur un territoire plus étendu.

Un nouveau commerce devrait normalement bénéficier du courant d'activité engendré par les entreprises existantes et son potentiel de vente devrait s'accroître d'autant.

L'attraction cumulative

Les éléments d'information déjà mentionnés permettent d'aborder une autre phase de la recherche, soit le pouvoir d'attraction des établissements en termes de complémentarité et d'accumulation.

Un commerce de plomberie et un commerce de vêtements pour hommes n'ont manifestement aucune complémentarité. Chacun répond à des besoisn distincts, à des conditions d'achat différentes. Ces deux commerces n'exerceront l'un à l'égard de l'autre qu'un pouvoir d'attraction négligeable sur la clientèle.

Par ailleurs, si le commerçant en quête d'un emplacement se donne la peine de classer les établissements d'un secteur selon leur complémentarité, il découvrira rapidement que certains d'entre eux ont une parenté qui saute aux yeux. Vêtements féminins, souliers, salon de coiffure, vêtements d'enfants, boutique de cadeaux, autant de produits ou services entre lesquels existe une relation logique à laquelle le consommateur (ou la consommatrice) est naturellement sensible. Une fois engagé dans le réseau, il (ou elle) a de fortes chances de s'arrêter à plus d'un endroit.

Les centres commerciaux importants appliquent ce principe d'attraction cumulative de façon systématique. On y trouve généralement une répartition équilibrée entre les commerces consacrés aux achats courants et ceux qui se prêtent aux achats réfléchis ou spécialisés. Cette division des intérêts, voulue par les dirigeants des centre commerciaux, a pour but d'assurer la rentabilité de toutes et chacune des unités commerciales qui s'y associent.

Dans une zone ou au long d'une artère commerciale, une répartition semblable est le plus souvent l'effet du hasard. Ce qui n'empêche pas certains hommes d'affaires d'adopter le même principe, et d'en tirer profit. L'expérience enseigne, en effet, que des commerces, regroupés dans un espace restreint et offrant des produits complémentaires, exercent collectivement un pouvoir d'attraction géographique beaucoup plus étendu que s'ils opéraient isolément.

Quand la concurrence est utile

Dans un contexte de regroupement, l'augmentation de la concurrence n'entraîne pas nécessairement des effets négatifs. La multiplication des points de vente, des produits et services, accroît les possibilités de choix des consommateurs et les incite à magasiner en leur facilitant l'acte d'achat. Ces conditions ne peuvent que servir la rentabilité des commerces logés dans un tel secteur.

Le Vieux Montréal est l'une des zones urbaines offrant la plus forte concentration de restaurants au mètre carré. Le nombre et la variété des restaurants permettent au consommateur d'y trouver le repas qui lui convient même si son "coin" préféré est comble. Cette abondance prédispose les gens à privilégier le Vieux Montréal quand sonne l'heure du dîner.

Enfin, dans une zone où l'attraction cumulative est bien établie, un nouveau venu devrait atteindre rapidement un taux de rentabilité élevé.

5

PRODUCTION — PRODUCTIVITÉ

PRODUIT OU SERVICE ET MARCHÉ: UN MARIAGE SÉRIEUX
Eisenhower C. Étienne

Pour survivre et se développer, une entreprise doit satisfaire deux conditions: elle doit concevoir des produits ou services qui remplissent un besoin existant sur le marché; et elle doit se doter des moyens de réaliser ses produits ou services avec l'efficacité nécessaire. La conception est accomplie par les fonctions techniques dans le cas d'un produit et par la haute direction dans le cas d'un service. Toutefois, le marketing, qui est l'autre fonction principale de l'entreprise, participe fortement à la conception du produit ou du service et, par conséquent, au choix des facteurs-clés de concurrence. *C'est un moyen essentiel de s'assurer que le produit ou service possède les caractéristiques qui vont permettre à votre entreprise de pénétrer le marché.*

Mais ce que beaucoup de chefs de PME ont tendance à oublier, c'est que la fonction production/opérations[1] *est responsable*

---

1. Dans l'expression "production/opérations", le terme "production" s'applique à la fabrication des produits; le terme "opérations" s'applique à la mise au point de l'un ou l'autre des services fournis par le secteur tertiaire. Le texte vaut pour ces deux types d'activités.

de l'adaptation du produit ou du service au secteur du marché déjà identifié, c'est-à-dire aux facteurs-clés de concurrence qu'on a retenus. Par exemple, production/opérations assure que:

1. Les procédés de fabrication, les méthodes de travail et la supervision de la main-d'oeuvre directe favorisent la réalisation du produit ou du service à un coût acceptable.

2. Les programmes de contrôle de la qualité donnent une bonne garantie que le produit respectera les normes de qualité fixées.

3. L'approvisionnement des matériaux et le programme de planification de la production sont axés sur la production d'un volume suffisant pour répondre aux demandes des clients.

4. Le système de production est apte à livrer les commandes des clients dans un délai acceptable.

Ces responsabilités touchent la raison d'être même de votre entreprise. Elles englobent la grand majorité des activités courantes de la gestion d'une PME. Comme vous l'avez peut-être déjà noté, la fonction production/opérations:

1. absorbe soixante-quinze à quatre-vingt-dix pour cent de votre budget d'investissement;

2. utilise facilement plus de soixante pour cent de votre main-d'oeuvre;

3. consomme peut-être soixante-dix pour cent de votre fonds de roulement.

Il vaut donc la peine de s'en occuper avec tout le soin requis.

Évidemment, si votre entreprise possède des faiblesses au niveau de la production/opérations, il y a une bonne chance qu'elle soit faible au plan stratégique et dans la pénétration de son marché. On rencontre rarement des entreprises qui réussissent bien quand leur fonction production/opérations présente des difficultés sérieuses. Un principe de base doit être souligné. *La fonction production/opérations, selon la façon dont elle est gérée, sera une meule de moulin ou une arme solide de concurrence. Elle n'est jamais neutre.* Pour que la production soit une arme de concurrence, la stratégie de l'entreprise doit être formulée en pleine conscience des exigences de la production/opérations, de son potentiel et de ses limites. *Il faut donc que la fonction production/opérations réalise le plus fidèlement possible les intentions de la direction sur les rapports qui doivent exister entre les produits ou les services offerts et le marché visé.*

Si vous cherchez cette convergence, vous devez noter quelque chose de fondamental: il est quasiment impossible de concevoir et de gérer un système production/opérations qui donne des résultats satisfaisants si on poursuit un trop grand nombre d'éléments de concurrence. *On n'a pas encore développé la capacité technique et administrative qui permette de bâtir et de gérer des systèmes de production/opérations qui réalisent simultanément le plus bas coût, la plus haute qualité, le meilleur délai de livraison, la plus grande variété de produits, et la plus grande adaptabilité aux exigences particulières des clients.* De plus, il est clair que chaque élément de concurrence impose ses propres contraintes. Par exemple, si vous cherchez une qualité impeccable, vous devez accepter des coûts unitaires et des prix plus élevés.

Comment obtenir des résultats satisfaisants?

1. La stratégie de l'entreprise doit viser, comme on vient de le voir, un nombre restreint d'éléments de concurrence; mais ceux-ci doivent être consistants entre eux, et tenir compte à la fois des ressources disponibles et de la part du marché à laquelle on a décidé de s'attaquer.

2. Le responsable de la production doit participer pleinement à l'élaboration de la stratégie corporative. La réalité de la production ou, selon le cas, des opérations, doit être incorporée dans le plan stratégique.

3. Une fois établie, la stratégie doit être formulée clairement et communiquée au responsable de la production/opérations.

4. Le responsable sera obligé de décrire formellement les politiques opérationnelles qui activent l'usine ou les activités de service. C'est-à-dire qu'il devra démontrer dans quelle mesure la production/opérations contribue réellement à la réalisation des objectifs de l'entreprise.

5. La haute direction doit évaluer périodiquement et en profondeur le fonctionnement du système de production/opérations.

6. L'évaluation de la performance du responsable de la production/opérations devra inclure des variables qui reflètent sa compréhension de la stratégie industrielle et du rôle qu'il doit jouer lui-même dans l'accomplissement de cette stratégie. Sans une contribution compétente de sa part, le succès de l'entreprise pourrait être compromis.

Mais la rationalisation du système production/opérations n'est jamais accomplie une fois pour toutes. Par exemple, lors du lancement d'un nouveau produit ou service, et tout au long de la phase de croissance, la concurrence se fait sur les facteurs disponibilité, variété ou qualité. Le coût de fabrication ou de préparation n'est qu'au deuxième rang du point de vue du plan stratégique. Mais quand le produit est dans sa phase de maturité, quand la technologie est au point, quand le design du produit est standardisé, le facteur coût devient primordial. Votre stratégie doit changer pour faire face aux nouvelles règles du jeu.

La fonction production/opérations que vous avez adaptée aux exigences stratégiques a aussi subi des changements. Par le biais de petites additions à l'équipement et au système de gestion, on modifie graduellement la structure fondamentale du système production/opérations. Le résultat est que l'usine perd peu à peu sa convergence avec les objectifs. *Une évaluation périodique (chaque six mois, par exemple) vous aidera à maintenir l'efficacité du système production/opérations face aux changements inévitables.*

À cause de sa grande importance, le mariage de la production/opérations avec la stratégie corporative doit être pris en charge par la haute direction. Celle-ci peut déléguer une marge d'autorité plus ou moins étendue, mais elle doit exercer un contrôle solide sur les aspects stratégiques de cette fonction-clé.

PRODUCTIVITÉ ET AUTODIAGNOSTIC
Claude R. Duguay et
Matthieu Lamarche

La productivité! — on l'a définie de plusieurs façons, on l'a discutée, auscultée, "colloquée".

Mais qu'est-ce qu'on fait? Qu'est-ce qu'il faut faire? Par quel "bout" commencer?

Le danger, c'est l'éparpillement, et comme conséquence, l'inefficacité de l'action (ou des actions). Si en effet on lance ses troupes sur tel point aujourd'hui, parce qu'un rapport vient de nous éveiller à telle faiblesse, ou parce qu'un ami qui réussit en a parlé au lunch; et si le mois prochain, à la suite d'une conférence qui a traité d'une question "des plus importantes" on se met à "fouetter" ses troupes dans une autre direction, tous seront vite essoufflés...

Un peu exagéré tout ça? — Pas tellement... En tout cas, plusieurs y reconnaîtront une situation familière.

Le sujet de la productivité est vaste. Il touche toutes les facettes de la vie d'une entreprise: matières premières, énergie, gestion générale, méthodes de travail, main-d'oeuvre, méthodes de marketing, gestion financière, nature et conception du produit, ressources humaines, etc.

L'essentiel donc, c'est d'y aller avec méthode: planifier l'action, déterminer les points forts et les faiblesses qui affectent le plus la productivité, pour ensuite établir des priorités et agir sur une, deux ou trois d'entre elles, selon les ressources et le temps dont on dispose.

Une façon simple et efficace de réaliser un tel travail de façon structurée est d'utiliser une méthode d'autodiagnostic permettant d'étudier l'entreprise secteur par secteur (marketing, production, etc.), et même d'étudier en détail chacune des activités ou des réalités à l'intérieur de ces grands secteurs.

Secteur et Éléments	Pondération suggérée	Pondération facultative du dirigeant	Coefficient de sensibilité	Indice de potentiel d'amélioration de la productivité	Score moyen				
					1	2	3	4	5
GESTION GÉNÉRALE:	120								
But à moyen terme	18								
Plan détaillé	18								
Partage des responsabilités	12								
Direction et cohésion des cadres-clés	18								
Politiques et procédures	12								
Contrôle des résultats	12								
Information et prise de décision	12								
Accent sur la productivité	18								

La PME jouit souvent d'une cohésion extraordinaire dans son action grâce à sa taille et au rôle prépondérant que peut y jouer un patron dynamique. Entouré de quelques cadres-clés connaissant à fond l'un ou l'autre des secteurs, celui-ci sera en mesure d'évaluer du point de vue productivité les principaux éléments de la gestion de chacune des fonctions majeures de l'entreprise. Ces jugements partiels pourront ensuite être regroupés dans une vue d'ensemble faisant bien ressortir les points les plus susceptibles d'influencer l'amélioration de la productivité globale.

À titre d'illustration, voici les grandes lignes d'une méthode détaillée d'autodiagnostic réalisée tout récemment pour le compte de l'Institut National de Productivité.[1]

1. On peut se procurer "l'autodiagnostic de l'entreprise" et un répertoire de plusieurs autres méthodes auprès de l'Institut National de Productivité, C.P. 157, succursale Desjardins, Montréal, Qué. H5B 1B3.

Cette méthode propose de distinguer cinq secteurs de l'entreprise:
— Gestion générale
— Marketing et vente
— Finance
— Production
— Ressources humaines

Tous ces secteurs se prêtent à l'application du diagnostic, chacun exigeant toutefois une approche particulière permettant de l'analyser à partir d'un certain nombre d'éléments. Pour le secteur "gestion générale", par exemple, on propose huit éléments différents sur lesquels le chef d'entreprise et ses cadres-clés doivent porter un jugement au meilleur de leur connaissance.

L'autodiagnostic prévoit une formule semblable pour chacune des fonctions majeures de l'entreprise. Patron et cadres peuvent donc intervenir à leur gré, comme on le soulignait plus haut, sur les points les plus urgents et au rythme qui leur convient.

Un tel exercice correspond à une pratique normale de gestion. S'ils l'accomplissent dans une optique d'amélioration de la productivité, les gestionnaires y trouveront des moyens de mieux utiliser leurs ressources et deviendront plus sensibles à la nécessité de rechercher constamment de nouvelles façons de procéder. Ce genre d'examen, quand il est appliqué régulièrement, peut conduire à un accroissement substantiel de la productivité. Une fois appliqué à l'ensemble des fonctions, l'autodiagnostic devrait permettre au dirigeant de maîtriser la gestion de son entreprise, de corriger rapidement les erreurs de parcours inévitables, et de mettre à profit les innovations qui peuvent affecter sa situation face à la concurrence.

On ferait bien de retenir que l'important, dans ce domaine, c'est:
— de choisir d'abord une méthode de travail éprouvée;
— de permettre au personnel de s'y adapter et d'en perfectionner graduellement l'application;
— d'éviter les brusques changements d'orientation qui ont pour effet de décourager les employés les mieux disposés... et d'obliger tout le monde à repartir de zéro.

PRODUCTIVITÉ, RENTABILITÉ, COMPÉTITIVITÉ

Claude R. Duguay, Nancy Langlois

Productivité et Rentabilité

La rentabilité est à la base de la bonne marche d'une entreprise. La rentabilité est généralement le fruit d'une bonne gestion mais elle peut aussi résulter d'événements conjoncturels ou exceptionnels comme la vente d'actifs importants, une action monopolistique sur les prix, des barrières tarifaires permettant d'éviter la concurrence internationale, un taux de change favorable à l'exportation, etc. Ces événements peuvent disparaître soudainement et causer d'importantes pertes si l'entreprise ne s'est pas prémunie contre ce danger en augmentant sa productivité relative.

De plus, un profit exprimé en dollars courants ne tient pas compte des effets de l'inflation.

En fait, la rentabilité d'une entreprise provient de deux sources:

1) Le recouvrement des coûts dans le prix de vente c'est-à-dire la capacité de l'entreprise de faire payer au consommateur l'augmentation des prix des intrants. Cette capacité est affectée par la concurrence ou encore par certaines lois.

2) L'accroissement de la productivité qui permet notamment de réduire les coûts et en conséquence d'augmenter le profit. La productivité est donc une des composantes de la rentabilité.

Productivité et compétitivité

L'accroissement de la productivité pourra permettre à une entreprise de vendre son produit à un meilleur prix ou encore d'améliorer la qualité de son produit, ce qui accroît du même coup son pouvoir concurrentiel relatif. Voilà les deux éléments qui rapprochent les notions de productivité et de compétitivité.

Le coût des facteurs de production influence le prix de vente du produit sur le marché. Pour demeurer compétitive, l'entreprise peut recourir à l'une ou l'autre des solutions suivantes, ou aux deux à la fois:

1) Prendre les moyens de payer ses facteurs de production à un prix qui ne dépasse pas celui que paie la concurrence; ou

2) Trouver une autre combinaison de ressources qui permette de fabriquer un produit de meilleure qualité ou à un meilleur prix.

L'industrie canadienne du vêtement fournit un bon exemple de l'utilisation de ces méthodes. Devant la hausse incessante des salaires et autres coûts en pays industrialisés, plusieurs entreprises ont choisi, pour demeurer concurrentielles, de s'installer là où les facteurs de production sont à bon marché, c'est-à-dire dans des pays en voie de développement. D'autres entreprises ont décidé de modifier leur structure industrielle, qui était à prédominance "main-d'oeuvre", pour adopter une structure à prédominance "capital". À celles du textile qui optent pour cette dernière solution, le Centre d'automation Laval, situé à Ville St-Laurent, offre une gamme de 32 molèles de machines automatiques contrôlées par ordinateur. Selon François Beauregard[1] ces automates coûteraient deux fois moins cher que ceux offerts par les fabricants européens.

Une machine fixe les poches arrière de jeans 7 à 10 fois plus vite que l'outillage traditionnel. Une autre machine coud des boutons 5 fois plus rapidement que le meilleur couturier. Alors qu'un travailleur habile peut fabriquer 100 douzaines de manches en une journée, l'une des créations du Centre d'automation Laval peut en produire jusqu'à 600 douzaines.

Voici un cas patent où l'innovation technologique peut permettre à tout un secteur de se réinstaller en position de concurrence, en fournissant aux entreprises des moyens efficaces d'adopter une structure à prédominance "capital". D'autres industries devront nécessairement, pour survivre, passer par le même chemin.

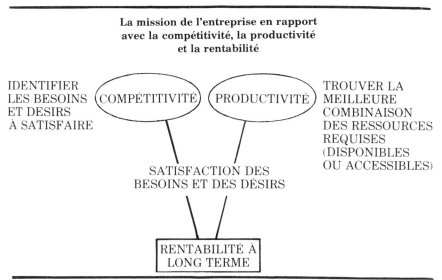

La mission de l'entreprise en rapport avec la compétitivité, la productivité et la rentabilité

IDENTIFIER LES BESOINS ET DESIRS À SATISFAIRE

COMPÉTITIVITÉ   PRODUCTIVITÉ

TROUVER LA MEILLEURE COMBINAISON DES RESSOURCES REQUISES (DISPONIBLES OU ACCESSIBLES)

SATISFACTION DES BESOINS ET DES DÉSIRS

RENTABILITÉ À LONG TERME

---

1. *Cet exemple est tiré de l'article de François Beauregard. "La technologie à la rescousse du secteur mou",* **Productivitées,** *Mai/Juin 1980.*

Le schéma illustre le fait que compétitivité et productivité sont deux éléments indissociables de la mission de l'entreprise qui est: (1) d'identifier les produits ou services propres à satisfaire les besoins et désirs de la collectivité et (2) de trouver la meilleure combinaison de ressources (disponibles ou accessibles) requises pour produire ces biens ou services.

La satisfaction de la collectivité est sanctionnée par la rentabilité de l'entreprise.

L'amélioration de la productivité au niveau des travailleurs

La perception de la productivité par le travailleur a subi des modifications au long de l'histoire.

• **La période industrielle** (fin du 18e siècle jusqu'au début du 20e siècle).

Être productif pour le travailleur de cette époque se résumait à produire dans un temps donné le maximum d'unités de production. C'était l'ère des études de "temps et mouvements" qui cherchaient par la simplification des tâches à augmenter la quantité d'unités produites. Le rendement élevé des travailleurs leur permettait de satisfaire leurs besoins primaires. (La rémunération du travailleur basée sur son rendement physique est une conséquence directe de cette perception traditionnelle de la productivité.)

• **Aujourd'hui...**

Produire le maximum d'unités en un temps donné ne satisfait plus le travailleur, ses besoins primaires étant satisfaits grâce à un revenu minimum assuré par les programmes gouvernementaux tels que: l'assurance-chômage, l'assistance sociale, l'indemnisation des accidents de travail. Davantage éveillé par une éducation plus poussée, le travailleur ne recherche plus les mêmes aspects dans le travail. Il est plus exigeant vis-à-vis du contenu de ses tâches et demande à l'entreprise de tenir compte de sa capacité, de sa santé, de sa sécurité et de ses aspirations.

L'amélioration de la productivité signifie pour les travailleurs une meilleure utilisation de toutes leurs capacités personnelles (créativité, énergie, éducation, etc.) En orientant ces ressources importantes vers la production de biens ou de services, l'entreprise sert à la fois ses propres intérêts et les attentes de ses employés.

Conclusion

Les perceptions de la productivité varient selon trois niveaux: collectivité, entreprise et travailleur. Ces perceptions ne sont pas opposées, ni même conflictuelles. L'habileté de l'entreprise à identifier les besoins et désirs de la collectivité, à agencer ses facteurs de production de façon à créer des expériences de travail intéressantes pour sa main-d'oeuvre tout en ne nuisant pas à la qualité de l'environnement, assure l'harmonie entre ces trois dimensions de la productivité.

MESURER LA PRODUCTIVITÉ: POURQUOI? COMMENT?
Mattio O. Diorio

Pour toute entreprise, grande ou petite, industrielle ou commerciale, la productivité consiste à s'assurer de résultats valables en qualité et en quantité, tout en économisant les moyens employés pour y parvenir: capital, main-d'oeuvre, installations, énergie, matières premières. C'est une tâche primordiale du bon management. Cependant, le dirigeant d'entreprise ne devrait pas considérer la productivité dans un sens trop étroit. Dans le choix d'un arsenal de mesures de la productivité, il devrait chercher à se procurer des moyens d'évaluer rapidement, sérieusement et régulièrement la performance de sa firme.

De nombreuses raisons expliquent l'importance et la nécessité de mesurer la productivité des diverses activités d'un entreprise. En voici quelques-unes:

— Le simple fait d'instituer un système de mesure suscite, chez l'ensemble du personnel, un nouvel intérêt pour l'amélioration des méthodes de travail;

— Un système de mesure fournit un point de référence à partir duquel on peut se situer et se comparer;

— Un système de mesure a une valeur diagnostique: il sert à identifier une série de signes et de symptômes qui indiquent les faiblesses d'une situation et la direction à prendre pour les corriger; il permet d'accroître l'efficacité des opérations et

— d'évaluer les coûts et bénéfices des moyens de correction adoptés;

— Enfin, le souci de la productivité et les moyens de la mesurer servent à alimenter les discussions des employés sur le sujet et à soutenir leur intérêt dans l'amélioration des résultats.

Le calcul de la productivité se présente sous la forme d'une fraction dont le numérateur exprime la production obtenue et dont le dénominateur représente les ressources consacrées à cette production:

$$\text{Productivité} = \frac{\text{Production (extrant ou output)}}{\text{Ressources (intrant ou input)}}$$

Quels chiffres faut-il inscrire au numérateur et au dénominateur? On peut employer des termes physiques, des termes monétaires ou une combinaison des uns et des autres. Par exemple: tonnes d'acier par heures-hommes de travail; ou dollars de production par dollars de ressources utilisées; ou tonnes d'acier par dollars de ressources utilisées.

Il existe plusieurs molèles de mesure globale de la productivité mais leur application présente des difficultés. On a plutôt tendance à se servir de mesures partielles de la productivité, c'est-à-dire à établir le rapport entre une production donnée et un seul des facteurs mis en oeuvre pour l'obtenir: tonnes d'acier par le nombre d'heures-hommes utilisées; tonnes d'acier par kilowatt-heures d'énergie, etc.

Dans ce bref article, nous ne pouvons mentionner qu'un certain nombre de mesures de la productivité, laissant au lecteur le soin d'élaborer à loisir celles qui lui conviennent particulièrement, ou encore de consulter d'autres sources d'information.

Ces quelques instruments de mesure ne sont fournis qu'à titre indicatif et doivent être utilisés avec précaution. Ainsi, l'entreprise qui fait fabriquer une partie de ses produits en sous-traitance ou qui se procure des articles semi-ouvrés devrait les soustraire de sa production afin d'évaluer avec exactitude la productivité de ses propres ressources.

Mesures générales

Ventes en $
Nombre de travailleurs

Production en $
Heures totales de travail

Profit
Capital investi

Production en $ ou en unités
Surface utilisée

Production
Heures-machines utilisées

Production
Capital investi

Mesures de la qualité

Coûts internes de la qualité
Valeur en volume de production

Coûts externes de la qualité
Valeur des expéditions

Ventes perdues
Plaintes des clients

Coûts de réusinage
Valeur de la production

Retours des clients
Valeur des expéditions

Rejets de production
Production

Mesures des coûts

Coûts variables de production
Valeur de la production

Coûts de main-d'oeuvre
Valeur de la production

Frais généraux
Valeur de la production

Coûts des matières premières
Valeur de la production

Coûts d'entretien
Valeur de la production

Coûts fixes de production
Valeur de la production

Mesures des ventes

Valeur des ventes obtenues
Valeur des ventes prévues
Valeur des ventes

Nombre de vendeurs
Valeur de publicité et promotion
Valeur des ventes

Comptes à recevoir
Valeur des ventes

Comptes à recevoir — 30 jours
Comptes à recevoir (total)
Ventes de la cie dans une zone
Valeur du marché dans cette zone

Mesures des stocks

Stock matières premières
Valeur de la production

Stock de produits en cours
Valeur de la production

Stock de produits finis
Valeur de la production

Stock de fournitures
Valeur de la production

Stock de produits finis
Valeur des expéditions

Valeur globale des stocks
Valeur des expéditions

Mesures de livraison

Commandes livrées à temps
Commandes promises

Valeur des commandes livrées
Valeur des commandes promises

Délais de livraison désirés par clients

Délais de livraison offerts par firme

"Back orders"
Valeur des expéditions

Commandes perdues dues à livraison
Carnet de commandes

Plaintes dues à livraison
Plaintes totales

Mesures de la main-d'oeuvre

Jours d'absence/mois
Jours ouvrables programmes/mois

Jours d'absence ce mois-ci
Jours d'absence (moyenne)

Nombre de retards ce mois-ci
Nombre de retards (moyenne)

Nombre de plaintes et griefs ce mois-ci
Nombre de plaintes et griefs (moyenne)

Nombre d'accidents ce mois-ci
Nombre d'accidents (moyenne)

Jours perdus — accidents
Jours ouvrables programmés

Mesures des normes de production

Valeur de la production
Nombre de jours ouvrables

Heures-machine réelles
Heures-machine disponibles

Temps supplémentaire
Temps total

Temps machine en panne
Temps machine programmé

Heures-hommes réelles
Heures-hommes programmées

Temps réel consommé
Temps réel standard

Pour guider son choix parmi les multiples mesures disponibles, le gestionnaire devrait recourir au moins à quelques critères essentiels. Les mesures retenues doivent:

— être économiques: le coût des informations recherchées doit être inférieur aux bénéfices escomptés;

— être valables: elles doivent avoir une signification précise, être adaptées à l'usage qu'on veut en faire, et pouvoir refléter à la fois le niveau et les changements de productivité ou de performance;

— faciliter les comparaisons: les mesures doivent être homogènes dans le temps et prendre en considération les mêmes éléments des facteurs observés;

— fournir une information complète: on doit avoir une mesure ou une série de mesures pour évaluer toutes les ressources affectées à une activité donnée;

— être utiles: elles doivent aider le gestionnaire à agir efficacement pour corriger telle situation ou atteindre tel objectif.

La productivité est d'abord une façon de penser et de voir les choses. La première démarche consiste à concevoir "un esprit de productivité" et à le transmettre à chaque palier de l'organisation. Si les progrès de productivité se réalisent en fait aux échelons inférieurs d'une hiérarchie, c'est le maître d'oeuvre, le patron qui doit créer et maintenir l'orientation et la motivation nécessaires.

LA GESTION DU NIVEAU GLOBAL DES STOCKS
Eisenhower C. Étienne

Les stocks représentent un investissement permanent qui accapare une part très importante du capital disponible. Dans la PME industrielle ou commerciale, la direction ne peut pas, en général, maintenir un contrôle des stocks pour chaque produit. À cause du nombre des produits, un tel contrôle serait pénible et trop onéreux. Il est plus pratique de fixer et de contrôler le niveau global des stocks et de contrôler les articles importants au moyen de rapports sur les exceptions.

Le niveau global de stocks représente l'investissement que l'entreprise est prête à immobiliser en articles de réserve, compte tenu de la qualité du service qu'elle veut accorder à sa clientèle.

Comment déterminer le niveau global des stocks?

On doit remarquer que le niveau global des stocks influence directement leur taux de roulement. Le taux de roulement des stocks pour une entreprise est défini comme suit:

$$T = \frac{\text{Prix coûtant des marchandises}}{\text{Stock moyen}}$$

Stock moyen = (Stock début + Stock fin) / 2

Le taux de roulement des stocks peut aussi se définir:

$$T = \frac{\text{Ventes}}{\text{Stock moyen}}$$

Il est évident que le stock moyen est sous le contrôle direct de la direction. Si les ventes baissent, on devrait être en mesure de baisser le stock moyen, c'est-à-dire le niveau global de stocks, et de conserver le taux de roulement à un niveau acceptable.

Le taux de roulement des stocks indique la rapidité avec laquelle l'entreprise vend ses produits finis. Il indique aussi la rapidité de transformation des matériaux en produits finis. Si les matériaux sont utilisés rapidement et que les produits finis sont vendus au même rythme, il y aura peu d'accumulation de stocks et le taux de roulement sera élevé. Le contraire s'applique aussi. Un taux de roulement de 2 indique que les stocks roulent deux fois par an, donc qu'un article reste en stock six mois, en moyenne. Un taux de roulement de 12 indique que les articles demeurent en stock pour un mois, en moyenne. Plus le taux de roulement est fort, plus le stock global, par rapport aux ventes, est petit, et plus l'entreprise conserve de capital par le biais de son système de gestion des stocks.

Vu ce rapport entre le taux de roulement des stocks et le stock global, on peut utiliser T pour arriver au stock global. Voici la procédure à suivre:

1. À partir d'une analyse de la performance antérieure de la compagnie ou en se basant sur les données au niveau de l'industrie, choisir un T-cible.
2. Développer une prévision des ventes et estimer le prix coûtant des marchandises.
3. Substituer les valeurs de T-cibles et soit les ventes, soit le prix coûtant des marchandises dans l'une ou l'autre des formules:
   T = Ventes / Stock moyen
   T = Prix coûtant / Stock moyen
4. Solutionner, pour la variable inconnue, le stock moyen. Le stock moyen est le niveau global des stocks.

   Illustration: Le tableau suivant donne les états financiers d'une compagnie réelle pour 1972 et 1973. On prévoit des ventes de 3 750 000 $ pour 1974. Quel devrait être le niveau global des stocks pour 1974?

   En s'appuyant sur les données historiques, on a:
   T72 = 3196/1445 = 2,2
   T73 = 2403/1546 = 1,6 (+ ou −)

Il y eut une détérioration sérieuse en 1973. On aura avantage à utiliser le taux de roulement de 1972 comme cible.

Le prix coûtant des marchandises était de 75% des ventes en 1972 et de 69% en 1973. La différence n'est pas trop radicale, donc on choisit la moyenne des deux et on estime que le prix coûtant s'élèvera à 72% des ventes en 1974. Par conséquent, pour 1974, le prix coûtant des marchandises sera: .72 × 3 750 000: 2 700 000 $.

$$T74 = \frac{\text{Prix coûtant}}{\text{Stock moyen}}$$

$$2,2 = \frac{2\ 700\ 000}{\text{Stock moyen}}$$

$$\text{Stock moyen} = \frac{2\ 700\ 000}{2,2}$$

Stock moyen 74 = 1 227 000 (+ ou −)

Le stock moyen ou niveau global de stocks pour cette compagnie devrait donc être de 1 227 000 $ pour 1974. Par le biais de rapports mensuels ou trimestriels, la direction peut s'assurer que le stock moyen est maintenu à un niveau acceptable. Les gérants des paliers inférieurs devraient aussi prendre les mesures nécessaires pour respecter les limites qui leur ont été assignées par la direction.

États financiers de l'entreprise ABC

États de Profits et Pertes/		1973	1972
....			
($000)	Ventes	3472	4281
	Coût des ventes	2403	3196
	Profit brut	1069	1085
Bilan/	Actif:		
	Stocks	1546	1445
($000)	Autres disponibilités	326	770
	Immobilisations	1065	1193
		2937	3408
/	Passif:		
	Exigibilités	1258	1422
	Passifs à long terme	999	1109
	Avoir des actionnaires	680	877
		2937	3408

Le contrôle des stocks

Le but de tout contrôle est de s'assurer d'un rendement acceptable par rapport aux objectifs cibles. Dans le cas des stocks, le contrôle permet d'évaluer l'impact et la fréquence des erreurs dans la comptabilisation des stocks, de s'assurer que le niveau des stocks, indiqué sur les fichiers, correspond au niveau physiquement dans l'entrepôt. De plus, le contrôle permet de connaître le niveau de vols, pertes, désuétude, de stocks morts et d'endommagement. Par le biais d'un contrôle acceptable, la direction peut savoir si le niveau d'investissement en stocks se maintient autour du niveau global fixé au début de l'exercice financier.

Le contrôle se fait par un certain nombre d'activités de vérification interne et par la rédaction de rapports sur les aspects critiques des stocks. Ainsi, un système de contrôle doit répondre à quelques questions fondamentales:

1. Quelles sont les variables critiques à être mesurées, contrôlées et vérifiées? Ici, on a un grand nombre de variables possibles: i) le niveau global des stocks; ii) le niveau physique des stocks; iii) le volume du stock non roulant; iv) le taux de rotation des

stocks; v) la réconciliation (l'écart) du niveau actuel des stocks avec le niveau existant dans les fichiers; vi) le nombre ou le volume des pénuries; vii) la valeur monétaire des pénuries.

2. Quelle sera la fréquence des vérifications? On a le choix entre une vérification totale tous les six mois, par exemple, versus une série de vérifications partielles plus rapprochées.

3. Quelle sera la fréquence des rapports! On pourrait rédiger un rapport après chaque vérification ou on peut le faire par exception, c'est-à-dire quand la vérification découvre une lacune majeure dans le système. Si le système est informatisé, on peut se payer le luxe de tirer un rapport hebdomadaire sur l'état des stocks, le coût d'un tel rapport étant minime.

La vérification de l'état des stocks

1. **Le contrôle permanent:** le contrôle permanent existe quand la vérification des paramètres-clés, tels l'investissement, la quantité physique en stocks, la valeur des pertes, le taux de roulement des stocks, se fait à chaque transaction. Ce type de contrôle s'avère très difficile en pratique. Néanmoins, si l'entreprise possède un ordinateur, on peut avoir un contrôle permanent partiel, dans ce sens que le maintien du fichier des stocks peut être fait après chaque transaction, même partielle. La réconciliation du fichier des stocks avec leur état actuel se fait périodiquement ou cycliquement.

2. **Le contrôle périodique:** ce type de contrôle exige une vérification de l'état actuel des paramètres pour tout item de stock — ou, au moins, pour une très forte proportion de ces items — d'une façon périodique (à tous les six mois par exemple). Cette vérification peut être faite, que le système soit informatisé ou non. Dans la mesure où il y a des erreurs ou que les employés ne suivent pas les procédures établies, il peut y avoir de grands écarts entre l'état des stocks d'après les fichiers et l'état actuel des stocks. Cette approche est moins efficace que le contrôle permanent, mais s'avère aussi moins coûteuse.

3. **Le contrôle cyclique:** il s'agit ici de diviser les divers articles du stock en catégories (p.e. A,B,C) en tenant compte de leur impact financier, et d'attribuer une fréquence de vérification à chacune de ces catégories. Ainsi:
   — catégorie A- articles comptant pour 20% des stocks mais générant 70 à 75% des ventes: vérification aux quatre mois;
   — catégorie B- articles comptant pour 30% des stocks et pour 20% des ventes: vérification aux six mois;
   — catégorie C- articles comptant pour 50% des stocks et pour 5% des ventes: vérification une fois l'an.

On voit que le contrôle cyclique permet d'appliquer le principe de gestion par exception au système de contrôle des stocks et de concentrer l'effort administratif aux endroits où il est le plus productif.

Conclusion

En utilisant, compte tenu de sa propre situation, l'une ou l'autre des méthodes résumées ici, la direction peut se dégager de la gestion courante des stocks et des matières, sans perdre le contrôle essentiel à une saine gestion de cet aspect important des activités de l'entreprise.

LES CERCLES DE QUALITÉ

Gaston Meloche

Les cercles de qualité sont de petits groupes composés de trois à douze personnes, disposées à agir de leur plein gré et à se réunir régulièrement, dans le but de dépister et de résoudre des problèmes communs.

Dans cette définition, tous les termes comptent:

— groupes de trois à douze personnes, c'est-à-dire suffisamment nombreux pour favoriser la créativité, mais assez restreints pour éviter le désordre et la confusion;

— disposées à agir de leur plein gré: les cercles de qualité sont fondés sur la participation. La participation exige l'adhésion libre et volontaire de ceux qui s'y engagent, l'aptitude à la discussion objective. Ces dispositions, on peut les acquérir, il est impossible de les imposer;

— disposées à se réunir régulièrement: les cercles de qualité ayant des buts pratiques, leur fonctionnement ne peut être abandonné à la fantaisie ou au hasard. Il est essentiel qu'ils se réunissent à échéances précises afin d'identifier les priorités d'intervention et de mener à bien les solutions retenues. Ils pourront, selon le cas, tenir leurs réunions aux deux semaines ou trois semaines, pour une durée de 1 heure à 1 1/4 heure. Pendant la période de démarrage, ils pourront adopter un rythme plus serré, soit une réunion par semaine;

— dépister et résoudre des problèmes communs: 1) l'identification et la solution d'un ou de plusieurs problèmes constituent un travail d'analyse qui met en cause l'expérience et l'habileté des membres du groupe et fait appel, normalement, à des représentants de plusieurs services de l'entreprise; 2) il s'agit bien de résoudre des problèmes **communs,** qui sollicitent l'intérêt et l'engagement de tous les membres, dont l'implication active doit se maintenir jusqu'à l'application de la solution adoptée. Il faut donc éviter de soumettre aux cercles de qualité des problèmes individuels ou relevant de l'autorité d'une seule personne, puisque les "consultés" seraient alors appelés à fournir des opinions sur lesquelles le principal intéressé est seul en mesure de poser un jugement définitif et de prendre action. En pareil cas, on doit utiliser un autre mécanisme de consultation.

Notons qu'il peut être avantageux, selon la nature des problèmes, de former des cercles distincts pour employés d'usine et pour employés de bureau.

Lancement d'un cercle de qualité[1]

Avant le démarrage, il est essentiel que la direction prenne le temps d'apprendre ce qu'est un cercle de qualité, qu'elle s'interroge sur ce qu'elle peut en attendre en tenant compte des conditions dans lesquelles il sera appelé à fonctionner. Cette évaluation repose sur un diagnostic de l'entreprise, incluant notamment la qualité de l'encadrement et, le cas échéant, la "température" du syndicat.

On peut alors

— définir le rôle du cercle de qualité;

— planifier ses travaux et interventions;

— organiser une expérience-pilote en prévoyant la procédure à suivre, le lieu des réunions, etc.

Mais avant de passer à l'action, il faut:

— avoir obtenu, sur l'ensemble du projet, un consensus clair de la part de la direction, des cadres intermédiaires et, s'il en existe un, du syndicat: celui-ci doit avoir été consulté et avoir donné son accord à toutes les étapes du projet, car sa présence peut créer des conflits: au Québec, le syndicat se substitue souvent au contremaître, par exemple; or l'un des effets du cercle de qualité est de rétablir le contremaître dans sa fonction et d'apparaître comme une menace pour le conseiller syndical, à moins qu'on n'ait pris des mesures pour effectuer une transition en douceur;

---

1. *Le gouvernement fédéral peut subventionner les frais de mise en place des cercles de qualité.*

— s'être posé certaines questions, notamment: ira-t-on au-delà des problèmes de l'entreprise? Une fois la survie assurée, qu'arrivera-t-il? Y aura-t-il des congédiements? Qu'est-ce que j'y gagnerai, moi, travailleur?

— avoir établi un comité de direction chargé d'encadrer et d'orienter le travail du cercle de qualité, et composé des leaders reconnus de tous les groupes concernés: dirigeants, cadres, travailleurs, syndicat; la tâche du comité consiste à définir les objectifs et le cheminement critique, à désigner un ou des animateurs, à établir les politiques du cercle, y compris les garde-fous qui le maintiendront dans la voie tracée;

— posséder ou avoir mis au point les outils de mesure qui serviront à évaluer l'expérience-pilote: statistiques, coûts et autres données, qui devront déjà exprimer les résultats antérieurs afin d'offrir une base de comparaison valide, car il faut mesurer avant de commencer, donc se donner des normes; et s'il est facile de comparer des chiffres ou des éléments quantitatifs, les changements dans le climat du travail et les comportements sont beaucoup plus difficiles à évaluer et, à long terme, beaucoup plus importants.

La patience à l'épreuve

Les chefs d'entreprise cherchent généralement à obtenir des résultats rapides de leurs décisions. L'implantation d'un premier cercle de qualité requiert cependant une période de 18 à 24 mois. On doit donc développer une patience corporative qui trouvera sa réponse dans l'évaluation de l'expérience-pilote. C'est à ce moment qu'on choisira de pousser le projet plus loin, ou de lui donner le coup de grâce. On serait prudent de retenir que le défaut de préparation, une hâte excessive et d'autres facteurs entraînent un taux de mortalité élevé: deux cercles sur trois aboutissent à l'échec.

Conditions d'efficacité

Le cercle de qualité n'est pas une confrérie destinée à entretenir des sentiments de bonne amitié. C'est un instrument de travail. Pour être efficace, il doit être ordonné, discipliné et son action, si elle n'exclut pas l'enthousiasme, doit s'appuyer surtout sur les connaissances et le savoir-faire des participants. Le problème commun qu'ils choisiront de résoudre les amènera à se pencher collectivement sur les causes de la situation à corriger, sur le choix et l'application des remèdes: ils doivent savoir de quoi ils parlent.

Utilisant un processus de décision éprouvé, ils devront dégager une solution appropriée et, après avoir vérifié la qualité de l'analyse, la tester sans délai: si elle est satisfaisante, ils en proposeront l'adoption à la direction. Si tout le monde est d'accord, le cercle de qualité procédera à son implantation.

Implications diverses

Quand elle adopte le projet de former un ou des cercles de qualité, la direction poursuit des buts précis. Elle doit s'assurer, dès le départ, que ces buts, et les moyens choisis pour les atteindre, sont compatibles avec le rôle des cercles et avec les conditions essentielles à leur succès.

Motivation, participation

Le rendement des cercles de qualité repose sur la motivation des participants. Dans la mesure où ils apprendront à penser et à agir en fonction des intérêts de l'entreprise tout en augmentant leur propre satisfaction au travail, on aura fait un pas important dans la poursuite des objectifs recherchés. Or, dans l'optique des cercles de qualité, la motivation va de pair avec la participation; en d'autres mots, la hausse de productivité est liée à l'humanisation du travail, à l'accès des employés à une partie des responsabilités de planification, de gestion et d'innovation, dans le respect de la structure organisationnelle.

Mais on ne produit pas des gestionnaires compétents en ces domaines du jour au lendemain; il faut fournir aux employés des éléments de formation, notamment sur la stratégie de l'entreprise, en matière de qualité, de productivité, sur le rôle et le fonctionnement des cercles. Ceux-ci peuvent d'ailleurs constituer une excellente école de formation pour leurs membres.

Le partage des responsabilités de gestion, dont les bienfaits sont de plus en plus reconnus, ne devrait pas affecter la structure d'autorité, ni présenter une menace aux droits de la direction. Même si les cercles, comme toute forme de participation, peuvent créer des "goûts", des tendances à l'autonomie, la direction conserve évidemment la haute main sur les décisions. Il n'est pas question ici de cogestion, mais d'une décentralisation voulue, contrôlée de certaines responsabilités situées dans le champ de compétence des membres du cercle.

Cadres et contremaîtres

Aux employés subalternes, le cercle de qualité, même s'il ne confère pas de poste hiérarchique, peut apporter le sentiment d'une importance, d'une dignité nouvelles. En leur permettant de travailler à la recherche collective de solutions, il les rehausse à leurs propres yeux et à ceux de leur entourage; il les fait passer du rôle d'exécutants plus ou moins passifs à celui de partenaires, jusqu'à un certain point, dans le processus de gestion.

Cette promotion, même informelle, des subalternes et la logique des cercles de qualité exigent que les cadres intermédiaires tiennent compte désormais des opinions des travailleurs et qu'ils modifient en conséquence leur comportement à leur endroit, qu'ils abandonnent des habitudes de domination parfois fortement ancrées, qu'ils deviennent des guides, des catalyseurs, plutôt que des supérieurs rigides. Pour nombre de cadres intermédiaires et encore plus pour les contremaîtres, cette adaptation peut être pénible. Ils ont l'impression de perdre leurs privilèges auprès de la direction; ils sont portés à considérer le cercle de qualité et ses membres comme des intrus dont les interventions seraient une condamnation de leurs méthodes, une atteinte à leur réputation et à leur compétence. Ils auront besoin d'un entraînement adéquat et du support de leurs supérieurs pour conserver leur confiance en eux-mêmes et pour s'habituer aux nouveaux aspects de leurs fonctions.

Les menaces et un comportement autocratique agissent comme un frein sur la productivité en coupant le souffle à l'initiative et à la créativité des employés. Selon Peter F. Druker, la réponse consisterait à habituer les travailleurs à "réagir comme des managers", à être conscients en tout temps de la portée de leurs gestes sur l'ensemble de l'entreprise ou de la section dans l'ensemble de l'entreprise ou de la section dans laquelle ils se trouvent. Impossible? C'est pourtant le climat qu'on retrouve dans toutes les entreprises performantes qui font l'objet du livre "In Search of Excellence": "Sans exception, elles considèrent les employés comme la source première de l'augmentation de la productivité... C'est, en fait, la coexistence d'une direction centrale ferme et d'une liberté très large laissée à l'individu dans l'exercice de ses fonction." ("Réflexions sur les "gros" et les "petits", par Jacques Villeneuve)

Pas une "potion magique"

Le succès d'un cercle de qualité exige des conditions favorables. Si elles n'existent pas, il faut les créer. Il faut d'abord admettre que le travailleur moyen possède des ressources diverses, y compris l'initiative et le jugement, susceptibles de servir les objectifs de l'entreprise. Là où la direction est méfiante, se réserve le droit de décision jusque dans les moindres détails, est convaincue de posséder toute la vérité, le cercle de qualité est condamné d'avance. Le même sort l'attend si, entre l'employeur et le personnel ou le syndicat, règne un climat d'antagonisme irréductible. Enfin, le cercle de qualité n'est pas en soi une solution à une situation financière difficile, ni à un climat "pourri". Il peut constituer une orientation nouvelle et importante de la gestion mais il n'est qu'une partie de la gestion globale.

Selon M. Gaston Meloche, le cercle de qualité n'est pas un départ, mais un aboutissement. Si la direction, en particulier celle d'une PME, a réussi à maintenir des relations saines et un climat de confiance raisonnable avec ses employés, si elle est prête à leur fournir l'occasion de mettre leur cerveau à contribution, le cercle de qualité aura de bonnes chances de se développer et de concourir sérieusement au progrès de l'entreprise.

Une autre mode?

Gaston Meloche insiste sur le fait que le cercle de qualité n'est que l'une des nombreuses formes de participation qui ont connu, à diverses époques, une popularité le plus souvent passagère, ou limitée à des régions ou à des groupes relativement restreints: direction par objectifs, partage des profits, comités de productivité, d'innovation, etc. Le cercle de qualité est peut-être la plus récente de ces formules. Là où il a donné des résultats intéressants, ce fut dans des entreprises où l'implication active des employés dans tous les aspects de leur travail était ou est devenue un objectif prioritaire, une préoccupation quotidienne. Si cette condition n'est pas présente, on perdrait son temps à bricoler autour d'un cercle de qualité ou de tout autre programme de participation. Car chacun de ces cas constitue un test du sérieux de la direction et de sa bonne foi. Si elle ne relève pas le défi, l'expérience peut s'avérer inutile et peut-être pénible.

Quelques précisions

L'animateur — On suggère que ce poste soit confié au début à un contremaître. C'est un bon moyen de redorer son blason et de mousser son enthousiasme. Quand le cercle aura atteint sa vitesse de croisière, on pourra demander à des membres du cercle d'agir à tour de rôle comme animateur.

Le coordonnateur — Dès qu'il en existe plus d'un, il faut confier à une personne la responsabilité de faire le pont entre les cercles et la direction. Cette personne doit connaître les employés, pouvoir communiquer avec tous les membres du personnel, jouir de leur confiance, posséder une bonne réserve de patience et d'entregent. C'est une tâche délicate qui inclut notamment la formation des animateurs et la tenue fidèle des procès-verbaux. On ne la confie pas au premier venu.

Les premiers pas — Quand le cercle de qualité aura mis au point une solution réaliste et logique à un premier problème, il en fera une présentation formelle à la direction. Même si le projet retenu n'est pas le meilleur ou celui qu'elle considère prioritaire, la direction devrait éviter autant que possible de créer du dépit chez les membres du cercle. Dans tous les cas, elle doit reconnaître leurs efforts, maintenir leur intérêt, les supporter constamment, en particulier par l'entremise du comité de direction et favoriser l'étude de problèmes de plus en plus importants. **"Un cercle de qualité se construit comme un mariage, non comme une maison";** le rôle de la direction est de l'aider à corriger son tir et à améliorer constamment sa performance. De toute façon, qu'elle accepte ou refuse un projet, la direction doit toujours justifier sa décision auprès du cercle par des arguments sérieux. Sinon, elle porterait un coup dur à la motivation et à l'efficacité du groupe.

Les travaux du cercle — Ils doivent porter sur des questions reliées à la gestion des activités de l'entreprise, à la productivité, à la qualité, aux ventes, etc. Les problèmes de relations de travail, griefs, cas spécifiques... doivent être remis aux comités en cause. Au Québec, surtout au début, il apparaît réaliste de prévoir que les cercles se réuniront pendant les heures de travail.

Une première exigence: la confiance — Confiance de la direction dans la valeur productive des employés et de la participation. Si la confiance règne, le cercle de qualité offre des perspectives très favorables au succès. Toute suggestion y est testée par des gens familiers avec les possibilités et les difficultés courantes. Lorsqu'un projet est adopté à l'unanimité, son implantation sera facile — ou on le poussera vigoureusement, parce qu'on se sent responsable de "son idée".

"Staff" et techniciens — Les spécialistes de l'entreprise ont leur place dans la vie des cercles, à condition qu'on se préoccupe d'établir la collaboration entre les deux groupes. Les uns y gagneront des connaissances nouvelles, les autres apprendront à faire valoir leurs idées et à s'entraider.

Discrétion — Le cercle de qualité n'est pas nécessairement voué au succès. Tout en prenant les mesures nécessaires, la prudence suggère qu'on ne l'entoure pas d'une publicité prématurée, susceptible de soulever l'opposition de certaines catégories d'employés ou du syndicat, ou encore d'engendrer en cas d'échec des frustrations prolongées. Si la première expérience est positive, le moment sera venu de se féliciter, de créer de nouveaux cercles et de recruter leurs membres.

Craintes... et récompenses — La hausse de la productivité étant l'un des objectifs des cercles de qualité, les travailleurs se poseront peut-être des questions, par exemple: "Vais-je y perdre mon emploi?" ou encore "Qu'y a-t-il là-dedans pour moi?" Pour calmer ces inquiétudes, la direction pourrait prendre certains engagements, celui notamment d'éviter tout congédiement avant l'évaluation de l'expérience-pilote.

Si l'expérience réussit, les employés voudront savoir, par ailleurs, ce qu'ils en retireront. On pourra leur proposer le partage d'une partie des gains, sous une forme ou une autre, qui serait attribuée soit au cercle, soit à ses membres, ou aux employés impliqués dans les résultats obtenus. Si les surplus financiers sont, du moins au début, négligeables ou insuffisants, il reste à faire valoir l'élément qualitatif: l'augmentation de la satisfaction et du sentiment de dignité acquis grâce au cercle de qualité, au climat de collaboration et de solidarité qu'il permet de développer. Pour bien des travailleurs, cette libération de la sujétion quotidienne peut représenter une compensation très importante. Ce qui n'exclut pas la possibilité que des progrès éventuels se traduisent par des récompenses plus tangibles.

Cheminement des étapes à compléter pour la mise en marche du premier cercle.

A- Introduction à la direction

B- Introduction au syndicat et entente

C- Sélection du coordonnateur

D- Sélection des animateurs

E- Sélection du comité de direction

F- Introduction au comité de direction

G- Politiques du comité de direction

H- Politiques des cercles de qualité

I- Objectifs à définir

J- Quantifier les objectifs

K- Établir des outils de mesure des objectifs, et des critères

L- Information aux employés

M- Établir une liste des employés intéressés à faire partie d'un cercle et recrutement

N- Formation des animateurs

O- Assemblée d'information aux futurs membres des cercles.

Les cercles de qualité et Santé Sécurité

Monsieur Meloche est d'avis qu'au Québec, à cause de l'impact de la Loi sur la santé et la sécurité du travail, il y aurait lieu de considérer l'utilisation de ce qu'il appelle les "cercles de sécurité" ou à tout le moins des outils techniques qui sont la base du travail dans un cercle de qualité, pour analyser les problèmes de sécurité, en contrôler et vérifier les causes, la fréquence, etc. et même pour "tester" les solutions proposées.

Depuis quelque temps déjà, il favorise l'utilisation du "cercle de sécurité" au niveau du "comité parapluie" ou à celui des sous-comités de santé et sécurité d'établissements, sans nuire aux fonctions ni au mandat prescrits par la Loi, au contraire. Il reste que le cercle de qualité et le cercle de sécurité ont des objectifs différents qu'il ne faut pas confondre.

LA PRODUCTIVITÉ CHEZ TEXTILE DIONNE

Productividées, mars-avril 1983

C'est en mars 1981 — en pleine récession économique — que Textile Dionne décide d'ouvrir une nouvelle filature à Drummondville. Avec l'aide du ministère fédéral de l'Expansion économique régionale, on obtient les fonds nécessaires ($5,2 millions).

Un tel investissement devait faire de l'usine de Drummondville la filature la plus moderne au monde. En effet l'usine, devant employer 40 travailleurs, utiliserait une technologie des plus avancées dans le domaine textile, notamment l'informatisation et la robotisation.

La nouvelle filiature atteint les trois objectifs fixés par la direction.

1. L'ouverture de l'usine de Drummondville a permis aux deux autres usines du groupe Textile Dionne (celle de St-Georges de Beauce et celle de Montmagny) de rationaliser leur production par une meilleure répartition de la fabrication des différentes variétés et grosseurs de fils, et ainsi d'augmenter leur productivité respective.

2. La filature de Drummondville est le résultat du souci de satisfaire de nouveaux besoins de la clientèle. À l'heure des usines textiles automatisées, la fabrication d'un fil de qualité constante, sans noeud ni défaut, s'impose. Textile Dionne arrive à combler ces besoins par:

   — l'informatisation de la préparation du mélange de fibres (50% coton, 50% fibres synthétiques) produisant un mélange parfait et constant des fibres;

   — les soudures à l'air effectuées par un robot permettant de lier 2 brins de fil sans avoir recours aux noeuds.

TEXTILE DIONNE

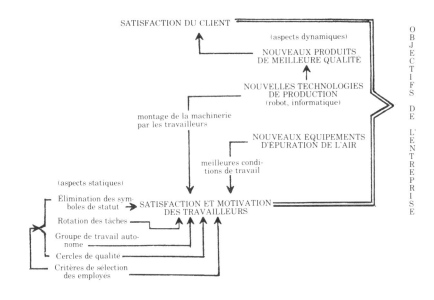

Source: *"Des machines et des hommes à la filature Textile Dionne"*, **Revue Productivi-dées,** *Mars-Avril 1983, p. 1 et 2.*

3. Tout dans l'usine Textile Dionne reflète la volonté de M. Jean-Guy Dionne (à la tête du groupe depuis 1963) de concevoir de nouvelles conditions et un nouvel environnement de travail dignes de l'humain. À cet égard, notons que:

— l'architecture de l'usine élimine tous les "symboles" traditionnels de statut hiérarchique; une même entrée, un même stationnement, une même salle à dîner et une même salle de conférence pour tous;

— les conditions de travail et particulièrement la qualité de l'air dans l'usine sont des meilleures grâce à l'utilisation d'équipements sophistiqués. Par exemple, les fibres de textile sont battues dans des cuves hermétiques afin d'éliminer la poussière de coton, néfaste pour la santé. Des balayeuses automatiques, qui récupèrent les fibres de textiles contenues dans l'air, sont utilisées conjointement avec un puissant aérateur qui renouvelle l'air dans l'usine. Enfin, des climatiseurs assurent le bien-être des travailleurs;

— les travailleurs ont participé activement à la mise en marche de l'usine. Ils ont monté leur machinerie sous la direction des spécialistes des fournisseurs, ce qui devait leur permettre de bien connaître l'appareil qu'ils auraient entre les mains. En deux mois — ce qui est rapide — les travailleurs ont pu voir fonctionner "leur" machine.

L'usine de Drummondville innove également dans le domaine de la gestion des ressources humaines. Tout d'abord, la sélection des 40 travailleurs n'a pas été laissée au hasard. Les critères auxquels devaient répondre les candidats étaient: la maturité, la sincérité, la souplesse, un sens poussé de l'initiative et de l'esprit d'équipe[1]. Les travailleurs devant effectuer la rotation des tâches, on accorda aussi de l'importance à la taille du candidat car des exigences particulières étaient requises pour l'un des postes de travail. Parmi les candidats retenus, plusieurs ne possédaient pas les compétences techniques du textile, mais tous les ont acquises rapidement.

La moyenne d'âge de l'équipe est de 26 ans pour une scolarité équivalente à une douzième année.

Présentement, on est à préparer l'implantation de "cercles de qualité". Les résultats devraient être très positifs, puisque déjà les travailleurs cherchent à améliorer la machinerie la plus moderne du monde et manifestent le désir de pouvoir résoudre eux-mêmes les pannes qui se produisent.

Les résultats

Quelques mois après son ouverture officielle (octobre 1982), l'usine s'avérait rentable selon M. Jean-Guy Dionne, bien qu'en janvier 1983, elle n'ait pas atteint en permanence son rythme de production prévu de 30 000 kg de fil par semaine[2].

Une équipe de travailleurs des plus motivés, surveillant les niveaux de production hebdomadaires pour atteindre ou dépasser l'objectif de 30 000 kg/semaine, où l'absentéisme est quasi inexistant et où la production ne diminue pas la nuit, même en l'absence totale de supervision, telles sont les caractéristiques prédominantes du personnel de production chez Textile Dionne.

---

1. *Ces qualités étaient indispensables parce que les travailleurs de l'usine oeuvrent sous un minimum de supervision: aucun horodateur, aucun contremaître, une supervision générale limitée à 40 heures sur les 168 heures de la semaine. Ils bénéficient également d'une certaine flexibilité dans les heures de travail.*

2. *Aujourd'hui, la productivité atteint plus de 50 000 lb de fil par semaine. (***Revue Qualité,*** Juin 1983).*

LES ENTREPRISES À SUCCÈS ET LA PRODUCTIVITÉ

Marcel Côté et Yvon Dufour

"Pourquoi certaines entreprises réussissent-elles mieux que d'autres?"

Réponse: "Parce qu'elles prennent les moyens d'utiliser leurs ressources productives de façon plus efficace que leurs concurrents."

C'est l'évidence même. Ce qui est plus complexe c'est d'identifier et d'appliquer les moyens qui permettent à des entreprises d'obtenir des résultats supérieurs à la moyenne. Pour trouver des solutions pratiques à ce problème, il faut aller voir ce qui se passe dans les entreprises. C'est précisément ce qu'ont fait, au cours d'une étude terminée récemment, les membres d'une équipe de l'École des Hautes Études Commerciales, formée de MM. Marcel Côté et Yvon Dufour et d'étudiantes et étudiants de niveau maîtrise.

On saisit l'importance de ce travail quand on sait que 40% des entreprises qui adoptent un programme de productivité ont été motivées par l'exemple d'autres entreprises (American Productivity Centre — 1982).

25 stratégies d'amélioration de la productivité

L'étude[1] repose sur la description objective des programmes de productivité appliqués par 25 entreprises à succès du Québec.

Dans un premier temps, l'équipe des H.E.C. a dressé un bilan des publications et rédigé un résumé des articles en langue française sur le sujet parus depuis dix ans[2].

Plusieurs représentants des milieux d'affaires, gouvernementaux et universitaires ont ensuite été invités à contribuer au choix des 25 entreprises à succès. On leur posait une seule question: "Connaissez-vous des entreprises qui, à partir de vos critères et de votre évaluation personnelle, peuvent être désignées comme des entreprises à succès?" À cette source d'information, on a ajouté celle provenant de la presse d'affaires québécoise. Une première liste d'entreprises, soumise à un comité d'aviseurs représentant le monde des affaires, les syndicats et le gouvernement, a été maintenue presque intégralement.

---

1. *Cette étude a été commanditée par l'Institut National de Productivité.*

2. *Ce document contient les résumés de 150 articles et un index des programmes d'amélioration de la productivité.*

La cueillette des données s'est effectuée de mai à septembre 1983. Chaque entreprise a fait l'objet d'un rapport de 4 000 à 6 000 mots décrivant:

1) les principales données sur le secteur d'activité économique de l'entreprise;
2) un bref historique de son développement;
3) ses principales pratiques et politiques de gestion en ressources humaines, production, marketing et direction générale.

Chaque rapport contenait la liste des facteurs de succès de l'entreprise.

Caractéristiques des entreprises

Les 25 entreprises étudiées représentent dix-huit secteurs d'activités, soit: deux entreprises de produits électriques, deux de produits électroniques, trois du textile, deux imprimeries et seize entreprises représentant chacune un secteur différent. Trente-six pour cent (36%) des entreprises étaient localisées sur l'île de Montréal alors que vingt-huit pour cent (28%) étaient situées à Laval ou dans les Laurentides. Douze pour cent (12%) opéraient dans la région de Québec. Les autres entreprises, soit vingt-quatre pour cent (24%) avaient leur lieu d'affaires dans les régions périphériques des grands centres. Quant au nombre d'employés, la plus petite entreprise en comptait 13 alors que la plus grande en embauchait 710.

Les éléments de programmes d'amélioration de la productivité

L'une des toutes premières constatations que l'équipe a retirées de l'examen des données est que, dans l'ensemble, la préoccupation pour l'amélioration de la productivité est clairement et explicitement présente dans les entreprises "à succès"; les entreprises à succès s'engagent dans des activités ayant pour but d'assurer une utilisation plus efficace de leurs ressources productives. Le tableau 1 présente les différents éléments de leurs programmes d'amélioration de la productivité.

Les "facteurs stratégiques" d'amélioration de la productivité

Comme le soulignait un auteur, "Les gestionnaires sont à la recherche de ce qu'on a appelé "les facteurs stratégiques". Aucune firme n'est aussi forte dans toutes ses fonctions. Proctor et Gamble est connue pour son superbe marketing. Maytag est reconnue pour la qualité de sa production et de son design alors que American Telephone and Telegraph est connue pour la qualité de son service et ses politiques de personnel."

Les auteurs de l'étude sur les efforts d'amélioration de la productivité des 25 entreprises à succès proposent quatre "facteurs stratégiques" de base: le marché, la production, la technologie et les ressources humaines. (Tableau 2).

Les deux premiers facteurs (marché et production) réfèrent aux orientations poursuivies par l'entreprise dans sa recherche d'efficacité. Les deux derniers (technologie et ressources humaines) renvoient aux objets privilégiés par les dirigeants pour atteindre la productivité souhaitée. Les orientations et les objets en se combinant comme une chaîne élémentaire fin/moyen, permettent d'identifier les deux éléments fondamentaux (l'objectif et le moyen) de la stratégie utilisée.

Deux "facteurs stratégiques" constituent les pôles extrêmes de la série des orientations potentielles: le marché et la production.

La définition de l'orientation marché/production s'inspire des propos de Théodore Levitt dans son article intitulé "Marketing Myopia" publié dans le Harvard Business Review. Essentiellement, une entreprise adopte une orientation vers le marché lorsqu'elle pratique une politique d'amélioration de sa productivité axée sur la définition large de son consommateur. La mise en oeuvre d'une telle politique se fera par l'intermédiaire des composantes du "marketing mix", à savoir la distribution, la promotion, le prix et le produit lui-même. Une entreprise adopte une orientation axée sur la production lorsqu'elle pratique une politique d'amélioration de la productivité axée sur le processus de production. La mise en oeuvre d'une telle politique se fera par l'intermédiaire d'interventions sur les composantes ou éléments du processus de production.

Sur les 25 entreprises "à succès", quinze peuvent être aisément identifiées comme orientées vers le marché alors que les dix autres sont plutôt axées sur la production.

Le second axe concerne l'objet ou moyen privilégié. Les programmes d'amélioration de la productivité des "entreprises à succès" cherchent à intervenir soit via les ressources humaines de l'organisation ou encore via la technologie, c'est-à-dire en agissant sur les procédés, outils, machines et autres éléments techniques de l'entreprise.

Douze des entreprises étudiées ont investi des efforts d'amélioration de la productivité dans leurs ressources humaines alors que les treize autres sont intervenues principalement sur leur technologie.

La juxtaposition en perpendiculaire des axes d'orientation et d'action (tableau 2) permet de définir quatre profils types de stratégies d'amélioration de la productivité:

Tableau 1

Principaux éléments des programmes d'amélioration de la productivité utilisés par les entreprises étudiées (25).

Éléments d'amélioration de la productivité	Utilisés par
Technologie	
Modernisation	7 entreprises
Achat de machinerie	4 entreprises
Adaptation de l'outillage	3 entreprises
Automatisation	4 entreprises
Informatisation	7 entreprises
Ressources humaines	
Consultation (employés)	7 entreprises
Communication	9 entreprises
Valorisation des travailleurs	8 entreprises
Activités sociales	7 entreprises
Formation et perfectionnement	10 entreprises
Rotation des tâches	7 entreprises
Politique d'emplois permanents	3 entreprises
Importance accordée au recrutement	10 entreprises
Réduction des effectifs	3 entreprises
Horaire à temps partagé	3 entreprises
Horaire semi-flexible	2 entreprises
Temps supplémentaire	1 entreprise
Réévaluation des emplois	1 entreprise
Importance accordée aux incitatifs	5 entreprises
Partage des profits	2 entreprises
Marché	
Effort distinctif dans la distribution	10 entreprises
Effort distinctif de vente	10 entreprises
Effort distinctif de publicité	8 entreprises
Éducation de la clientèle	3 entreprises
Attention spéciale aux délais de livraison	6 entreprises
Attention spéciale au service après vente	4 entreprises
Attention spéciale au marché	11 entreprises
Effort distinctif pour l'exportation	5 entreprises
Production	
Innovation	9 entreprises
Recherche, développement	14 entreprises
Rationalisation des méthodes de travail	4 entreprises
Approvisionnement	1 entreprise
Location d'espaces	3 entreprises
Agrandissement des locaux	5 entreprises
Production sur mesure	4 entreprises
Fabrication sur commande	2 entreprises
Augmentation des heures de production	4 entreprises
Contrôle de qualité	14 entreprises
Contrôle des coûts	5 entreprises
Récupération ou vente de rebuts	2 entreprises
Spécialisation de la production	5 entreprises

Note — Chacune des 25 entreprises étudiées utilise plusieurs des éléments mentionnés dans les quatre champs d'intervention (ci-dessus). Le nombre d'éléments utilisés varie de 3 à 14 par entreprise, pour une moyenne de 9, répartis, dans 12 cas sur 25, dans les quatre champs d'intervention. À cette information, différente de celle qui apparaît au tableau 1, on peut donner le sens suivant: pour les gestionnaires, l'amélioration de la productivité tient à l'application de plusieurs correctifs, choisis pour répondre à leur situation particulière.

Tableau 2

Juxtaposition des axes d'orientation et d'action
des efforts d'amélioration de la productivité
des "entreprises à succès"
Position des entreprises

Technologie

Profil le TECHNICIEN-VENDEUR (7 entreprises)	Profil L'INGÉNIEUR (6 entreprises)

Marché ——————————————————————— Production

Profil le PSYCHOLOGUE-MERCATIQUE (8 entreprises)	Profil Le PRODUCTEUR-FAMILIAL (4 entreprises)

Ressources humaines

L'INGÉNIEUR:

La firme "ingénieur" cherche essentiellement à améliorer sa productivité en introduisant de façon marquée et/ou fréquente des changements dans les outils, procédés ou machines utilisés dans son processus de production. Six des vingt-cinq "entreprises à succès" correspondent à cette description.

Le TECHNICIEN-VENDEUR:

La firme "technicien-vendeur" améliore sa productivité de façon accessoire en introduisant des changements sur les machines, procédés et outils, dans l'intention d'ajuster l'offre de ses produits à la demande des clients. Ici, sept des vingt-cinq "entreprises à succès" adoptent ce profil.

Le PSYCHOLOGUE-MERCATIQUE[1]

La firme "psychologue-mercatique" se préoccupe essentiellement d'améliorer sa productivité par l'intermédiaire d'efforts

3. *MERCATIQUE: aspects généraux de la vente.*

d'amélioration de la qualité de la vie au travail, et cherche à maximiser sa rentabilité en s'adaptant aux besoins de sa clientèle. Huit "entreprises à succès" répondent à cette description.

Le PRODUCTEUR-FAMILIAL:

La firme "producteur-familial" cherche à améliorer sa productivité via le processus de production tout en cherchant à maintenir la qualité du climat de travail au sein de ses installations et à maximiser la satisfaction de ses employés. Quatre entreprises s'inscrivent dans cette dernière catégorie.

Conclusion

La distribution des "entreprises à succès" dans l'ensemble des quatre grands types de base de stratégies définis précédemment, suggère à toute fin pratique qu'aucun de ces types de base n'est spécifique aux entreprises à succès. En effet, puisqu'il existe des entreprises "à succès" de types ingénieur, technicien-vendeur, psychologue-mercatique et producteur-familial, on doit conclure qu'il n'existe pas de profil unique et spécifique aux entreprises à succès. Cependant, l'examen de la description sommaire des secteurs d'activité économique des entreprises montre une très forte corrélation entre les principales "règles du jeu", courantes dans un secteur industriel donné, et les types de base de stratégie des entreprises à succès. En effet, quinze entreprises sur vingt-cinq ont adopté une stratégie conforme à celle de l'ensemble de leur industrie. Ces dernières constatations portent à croire que le succès d'une entreprise, en matière d'amélioration de la productivité, est souvent relié au fait que sa stratégie contient les éléments les plus généralement utilisés dans le secteur industriel auquel elle appartient.

6

CONSEIL D'ADMINISTRATION — SUCCESSION

UN ATOUT PUISSANT: VOTRE CONSEIL D'ADMINISTRATION

PME Gestion

La présence de quelques hommes d'affaires habiles sur un conseil d'administration peut augmenter grandement l'efficacité et la rentabilité d'une PME. De nombreux dirigeants en ont fait l'expérience. Mais la plupart des PME restent privées d'un tel support, faute de renseignements suffisants, de contacts et d'orientations précises. Le problème était connu depuis longtemps et avait été souligné à maintes reprises dans les milieux patronaux, universitaires et gouvernementaux. Plusieurs individus s'étaient intéressés à susciter ou à participer à des solutions isolées. Mais aucun organisme, privé ou public, ne détenait une formule, un instrument applicable de façon rapide et concrète à la solution de ce problème si répandu.

Président de Hockey Canadien Inc. depuis sa fondation, M. Marc Ruel décidait à l'automne 1982 de quitter ce poste et de prendre une année sabbatique. Parmi d'autres objectifs, il avait l'intention de mettre au point et de proposer aux PME des moyens pratiques de se procurer un conseil d'administration adapté à leurs besoins. Au cours d'une entrevue récente, monsieur Ruel a accepté de décrire les éléments de ce projet devenu réalité. PME GESTION tient à le remercier vivement de sa collaboration.

Un problème — une solution

À titre d'ancien président et de membre actif du Groupement Québécois d'Entreprises, M. Ruel était témoin du désarroi de nombreux patrons, accablés par des tâches multiples et exigeantes parce qu'ils ne peuvent pas compter, parmi leur personnel, sur des cadres spécialisés et expérimentés capable de partager avec eux les responsabilités de la gestion. La réponse à cette situation devait consister à entourer le dirigeant de quelques administrateurs de l'extérieur, possédant les compétences requises pour combler les principales déficiences de l'entreprise: production, finance, marketing, personnel ou autres. Dans la plupart des cas, il devrait s'agir de deux administrateurs, ce nombre pouvant exceptionnellement être porté à trois ou quatre.

Afin de soulever l'intérêt des patrons à l'endroit de cette formule, le Groupement Québécois d'Entreprises fit monter par la Banque Fédérale de Développement un vidéo illustrant la formation d'un conseil d'administration et le déroulement d'une séance de conseil où les rôles étaient joués par des acteurs professionnels. Projeté à partir de novembre 1982 devant les 30 clubs industriels du G.Q.E., ce vidéo de 14 minutes "mit l'eau à la bouche" des patrons. En peu de temps, plusieurs d'entre eux cherchaient à se prévaloir de la formule de conseil d'administration préconisée par le G.Q.E.

Un projet devient programme

Au G.Q.E., aucun employé n'était disponible pour effectuer les divers travaux requis pour mener à bien la demande des patrons. C'est alors que M. Ruel décida de consacrer à cette tâche-clé une part substantielle de son année sabbatique. Grâce au concours d'un fonctionnaire prêté par le MICT, il organisa un rendez-vous avec chacun des patrons intéressés, procéda à un diagnostic rapide de l'entreprise, à la définition des compétences requises, pour en venir à proposer un premier candidat. À ce moment, il suggère au patron d'inviter le candidat à visiter son entreprise, et de prendre ensuite avec lui un lunch détendu, afin d'établir si les deux personnalités sont compatibles et si leur collaboration offre des chances de succès. On utilise la même approche à l'égard du deuxième administrateur.

Durant la première année du programme, M. Ruel répéta le même processus auprès de 20 entreprises. Il compte en visiter 35 au cours de la deuxième année, accompagné par son collaborateur du MICT, M. Yvon Bédard.

De véritables conseils

Pour mettre les administrateurs de l'extérieur à l'abri de poursuites légales possibles, on a favorisé, dans une première phase, la formation de comités consultatifs plutôt que de conseils d'administration, les administrateurs agissant alors comme conseillers. Quand on réalisa qu'ils étaient soumis aux mêmes obligations que les administrateurs, on opta pour la formule suivante:

— constitution de conseils d'administration (avec procès-verbaux, jetons de présence...) assortis des responsabilités personnelles attachées aux fonctions d'administrateur;
— achat d'une police d'assurance spéciale permettant d'acquitter le coût de recours éventuels. Le G.Q.E. considère désormais cette police d'assurance comme une condition sine qua non de l'établissement d'un conseil d'administration;
— transformation des comités consultatifs en conseils d'administration formels.

La police d'assurance dont il est ici question ne serait disponible, présentement, que chez Gérard Parizeau Ltée. La prime est égale à un dizième de 1% du chiffre d'affaires (minimum de $300.). Le G.Q.E. peut fournir à ses membres les textes de loi définissant les responsabilités des administrateurs.

D'où viennent les administrateurs?

M. Ruel indique que la recherche des administrateurs s'effectue auprès de trois sources principales:

— les universités ou écoles de gestion, où on s'adresse d'abord aux doyens et vice-doyens, ainsi qu'aux professeurs possédent une expérience prolongée de la consultation, ou une connaissance sérieuse du monde des affaires; c'est de cette source que provient la plus grande partie des candidats;
— les consultants en gestion et divers groupes de professionnels, notamment les vérificateurs, et certaines catégories d'ingénieurs; dans le cas des vérificateurs, on cherche d'abord des personnes ayant le statut d'associés et, afin de prévenir tout conflit d'intérêts, n'appartenant pas au bureau d'experts-comptables employé par l'entreprise;
— les entreprises de plus grande taille, qui constituent un vaste réservoir de compétences mais où on n'a pu dépister, à ce jour, qu'un petit nombre d'individus disponibles.

Même si on a déjà constitué un noyau intéressant de candidats, on vise à bâtir une banque d'une centaine de personnes, considérée comme nécessaire pour répondre adéquatement aux demandes émanant des 400 membres du G.Q.E., répartis dans les 30 clubs industriels.

Les coûts

Au cours des premières expériences, les jetons de présence versés aux administrateurs variaient entre $250 et $500 par séance. On est en voie d'adopter un taux uniforme de $300. Aucun autre coût, de déplacement ou de séjour, ne vient s'ajouter à cette somme. À raison de 10 séances par année, les jetons de présence de deux administrateurs s'élèvent donc à $6 000, montant plutôt modeste en comparaison des avantages qu'un conseil actif peut procurer à l'entreprise.

Au jeu!

La première assemblée est consacrée, le plus souvent, à établir les règles du jeu, à démystifier le fonctionnement d'un conseil d'administration. Pour accomplir leur mandat, ses membres doivent avoir en mains les documents qui leur permettront d'évaluer l'état actuel de la firme, la nature et l'efficacité de ses opérations. Au dirigeant non initié, une telle demande apparaît parfois comme une complication inutile et il peut être porté à conclure que "ça ne marchera pas". En faisant valoir le fait que formules et rapports sont des outils nécessaires à l'exécution ordonnée et au contrôle des opérations, à la gestion courante comme aux orientations futures de l'entreprise, les administrateurs parviennent le plus souvent à dissiper les craintes du dirigeant. À partir de ce moment, il devient possible d'établir une concordance étroite entre les recommandations du conseil et la vie de l'entreprise.

On constate que les entreprises dont le chiffre d'affaires est inférieur à $1 million sont ordinairement peu intéressées à se donner un conseil d'administration. À celles qui veulent tenter l'expérience, on recommande de commencer par s'adjoindre un administrateur de l'extérieur, quitte à en retenir un deuxième au bout de quelques mois si elles en éprouvent le besoin.

Les réunions du conseil d'administration se tiennent normalement à chaque mois. Quand les méthodes de travail sont bien rodées, on peut les espacer aux deux mois, mais jamais davantage. Les réunions trimestrielles, fréquentes dans la grande entreprise, ne conviennent pas aux PME, plus mobiles, plus sensibles aux fluctuations des événements.

Il est préférable que les réunions aient lieu au bureau de l'entreprise, si elle est située dans une grande ville. Dans le cas contraire, on recommande de tenir les réunions à Montréal ou à

Québec, où la plupart des patrons de PME ont l'occasion de se rendre fréquemment. En réduisant au minimum les périodes de voyage, on facilite le recrutement des administrateurs: la majorité d'entre eux habitent Québec ou Montréal, et plus leur calibre est élevé, moins ils ont de temps à passer sur la route. Il reste qu'on peut trouver, dans des régions éloignées, des candidats de grande qualité.

Les assemblées du conseil sont convoquées généralement entre 9 heures du matin et 3 heures de l'après-midi, ou plus tard pour les entreprises de petite taille. On remarque que les réunions tenues en plein jour sont plus efficaces. Elles durent 3 ou 4 heures et se terminent par un repas: "c'est là que se règlent les affaires". Enfin, "les meilleurs conseils sont des mélanges d'hommes d'affaires et d'universitaires".

Monsieur Ruel précise que les services d'organisation mentionnés ici, excepté le coût de la police d'assurance, **sont fournis gratuitement, mais aux seuls membres du Groupement Québécois d'Entreprises.** Ils commencent à débourser quand le conseil est en place, c'est-à-dire quand le moment est venu de verser aux administrateurs leurs jetons de présence.

LA SUCCESSION DANS LA PME
Pierre Hugron

Traiter de la succession dans l'entreprise familiale, c'est se pencher sur les moyens de gérer l'interdépendance entreprise-famille.

Pour certains, l'entreprise familiale est une forme d'organisation dépassée, imparfaite, sans avenir. Ce type d'organisation a sûrement ses limites. Mais il échappe par ailleurs aux inconvénients propres à certaines organisations de grande taille.

Malgré des handicaps sérieux, notamment les limites de ses ressources financières et la fragilité due à la concentration du pouvoir, l'entreprise familiale n'en demeure pas moins, nous semble-t-il, indispensable à une économie dynamique, créatrice, permettant aux individus un style de vie personnalisé et diversifié.

Définition

Nous empruntons ici la définition de Gélinier et Gaultier[1], pour qui l'entreprise familiale se caractérise par "l'interaction entre la vie de l'entreprise et la vie d'une famille...; l'entreprise dépend de la famille et la famille dépend de l'entreprise".

Étant donné ce qu'elle est et ce qui la caractérise, nous somme en mesure d'aborder le coeur du sujet: par quels moyens peut-on assurer la survie de l'entreprise familiale?

Principe

Posons en tout premier lieu le principe de base qui assure les meilleures chances de succès dans la transmission de l'entreprise familiale d'une génération à l'autre. Ce principe tient en quelques mots: *préparation à long terme.*

Avant de répondre à la question "comment faire", énumérons les principales causes d'extinction des entreprises familiales afin de bien identifier "ce qu'il ne faut pas faire".

Causes d'extinction

Voici une liste sommaire des principales causes d'échec.

1. Succession mal préparée, par le choix du successeur ou des moyens qui lui sont donnés pour réussir, soit sur le plan fiscal, soit sur celui du contrôle financier.
2. Dégénérescence des qualités entrepreneuriales et éthiques des descendants. Absence d'un pouvoir assez fort pour prendre les décisions de réorientation ou de développement, par blocage des décisions collégiales ou mésentente entre héritiers.
3. Expansion trop rapide suivie d'une chute de rentabilité.
4. Faiblesses dans les structures juridiques de contrôle du pouvoir.
5. Lacunes dans les relations famille-cadres extérieurs:
   — introduction de cadres familiaux peu qualifiés, provoquant le départ des meilleurs cadres non familiaux et l'affaissement parfois irréversible de l'efficacité et du rendement.
6. Rigidité du système familial, qui ne s'adapte pas à des conditions nouvelles".[2]

Ces six causes peuvent être regroupées sous deux catégories de problèmes:

1. la transmission du savoir-faire managérial;

1. Gélinier, Octave et Gaultier, André. *L'avenir des entreprises personnelles et familiales.* 2e édition, Éditions Hommes et Techniques. 1975, p. 19.

2. *Op. cit.* p. 70.

2. la transmission du patrimoine dans ses dimensions juridiques et financières.

Dans le présent texte, nous nous limiterons à la première catégorie de problèmes.

Dans la plupart des cas, le propriétaire-fondateur-dirigeant a géré son entreprise dans un style plus autocratique que démocratique. Durant son règne, la plupart des décisions d'orientation et de politiques générales ont été prises sans sérieuse consultation des membres de la famille. Il en résulte que l'information concernant l'entreprise n'est pas consignée; ou si elle l'est, elle est si peu pertinente que le successeur ne peut pas l'utiliser pour assurer la continuité de la gestion. Le propriétaire-dirigeant est souvent un peu comme la mule, tellement occupée à tirer la charrette qu'elle oublie de se reproduire!

Moyens

Comment éviter ces écueils?

1. En partageant l'information et en façonnant le climat familial de manière à favoriser l'émergence d'un successeur, en cultivant la motivation familiale à gérer.

2. Dans un tel climat, les chances qu'émerge un successeur issu de la famille sont augmentées. Il faut toutefois garder à l'esprit que le critère de compétence doit l'emporter sur celui du sang.

3. Avant de faire un choix définitif on peut employer plusieurs méthodes pour évaluer le successeur le plus apte à assurer la pérennité de l'entreprise:

   a) Le successeur présumé, après une période de préparation académique en gestion, peut acquérir, en travaillant dans une autre entreprise, une expérience qui lui servira éventuellement dans l'entreprise familiale. Un tel stage devrait augmenter sa confiance en ses propres ressources puisqu'il sera évalué par une tierce partie, probablement moins influencée par des préjugés, favorables ou défavorables, qu'un membre de sa propre famille.

   b) Le successeur entre dans l'entreprise familiale immédiatement après une période de formation académique et, dans un premier temps, s'initie aux différentes dimensions de l'entreprise sous forme de stages courts dans diverses fonctions; on lui confie ensuite un projet à réaliser, en lui laissant un degré d'autonomie suffisant pour pouvoir évaluer ses capacités de gestion.

   c) Le successeur entre dans l'entreprise familiale sans grande préparation académique, à un poste opérationnel inférieur, pour ensuite gravir peu à peu, au cours de longues années, les quelques échelons hiérarchiques qui le mèneront au sommet de l'entreprise. Cette méthode s'avère souvent la moins heureuse et la plus difficile à la fois pour le successeur et pour le dirigeant.

En définitive, la résolution heureuse des problèmes reliés à la transmission des pouvoirs de direction se résume à trois dimensions.

La première consiste à reconnaître que la succession de l'entreprise familiale ne se règle pas à l'intérieur *d'une* décision unique mais plutôt au cours d'un long processus échelonné dans le temps.

La deuxième prend en compte les aspects de formation, d'entraînement aux valeurs entrepreneuriales, aux habiletés de gestion et aux exigences sévères du développement économique; ces aptitudes sont essentielles au succès et à la survie de l'entreprise, et le propriétaire-dirigeant doit s'assurer que son successeur éventuel les possède à un haut degré.

En plus de préparer judicieusement son successeur, le propriétaire-dirigeant doit choisir avec soin le moment de son insertion dans l'entreprise, le moment de l'introduire auprès des autres membres de l'organisation et du système familial.

Enfin il doit préparer sa propre sortie pour laisser place à la génération suivante. Si son successeur a été bien choisi, il continuera à faire prospérer l'entreprise, au plus grand bénéfice de la famille.

7

BUDGET-CONTRÔLES

LA PME ET LE BUDGET GLOBAL
Omer Croteau

Pour de nombreux dirigeants de PME, le mot budget évoque la notion d'un budget de caisse préparé pour justifier, à la toute dernière limite, une demande de crédit à la banque ou au mieux pour prévoir les besoins de fonds de l'entreprise. Or le budget devrait être et est beaucoup plus que cela. Disons en premier lieu que le processus budgétaire ne s'applique pas qu'à l'encaisse: tous les aspects de la gestion se prêtent à la budgétisation.

Le budget global

Toute activité qui peut être exprimée en dollars peut se budgétiser et tous les états financiers connus peuvent être préparés sur une base prévisionnelle, soit: le bilan, l'état du résultat net, l'état des bénéfices non répartis, l'état de fabrication, l'état de l'évolution de la situation financière, le budget de caisse, le budget des investissements.

Le budget global est un budget qui "consolide les objectifs d'ensemble et qui permet, pour une période donnée, une vue globale des résultats prévus de l'exploitation et une vue globale de la situation financière prévue à la fin de cette période".

Les raisons le plus souvent utilisées dans la PME pour expliquer l'absence de budget sont: la petite taille de l'entreprise et la difficulté de prévoir avec exactitude ce qui se produira. On ajoute souvent que la petite taille permet d'être proche des problèmes et élimine le besoin de budgétiser. Ces excuses ne résistent pas longtemps à l'analyse.

Le budget et la planification

Au niveau de la planification à long terme, la préparation d'un budget oblige d'abord à préciser les objectifs et elle permet d'en mesurer le degré de réalisme. Il ne suffit pas, en effet, d'affirmer que les objectifs de la firme sont l'expansion des ventes et la maximisation des bénéfices. Les objectifs doivent être exprimés de façon précise, par exemple, part du marché de 8%, accroissement annuel de 12% en termes réels, création à chaque année de 3 nouveaux produits avec un marché annuel potentiel de 200 000 $ chacun, etc. Pour atteindre une telle précision, les administrateurs doivent s'arrêter pour s'interroger sur leur entreprise, sur l'industrie dans laquelle ils opèrent, sur l'économie, etc.

Les objectifs, une fois précisés, peuvent ensuite être exprimés en termes quantitatifs et financiers. C'est alors qu'on peut évaluer le réalisme des objectifs, à condition bien sûr qu'on ne se limite pas à un état budgétisé du résultat net (ou bénéficie net). Un accroissement des ventes de 12% en termes réels par année, par exemple, représentera, par rapport à la situation actuelle, un volume supplémentaire de près de 60% au cours de la quatrième année. Il faut alors mesurer les besoins additionnels pour les stocks les comptes clients et même pour les moyens physiques de production. Il faut, en outre, préciser les politiques de gestion financières à court terme (niveau des stocks, conditions de crédit) et de gestion d'investissement à long terme en tenant compte des engagements financiers présents et prévus.

Le budget amène donc une remise en question de l'entreprise et provoque une vue globale que les problèmes quotidiens obscurcissent souvent.

À court terme, les objectifs se traduisent en plans de plus en plus précis et le budget devient "un guide et un plan d'action quantitatifs, résultant de l'effort de la direction pour organiser de façon efficace et coordonnée toutes les ressources matérielles, humaines et financières de l'entreprise". Encore là, le budget permet d'évaluer le réalisme des plans et les besoins nécessaires à leur réalisation.

Les politiques financières représentent, dans plusieurs PME, le domaine le plus négligé ou à tout le moins le plus imprécis de la gestion. La préparation de bilans pro forma et d'états budgétisés de l'évolution de la situation financière amène une prise de conscience des problèmes potentiels et, lorsque complétée par des budgets de caisse, fait prendre conscience des limites et des possibilités de la firme.

Le budget et la coordination

Le budget bien utilisé devient un des moyens les plus efficaces pour assurer la coordination des différents agents de l'entreprise. Le responsable de la production doit connaître les prévisions du responsable des ventes pour être en mesure de préparer l'échéancier de la fabrication de l'exercice, en tenant compte des politiques de stock déterminées par le contrôleur. À partir de la production prévue, le service des achats pourra prévoir les achats, le service du personnel établira les besoins en formation et en personnel.

La coordination ne peut exister qu'à la suite d'une planification des activités, planification détaillée, exprimée en termes quantitatifs et communiquée aux principaux intéressés. Aucun instrument autre que le budget ne permet cette planification et la diffusion des renseignements pertinents.

Certains administrateurs exploitent souvent le manque d'information qui leur permet de masquer certaines erreurs. Cependant, dès qu'ils doivent se compromettre en participant à la préparation des budgets et qu'ils savent que ces budgets seront communiqués aux autres administrateurs, ces budgets prennent la forme de quasi-engagements auxquels ils se sentent liés. Plus leurs actions peuvent être organisées d'avance, plus l'information est diffusée et moins ils peuvent recourir à des excuses ou à des faux-fuyants.

Le budget et le contrôle

Le budget prend toute sa valeur quand son utilisation n'est pas limitée à la planification et à la coordination. Il doit devenir, après son approbation, plus qu'un simple projet: chaque gestionnaire doit identifier les objectifs qui lui sont fixés par le budget et réaliser qu'il sera jugé, partiellement du moins, en fonction de son aptitude à atteindre ou à dépasser ces objectifs.

Guide d'action, instrument de coordination, le budget est donc aussi un étalon de mesure de l'activité des gestionnaires, un moyen de contrôle par l'analyse de l'exploitation. L'existence même de cette dernière étape, celle du contrôle budgétaire, assure le sérieux de l'étape initiale de la planification.

Le contrôle budgétaire se situe essentiellement au niveau de l'exploitation en déterminant les causes d'écarts entre le bénéfice prévu et le bénéfice réalisé. Encore là, les chiffres parlent quand ils n'empêchent pas certains de parler. Le gérant de production devra cesser de blâmer le service du personnel pour le coût de la main-d'oeuvre, quand on lui prouvera que la main-d'oeuvre dont il est responsable a été moins productive que lui-même ne l'avait prévu. Le responsable des ventes ne pourra s'abriter derrière l'inflation, quand on saura lui prouver que sa politique de prix était discutable ou qu'il n'a pas su choisir les produits les plus rentables.

Si le contrôle budgétaire peut affecter la préparation même du budget, il faut reconnaître que le budget exerce une influence déterminante sur le contrôle budgétaire. Sachant que le budget sera utilisé pour le juger, le gestionnaire hésitera à préparer un budget trop optimiste; il n'a pas intérêt à prévoir des résultats irréalisables qui risquent de le faire mal paraître quand les résultats réels seront connus. D'autre part, si la direction impose, par le biais du budget, des normes trop rigoureuses, les gestionnaires auront tendance à "décrocher" et à considérer injuste toute évaluation en fonction de ces normes.

Conclusion

On résume souvent les étapes du processus de gestion par trois mots: prévoir, coordonner, contrôler. Le budget participe à chacune de ces étapes et il y participe de façon significative. L'instrument est efficace, même si son utilisation ne l'est pas toujours.

FONCTION CONTRÔLE ET PERFORMANCE DE LA PME
Jacques Fortin

Sans exagérer, on peut affirmer que le contrôle de gestion est au gestionnaire de l'entreprise ce que le plan de vol et l'instrumentation de bord sont au pilote d'un avion. En contrôle de gestion, c'est le budget et ses diverses composantes qui tiennent lieu de plan de vol. En effet, l'anticipation des résultats aura permis au gestionnaire de mesurer, à l'avance, l'ampleur des difficultés qui le confronteront au cours de l'exercice à venir. Grâce à cette anticipation, il aura bénéficié du temps nécessaire pour développer ses stratégies de réaction.

Par la suite, en cours de période, grâce aux informations apportées par l'instrumentation de bord que constituent les divers outils comptables de gestion, le décideur connaîtra en tout temps sa position exacte en rapport avec le plan établi au départ.

Surtout en période d'étranglement financier, le gestionnaire qui, grâce à un système de contrôle bien structuré, est informé mensuellement de la rentabilité réelle de chacun de ses produits, possède un avantage non négligeable sur celui qui ne se fie qu'à son intuition pour apprécier cette rentabilité. Dès qu'un produit devient déficitaire, il peut immédiatement agir soit en augmentant les prix, soit en baissant la production et ainsi sauver des ressources qui lui sont essentielles.

À notre avis, pour la PME, les instruments de contrôle les plus précieux seront ceux qui informeront sur:

1. les sources et emplois de fonds;
2. les niveaux et taux de rotation des différentes composantes du stock;
3. les niveaux et les périodes de perception des comptes-clients;
4. le comportement des coûts (frais fixes vs variables);
5. le seuil de rentabilité;
6. la rentabilité des produits, des vendeurs, des départements, des usines ou, de façon plus générale, tous les instruments pouvant produire des données sur les performances de chaque unité administrative de l'entreprise.

Ronald C. Clute[1] a publié les résultats d'une recherche qu'il a menée en vue d'établir une relation de cause à effet entre les difficultés financières éprouvées par une PME et la pauvreté de son système de contrôle comptable.

Selon ses analyses 40% des 359 PME de là région de Chicago qu'il a étudiées devaient plus spécifiquement leurs difficultés financières à des lacunes importantes sur le plan du contrôle. Clute classifie comme suit les principales faiblesses repérées chez les entreprises qui doivent leurs difficultés aux faiblesses du contrôle:

- 40%: déficience au niveau du contrôle des stocks:
- 26%: absence de registres comptables;
- 22%: registres comptables incomplets;
- 19%: absence de contrôle des flux monétaires;
- 19%: comptables incompétents ou insuffisamment entraînés;
- 11%: faible contrôle de l'encaisse;
- 9%: absence de budgétisation.

M. Clute termine son exposé en concluant que le contrôle comptable est essentiel à la survie de la petite entreprise.

---

1. **An analysis of Accounting related problems in small business failures.** Ronald C. Clute, The National Public Accountant, décembre 1979.

Causes de faiblesse

Voici quelques exemples d'hypothèses couramment retenues pour expliquer les causes de faiblesse de la fonction contrôle dans les PME:

1. Le contrôle est perçu par l'entrepreneur, personnage éminemment pro-actif, orienté habituellement vers les ventes et la production, comme une fonction passive et inutilement contraignante.
2. Bon nombre d'individus se croient, parce qu'ils ont quelque connaissance en tenue des livres, en mesure d'assumer la fonction contrôle dans la PME. Qui sont ceux qui assument la fonction contrôle de la PME? Ont-ils les compétences pour le faire? Ont-ils le temps de le faire?
3. Le comptable vérificateur, souvent le seul professionnel de la comptabilité à approcher la PME, est davantage orienté vers l'implantation de systèmes producteurs d'états financiers que vers l'implantation de systèmes de contrôle de gestion.

Coût et poids du contrôle

Au moment de l'élaboration d'un système de contrôle PME, on doit faire un effort tout particulier d'imagination et de créativité afin d'en réduire au minimum les coûts ainsi que les lourdeurs administratives. Par exemple, ce petit entrepreneur en réparation d'appareils électriques, pour qui la disponibilité des pièces et la commande en lots économiques sont des facteurs importants de succès, qui contrôle son niveau d'inventaire uniquement en inscrivant, sur le casier où la pièce est stockée, le point de réapprovisionnement et la quantité à commander.

Simplement par contrôle visuel régulier, il s'assure qu'il n'est pas en deçà du nombre minimum de pièces nécessaires pour éviter la rupture de stocks. Lorsqu'il passe en deçà du nombre minimum, il commande la quantité inscrite sur le casier s'assurant ainsi des avantages associés aux commandes en lots économiques. Tout cela, sans la moindre inscription comptable des données relatives aux mouvements d'inventaire.

Ce cas démontre que le contrôle de la PME, pour être pleinement efficace, doit être conçu de façon à minimiser le travail en tablant sur les forces inhérentes au fait de fonctionner dans une petite organisation. On ne doit mettre en place que des systèmes dont les avantages excéderont les coûts, qui permettront d'identifier rapidement les éléments dont le contrôle est essentiel à l'entreprise en cause, et qui seront faciles à manoeuvrer.

Adapter le système à l'entreprise

Tout système de contrôle de gestion doit être adapté à la formation comptable du dirigeant de PME et aux contraintes de temps auxquelles il est soumis. Ainsi, ce concessionnaire automobile à qui le comptable exprimait le seuil de rentabilité de l'entreprise en termes de nombre de véhicules neufs vendus. Voilà une image qui, tout en étant très claire pour le propriétaire de la concession, était aussi très précise puisque, dans ses calculs du seuil de rentabilité, le comptable avait tenu compte de l'incidence de la vente de véhicules neufs sur la vente de véhicules d'occasion ainsi que sur le travail de l'atelier de réparation.

Ou encore, le cas de cet entrepreneur en construction qui, pour chaque contrat négocié, se représentait sous forme graphique les entrées futures d'argent et les sorties. De la superposition des graphiques d'entrées et de sorties d'argent, avant même le début du contrat, il prenait conscience du moment où un besoin d'emprunt se présenterait ainsi que de son ampleur. Il mesurait ainsi sa capacité de financer l'opération. Lorsque l'opération lui paraissait difficile à financer, il révisait avec son client les cédules de paiement, ou encore il renonçait au contrat.

Conclusion

Nous avons la ferme conviction qu'un nombre important de PME auraient traversé la crise si elles avaient bénéficié des informations que l'instrumentation contrôle aurait pu leur fournir. La disparition de PME, faute de contrôle, est d'autant plus difficile à accepter que cette fonction est la seule dont l'efficacité dépende exclusivement des gestionnaires de l'entreprise.

LE CONTRÔLE INTERNE DANS LA PME
Jean-Guy Rousseau

La PME pour les fins du présent article est celle qui n'a pas les moyens financiers ou humains de se payer tout ce que peut exiger le contrôle idéal dans son sens comptable.

Cette définition est importante. C'est Peter Drucker qui affirme: "Un grand nombre des dirigeants engagés dans la gestion d'entreprises de petite taille considèrent qu'une petite entreprise a besoin de peu ou pas de gestion, que cette approche n'est bonne que pour la grande entreprise."

De plus, on peut se demander pourquoi parler du contrôle interne, puisque c'est un problème inévitable dans les PME qui, très souvent, n'ont pas les moyens de s'en payer un convenable.

Je répondrai que si nous consultons les statistiques relatives à la répartition de nos entreprises en grandes, moyennes et petites, nous constatons, qu'en nombre, une majorité écrasante est formée de moyennes et de petites entreprises. J'ajouterai que, selon d'autres sources, dans le secteur des PME, le tiers des nouvelles entreprises font faillite au cours des deux premières années de leur existence, tandis que les deux tiers disparaissent au cours des cinq premières années. Ces deux raisons ne nous justifient-elles pas de nous pencher sur le problème du contrôle interne dans les PME?

Mais, au fait, qu'est-ce que le contrôle interne?

C'est le plan d'organisation et toutes les mesures coordonnées adoptées au sein d'une entreprise pour protéger ses actifs, assurer l'exactitude et la fidélité des renseignements comptables, encourager l'efficacité de l'exploitation et maintenir le respect des lignes de conduite établies.

Cette définition signifie donc que le contrôle inclut des éléments aussi variés que la vérification interne, les programmes de formation des employés, les analyses statistiques, l'ordonnancement de la production, la délégation de responsabilité, les procédés budgétaires, les laboratoires, etc.

Le contrôle interne n'est que l'une des composantes du contrôle dont l'autre, le contrôle budgétaire, peut se définir comme l'étude des écarts entre les prévisions et la réalité et la décision d'apporter ou non des mesures correctrices.

À son tour, le contrôle interne se subdivise en contrôle administratif et en contrôle comptable, mais je ne m'arrêterai pas à cette distinction pour les fins du présent article.

Le contrôle interne est un outil indispensable au gestionnaire pour assurer la réalisation des objectifs qu'il s'est fixés. En effet, il permet comme l'implique la définition, la conduite ordonnée et efficace des affaires, il aide la direction à obtenir la rentabilité de l'entreprise, à prévenir et à détecter les fraudes et les erreurs, à assurer la protection des biens, la fiabilité des livres et documents comptables et la préparation, en temps voulu, d'une information financière fiable.

On pourrait objecter que ce sont des éléments fort intéressants pour la grande entreprise, mais qu'ils ne sauraient convenir aux entreprises de taille plus modestes. À ce sujet, les auteurs Jonio, Plaindoux, Leleu présentent les principes suivants qui, selon eux, sont valables pour toutes les entreprises:

1- justification des faits soumis à des enregistrements, c'est-à-dire, existence ou création de documents pour justifier les écritures comptables;

2. enregistrement chronologique des faits, c'est-à-dire, dans l'ordre où ils se sont produits;

3- enregistrement au jour le jour ou dans le plus bref délai;

4. division du travail et contrôle mutuel. Cela signifie la séparation des tâches dites incompatibles et l'auto-contrôle, en vertu duquel le travail d'une personne est contrôlé automatiquement par le travail d'une autre personne;

5- la spécialisation et le contrôle du personnel, incluant des éléments comme la formation, la rémunération, les relations humaines, les conditions de travail, la recherche de personnes consciencieuses et compétentes;

6- l'utilisation d'aides automatiques de gestion, afin de réduire la possibilité de nombreuses erreurs mécaniques.

Certes, sur ces points, certaines PME peuvent présenter des faiblesses indéniables à cause d'un manque de documents, de système de classification incomplet, de registres souvent sommaires, d'absence de contrôle sur des points importants comme les comptes de clients, la négligence, le manque de connaissances, le nombre limité de ressources humaines, l'obsession de l'impôt sur le revenu, etc.

Cependant, ces lacunes pourraient être grandement atténuées si l'on consentait à suivre certaines suggestions comme:

a) la participation du propriétaire ou de l'administrateur à certaines activités clés: approuver les documents importants (chèques, feuilles de paie, bons de commande), effectuer des sondages sur le système comptable (pièces non autorisées), contrôler le courrier, centre vital d'un grand nombre d'entreprises (recettes, plaintes de clients, factures de fournisseurs, contrats importants, etc.), obtenir des rapports périodiques;

b) l'évaluation par le propriétaire des qualités de son personnel, en s'intéressant aux principales opérations courantes: achats, réception, production, ventes, expédition, comptabilité;

c) le recours aux services d'un vérificateur qui, s'il n'a pas à émettre d'opinion sur les états financiers pourra, tout au moins, prodiguer de précieux conseils sur le contrôle interne ou sur d'autres secteurs de sa compétence ou, encore, orienter l'homme d'affaires vers l'expert qui l'aidera;

d) l'utilisation d'auxiliaires mécaniques: horodateurs, "protectographes", caisses enregistreuses, appareils à timbres, etc.;

e) le précaution par le propriétaire de ne pas faire ce qu'il ne souhaite pas que ses employés fassent: déboursés sans pièces justificatives, etc.;

f) l'utilisation de rapports de gestion (état des stocks, comptes de clients, fabrication) et de ratios financiers;
g) la surveillance serrée des investissements en immobilisations susceptibles d'entraîner une plus grande rigidité de la structure financière.

Certes, la gestion d'une PME ne constitue pas un repos de tous les instants mais, souvent, quelques précautions élémentaires ou l'obtention de quelques conseils judicieux pourraient faire une grande différence.

L'ASPECT HUMAIN DU PROCESSUS BUDGÉTAIRE
Van The Nhut

Traditionnellement les budgets ont accompli deux fonctions. Ils ont été utilisés d'abord comme instrument de planification et, ensuite, comme outil de contrôle pour assurer que les objectifs de l'organisation sont effectivement réalisés. L'utilité des budgets suppose une planification bien faite et un contrôle adéquat appuyé par le feedback. Cependant, l'expérience pratique et les recherches ont montré qu'à moins de tenir compte de l'aspect humain, non seulement on n'atteint pas ces objectifs, mais on provoque des comportements de résistance chez les employés. Ceux-ci n'acceptent plus passivement les plans préparés par leurs supérieurs. Les mesures étroites de contrôle du passé peuvent provoquer l'insatisfaction et même le départ du personnel le plus créateur. Aujourd'hui, le processus budgétaire ne peut être efficace à moins qu'on n'ajoute la motivation à ses objectifs traditionnels.

Comportements "dysfonctionnels"
À la suite d'une étude de quatre entreprises manufacturières de taille moyenne, Argyris a conclu que la budgétisation peut être à l'origine d'au moins quatre problèmes de relations humaines. Premièrement, l'utilisation des budgets comme moyen de pression tend à unir les employés contre la direction. Deuxièmement, elle incite les responsables ou les cadres de soutien, selon le cas, à chercher et à mettre l'accent sur les déficiences des cadres chargés de la production ou du rendement d'un groupe de travailleurs.

Troisièmement, les pressions budgétaires amènent les superviseurs à ne voir que les problèmes de leur département. Quatrièmement, les superviseurs se servent des budgets pour justifier un style de leadership rigide et autoritaire.

D'autres études mentionnent diverses formes de comportement "dysfonctionnel", par exemple: les tentatives ingénieuses des travailleurs pour obtenir des standards faciles quand leur rémunération contient une gratification basée sur la productivité; la tendance des gestionnaires à gonfler leurs budgets, soit par anticipation de coupures éventuelles provenant de leurs supérieurs, soit par souci de montrer plus tard des rapports d'activités favorables; et les manoeuvres pour faire supporter ses coûts par d'autres unités administratives, pour influencer le volume et le type de production ou pour assurer l'entretien et les réparations aux périodes de pointe afin de profiter de budgets d'entretien et de réparations plus généreux.

La résistance du personnel provient principalement de l'imperfection des mesures comptables et de l'utilisation des budgets pour l'évaluation de la performance. Les comptables et les gestionnaires ne réussissent pas toujours à développer des mesures adéquates du rendement. Même en se limitant à l'aspect économique de la performance, les coûts d'exploitation des diverses fonctions d'une entreprise sont rarement connus avec précision et le système comptable ne peut en représenter la réalité que de façon approximative. De plus, à cause de l'interdépendance des activités, il est difficile de mesurer la contribution particulière d'un employé aux résultats d'ensemble. Si on exclut de l'évaluation des activités partiellement contrôlables, on peut inciter les employés à ne pas exercer d'effort dans ces activités et compromettre éventuellement le succès de l'entreprise. D'un autre côté, l'inclusion des activités non contrôlables dans la base d'évaluation peut réduire la motivation des employés et provoquer des réactions négatives face aux budgets. Finalement, en éliminant des prévisions budgétaires ces deux types d'activités, on oriente souvent l'attention des comptables et des gestionnaires vers les écarts défavorables, ce qui contribue à faire percevoir le système comme punitif plutôt qu'informatif. Cette perception risque de conduire à un comportement défensif et "dysfonctionnel".

L'élément de motivation des budgets

Les actes et les décisions d'un individu sont déterminés en partie par ses intentions, qui dépendent à leur tour des avantages qu'il espère obtenir par telles activités. Les buts ou les résultats désirés expliquent partiellement le comportement et les décisions des gens. Généralement les gens travaillent pour atteindre des objectifs et, par voie de conséquence, des avantages qui ne seraient pas à leur portée autrement.

Le modèle de motivation basé sur ces constations suggère une façon d'analyser et de prévoir les lignes de conduite d'un individu quand il peut faire des choix de comportement. Selon ce modèle, la motivation d'un comportement donné dépend (a) de l'opinion de l'employé quant à la probabilité d'obtenir les avantages désirés; et (b) de la valeur qu'il attache à ces avantages. Il faut cependant que l'individu se considère capable d'adopter le comportement et d'exécuter les tâches qui lui vaudront les avantages recherchés.

Les budgets sont des véhicules grâce auxquels la direction exprime ses attentes à l'égard des niveaux de performance du personnel. En évaluant ses chances de relever les défis présentés par un nouveau budget, l'employé ne manquera pas d'en comparer les exigences aux efforts que lui a coûtés sa performance passée. Par ailleurs, la régularité avec laquelle un supérieur accorde des rémunérations proportionnelles à la réalisation du budget augmente normalement les espérances de ses subordonnés quant aux possibilités d'obtenir les résultats désirés à la suite d'une performance jugée fructueuse. De sorte que l'adoption et la mise en application d'un budget particulier signifient que sa réalisation sera reconnue et récompensée par la direction. Dans la mesure où les employés apprécient les récompenses associées au degré de réalisation du budget, ils peuvent y trouver des raisons qui les incitent à réaliser les objectifs de la direction.

Finalement, en permettant de coordonner les activités et de fournir une structure à des tâches isolées ou ambiguës, le budget peut réduire l'incertitude de certains employés, accroître leur satisfaction au travail et leur rendement. Or, pour évaluer le rendement, il faut le mesurer au moyen de normes. Par définition, les budgets sont des normes externes. Si l'employé perçoit son budget comme une norme pertinente et équitable, il en fera son objectif. Le besoin d'accomplissement sera stimulé par une auto-évaluation basée sur la comparaison de sa performance avec le budget.

Les budgets peuvent exercer une grande influence sur la motivation. Les implications humaines du processus budgétaire doivent être considérées avec soin si on veut diriger fructueusement les employés.

LE SEUIL DE RENTABILITÉ: INDICATEUR DE RISQUE

Jacques Fortin

Le seuil de rentabilité compte parmi les plus précieux des outils comptables de gestion. Il peut être utilisé à la fois comme indicateur de risque et comme instrument de prévision.

En effet, il répond à la question: de combien le chiffre d'affaires peut-il diminuer sans que l'on encoure de pertes; ou encore, de combien le chiffre d'affaires doit-il s'accroître pour que l'on commence à enregistrer des bénéfices?

On obtient le seuil de rentabilité en établissant le rapport

$$\frac{\text{Frais fixes totaux}}{\text{Contribution marginale moyenne.}}$$

On qualifie de "frais fixes" les coûts qui, dans l'entreprise, ne sont pas ou sont très peu influencés par le niveau d'activité de l'entreprise. La contribution marginale, quant à elle, identifie la portion du prix de vente qui excède les coûts variables de l'entreprise. Les coûts variables étant ceux qui évoluent dans le même sens et en relation directe avec le niveau d'activité de l'entreprise.

Pour bon nombre d'entreprises commerciales, en dehors du coût des marchandises vendues et des commissions aux vendeurs, la grande majorité des frais sont fixes. Il est donc souvent possible, dans ce genre d'entreprise, de calculer le seuil de rentabilité uniquement à partir des informations que fournissent les états financiers.

À titre d'exemple, imaginons le cas d'un commerce d'articles de cuir (sacs à main, portefeuilles, etc.) dont l'état des résultats du dernier exercice financier se résume comme suit:

Ventes	420 000 $
Coût des ventes	252 000 $
Bénéfice brut	168 000 $
Salaires	45 000 $
Commissions (1% des ventes)	42 000 $
Loyer	20 000 $
Assurances et taxes	5 000 $
Électricité, téléphone et autres	10 000 $
	122 000 $
Bénéfice net avant impôt	46 000 $

En supposant que dans ce commerce aucun des coûts, à l'exception du coût des ventes et des commissions, ne subirait de modifications importantes si le niveau d'activité changeait, le total des frais fixes atteindrait 80 000 $, soit le total des salaires, loyer, assurances et taxes, électricité, téléphone et autres. À la limite, si cette entreprise, au cours d'une année donnée n'enregistrait aucune vente, elle essuierait une perte comptable de 80 000 $[1].

Par ailleurs, le calcul de la contribution marginale:

$$\text{Ventes} \quad 420\ 000\ \$ - \begin{bmatrix} \text{Frais} \\ \text{variables} \\ (\text{coût des ventes} \\ 252\ 000\ \$ + \\ \text{commissions} \\ 42\ 000\ \$) \end{bmatrix} \quad \begin{array}{c} \text{Contribution} \\ \text{marginale} \\ = 126\ 000\ \$ \end{array}$$

nous apprend, qu'en moyenne

$$\frac{\text{contribution marginale}}{\text{ventes}} \quad \frac{126\ 000\ \$}{420\ 000\ \$}$$

chaque 1 $ de vente permet de récupérer .30 $ de bénéfices. À la limite, si l'entreprise fonctionnait sans frais fixes à chaque fois qu'une vente de 1 $ serait conclue le bénéfice s'accroîtrait de .30 $. Ce que l'on cherche à savoir lorsqu'on calcule le seuil de rentabilité c'est, en définitive, de combien de ces ventes de 1 $, qui chacune rapporte .30 $, a-t-on besoin pour couvrir les 80 000 $ de frais fixes. La réponse s'obtient par le rapport

$$\frac{\text{Frais fixes totaux}}{\text{Contribution marginale moyenne}} \quad \frac{= 80\ 000\ \$}{.30\ \$} = 266\ 666\ \$$$

L'entreprise étudiée doit donc réaliser 266 666 $ de ventes avant d'enregistrer le moindre bénéfice. En principe cependant, à 266 667 $ de ventes, le bénéfice net serait de .30 $. Signalons par ailleurs que dans sa situation actuelle, les ventes de l'entreprise étudiée peuvent accuser une baisse de 153 334 $ (420 000 − 266 666) avant qu'elle n'enregistre le moindre déficit.

Le lecteur devra noter que notre analyse fait abstraction de toute considération fiscale. Cela va de soi, puisque l'entreprise n'a aucun impôt à payer avant d'avoir atteint son seuil de rentabilité.

---

1. Le seuil de rentabilité est un outil de planification basé sur la notion de bénéfice comptable et non sur la notion de flux d'encaisse. Il ne peut donc se substituer à la préparation d'un budget de caisse.

Maintenant, demandons-nous comment serait calculé le seuil de cette entreprise si elle avait elle-même fabriqué les produits qu'elle vend. Dans ce cas, la présence de l'activité de fabrication impose une difficulté additionnelle. En effet, le coût des ventes, entièrement variable lorsque les marchandises sont achetées à l'extérieur, devient en partie variable et en partie fixe lorsque les marchandises sont fabriquées. Il sera donc nécessaire, pour le calcul du seuil de rentabilité de l'entreprise industrielle, d'établir la distinction entre la partie fixe et la partie variable du coût des marchandises vendues. La partie fixe pour fins de calcul du seuil s'ajoutera aux frais fixes totaux alors que la partie variable sera soustraite dans le calcul de la contribution marginale.

Habituellement ce sont les coûts des matières premières ainsi que de la main-d'oeuvre directe (main-d'oeuvre payée à la pièce, à l'heure ou encore celle qui peut être licenciée lorsque la production ralentit) qui constituent la majeure partie des frais variables de l'entreprise de fabrication. Les frais fixes de fabrication se composeront des salaires de contremaîtres, des loyers et des taxes d'usine, de l'entretien et réparation des équipements, des amortissements, etc...

Pour illustrer les modifications à apporter au calcul du seuil de rentabilité, en contexte d'entreprise de fabrication, on recalculera le seuil de rentabilité du commerce de produits en cuir en posant l'hypothèse que cette entreprise fabrique elle-même ses produits et que, sur 252 000 $ de coût des marchandises vendues, 100 000 $ sont des coûts fixes et 152 000 $ des coûts variables.

Selon cette hypothèse, les frais fixes totaux passent de 80 000 $ à 180 000 $ alors que la contribution marginale moyenne passe de .30 $ par 1 $ de vente à:

Ventes	Frais variables	Contribution marginale
420 000 $ −	(Frais de fabrication 152 000 $ + commissions 42 000 $)	= 226 000 $

$$\frac{\text{Ventes}}{420\ 000\ \$}$$

= .54 $ par 1 $ de vente, si bien que le seuil de rentabilité devient:

$$\frac{\text{Frais fixes totaux}}{\text{Contribution marginale moyenne}} = \frac{180\ 000\ \$}{.54\ \$} = 333\ 333\ \$$$

On peut donc conclure que l'activité de fabrication, dans ce cas, accroît le risque de l'entreprise.

L'exposé qui précède illustre le calcul du seuil de rentabilité à partir de l'état des résultats d'une entreprise. Idéalement, avant chaque décision qui pourrait avoir un impact sur la structure des coûts de l'entreprise (ex.: accroissement des coûts fixes par l'agrandissement de l'usine) ou encore sur la structure des prix de vente (ex.: réduction des prix pour accroître la part de marché) l'entrepreneur devrait, pour mieux apprécier le risque relié à sa décision, en mesurer l'impact sur le seuil de rentabilité de son entreprise. Plus ce dernier sera élevé, plus grand sera le risque commercial de cet entrepreneur.

LA DIVISION DES TÂCHES ET LE CONTRÔLE INTERNE
D. Claude Laroche

Le contrôle interne a comme objectif d'assurer la conduite ordonnée et efficace des affaires de l'entreprise et plus particulièrement la protection des actifs, la fiabilité des livres et documents comptables et la préparation en temps opportun d'une information financière sûre.

Une des techniques utilisées pour mettre en place le système de contrôle interne consiste à examiner la division des tâches qui prévaut à l'intérieur de l'entreprise. Il s'agit de voir si la division des tâches permet de prévenir et dépister les erreurs et les fraudes ou du moins de les rendre plus difficiles.

L'étude de la division des tâches implique la considération suivante: un employé, de par ses fonctions, peut être en mesure de commettre une fraude ou une erreur et de la dissimuler, rendant ainsi sa découverte plus difficile. Pour analyser cet aspect, il faut considérer trois dimensions de la tâche d'un individu:
— l'accessibilité aux biens de l'entreprise,
— l'autorisation des transactions sur ces biens,
— l'enregistrement des dites transactions dans les registres comptables.

Un individu dont les tâches incluent ces trois aspects serait plus exposé à commettre une fraude ou une erreur. Mais, attention, ceci ne veut pas dire qu'il le fera nécessairement. Il nous faut donc utiliser des moyens de prévention. Nous verrons certaines situations "à risque" et la façon de modifier le partage des tâches, afin de diminuer ce risque.

Exemple no 1

Vous avez un employé dont la tâche consiste à préparer la paie. Il recueille les relevés de temps des employés, prépare et signe les chèques de paie, et porte les entrées aux registres comptables. Que pourrait-il arriver?

Cet employé pourrait détourner certaines sommes d'argent correspondant à des salaires fictifs et les enregistrer dans les livres comptables. Il contrôle donc un bien (l'argent), autorise une transaction (l'émission des salaires aux employés) et de plus, a accès aux registres comptables.

Plusieurs réaménagements de cette tâche sont possibles. Un élément important à y intégrer consisterait à faire signer les chèques de paie de l'entreprise par une autre personne. Cette deuxième personne devrait bien connaître les employés et avoir une bonne idée de leur salaire; elle pourrait également recevoir directement du contremaître un rapport de temps justifiant les salaires. Dans notre exemple, le processus vise à réassigner une étape critique du travail du teneur de livres. De façon plus générale, l'ensemble du processus vise à réassigner une, plusieurs ou l'ensemble des étapes critiques du travail à un poste donné. Ici, les aspects strictement cléricaux demeurent entre les mains du teneur de livres alors que les tâches de contrôle sont assignées à une autre personne.

Exemple no 2

Ce processus de révision des tâches nous amène également à la possibilité de déléguer certaines responsabilités en matière de comptabilité à du personnel non comptable (la réceptionniste, le personnel des ventes, certains employés d'usine). Ainsi, la réceptionniste pourrait ouvrir le courrier et préparer le bordereau de dépôt. Le teneur de livres reverrait ce travail par la suite. Ce genre de répartition des tâches permet d'accroître le contrôle interne. La présence d'une personne qui en contrôle une autre permet de réduire le risque d'erreurs.

Un préalable à la modification de tâches consiste à analyser toutes les situations à risque. En premier lieu, certains contacts informels avec le personnel-clef de l'entreprise pourraient permettre d'identifier les secteurs de faiblesses. Il ne faut pas craindre d'aborder cette question en essayant d'imaginer comment une erreur ou une fraude pourrait se produire. Notre objectif est d'identifier les scénarios possibles et de voir à les contrer. Cet exercice peut même devenir plus formel, là où certaines personnes-clefs se réunissent et essaient d'identifier les risques potentiels et la façon de les réduire. Votre vérificateur peut également vous être utile dans cet exercice.

Cependant, de manière générale, il ne faut pas perdre de vue que les coûts associés à cet effort ne devraient pas être supérieurs aux pertes potentielles que pourrait subir l'entreprise.

Que faire cependant dans l'entreprise trop petite pour réaliser une division des tâches adéquate? Le directeur de l'entreprise peut alors déléguer les tâches plus cléricales, mais conserver toujours l'autorisation des transactions (chèques, factures, feuilles de paie, commandes, conciliation de banque, écritures de journal), et effectuer une surveillance directe des opérations. La qualité du contrôle repose alors essentiellement sur son savoir-faire.

En conclusion, afin de prévenir et diminuer les fraudes et erreurs importantes, quelle que soit la taille de l'entreprise, on peut:

1°) effectuer une bonne analyse des situations de risque,

2°) intervenir directement à l'intérieur de l'aménagement des tâches, en considérant les coûts et exigences d'une telle opération.

RATIOS ET ANALYSE DES ÉTATS FINANCIERS
Jacques Fortin

Dans leur forme actuelle, les documents qui composent la série des états financiers présentent, sous une forme très synthétique, les résultats de plusieurs milliers de transactions. Nous proposons ici un modèle très simplifié d'analyse qui permet d'interpréter ces informations et de saisir rapidement l'essentiel du message très riche que les états financiers ont à livrer. Ce modèle en quatre étapes requiert l'utilisation d'un outil principal: le ratio.

Le ratio
Le ratio est le fruit du rapprochement de deux ou plusieurs postes des états financiers sous la forme d'un rapport. On parlera par exemple du ratio de bénéfice net pour désigner le résultat du rapport Bénéfice net/Ventes. Le ratio servira de base à notre modèle d'analyse.

Première étape: La prise de conscience

Au cours de cette étape nous nous familiariserons avec la taille de l'entreprise. On y parviendra en jetant un coup d'oeil sur le chiffre d'affaires de l'entreprise ainsi que sur le total de son actif. Puis, en calculant le pourcentage de variations du chiffre d'affaires du dernier exercice précédent (Ventes 19-1 — Ventes 19-0/Ventes 19-0), nous vérifierons si l'entreprise est en croissance ou en déclin. Nous devrons prendre garde toutefois de ne pas prendre pour de la croissance ce qui ne serait que le résultat de l'inflation.

Seconde étape: La rentabilité générale

C'est en rapprochant le résultat de l'exploitation (Bénéfice net après impôt) des ressources consacrées à cette exploitation (Actif total) que l'on obtient le ratio de rentabilité générale (Bénéfice net/Actif total). Ce ratio indique le rendement que l'on a su tirer de chaque dollar investi dans l'actif de l'entreprise. Par la suite, nous comparerons ce résultat avec ce que l'on considère être un rendement acceptable ou encore, nous le comparerons avec le résultat de l'exercice précédent pour nous assurer que nous ne nous éloignons pas de ce que serait un résultat acceptable.

Troisième étape: L'analyse du bilan

a) court terme

L'analyse de cette portion du bilan démarre avec le rapprochement (Actif à court terme/Passif à court terme) que l'on nomme ratio du fonds de roulement. Un ratio de fonds de roulement de 1 indique que pour chaque dollar de dette à court terme, nous ne disposons que d'un dollar d'actif à court terme pour régler cette dette. Même si un tel résultat peut paraître suffisant, il ne faut pas oublier que, parmi nos actifs à court terme, certains pourraient ne pas être réalisés, ou être de réalisation plus lente que prévue, ou être affectés à autre chose que le paiement du passif à court terme. Pour ces raisons, il est préférable de maintenir l'actif à court terme supérieur au passif à court terme. L'analyse de la portion court terme du bilan se poursuit par l'examen des principaux postes qui composent le fonds de roulement:

i) Les comptes clients: Le ratio Comptes clients × 365/Ventes à crédit indique le nombre de jours qui, en moyenne, s'écoulent entre le moment où la vente est conclue et le moment où elle est perçue. En comparant ce résultat avec les résultats passés et les besoins des clients nous saurons si la gestion du crédit est trop libérale ou trop restrictive.

ii) Les stocks de marchandises: Le ratio Stocks de marchandises × 365/Coût des marchandises vendues indique le nombre de jours de ventes prévus par les stocks en mains. En comparant ce nombre de jours avec la période normale de réapprovisionnement, on saura si l'investissement en stocks est trop élevé ou insuffisant.

iii) Les comptes fournisseurs: Le ratio Comptes fournisseurs × 365/Achats à crédit indique le nombre de jours qui s'écoulent, en moyenne, entre le moment où l'achat est effectué et le moment où il est réglé. En comparant ce résultat à la période moyenne de crédit accordée par les fournisseurs, nous saurons si nous sommes de bons ou de mauvais payeurs.

b) long terme

L'analyse de cette portion du bilan démarre avec le poste immobilisations et se poursuit par l'étude du financement à long terme.

i) Les immobilisations: Le ratio Ventes/Immobilisations sert de coefficient d'utilisation des immobilisations. S'il s'accroît d'année en année, c'est que nos immobilisations sont de plus en plus utilisées. En principe, c'est là un objectif vers lequel on doit tendre. On doit prendre bien soin cependant de ne pas sur-utiliser les actifs en question.

ii) Le financement à long terme: Le financement à long terme, c'est un peu notre marge de manoeuvre. C'est souvent là que l'on ira puiser les ressources nécessaires au redressement d'un fonds de roulement trop faible. C'est là aussi qu'on ira chercher les ressources dont on aura besoin lorsqu'on devra rapidement mettre un projet à exécution. Pour mesurer cette marge de manoeuvre deux rapprochements sont possibles. Le premier nous conduit à long terme à notre niveau d'emprunt actuel. Le second conduit à comparer notre bénéfice net (avant impôts et intérêts) aux charges financières (intérêts et remboursement de capital) que nous devons assumer. Dans chaque cas, nous devrons nous demander si l'entreprise peut en supporter davantage.

Quatrième étape: L'analyse de l'état des résultats

Globalement, c'est le ratio Bénéfice net (après impôts)/Ventes qui nous renseigne sur la qualité de l'exploitation. C'est en comparant ce ratio à ceux des années antérieures et à celui de nos concurrents que nous pourrons apprécier les performances de l'entreprise. Le comportement de ce ratio s'explique par les politiques de prix de vente, les politiques d'achats ou de fabrication et le contrôle des diverses charges d'exploitation. Par le rapprochement (Bénéfice brut/Ventes) on obtient un indice sur la pertinence de nos politiques de prix ainsi que sur la qualité de nos politiques d'achats ou de fabrication. En effet un bénéfice brut qui s'améliore ne peut s'expliquer que par une croissance des prix de ventes ou une amélioration des achats ou de la fabrication. On notera que le résultat de ce ratio peut aussi être jugé en relation avec le résultat du ratio équivalent d'entreprises concurrentes.

Les charges d'exploitation (Frais de vente et d'administration), quant à elles, peuvent toutes être jugées par comparaison aux ventes. Si l'on doit s'inquiéter de rapports (Charges d'exploitation/Ventes) qui s'accroissent, alors que l'on considère normaux des rapports constants, on ne devra pas se surprendre lorsqu'il y aura diminution relative de ce rapport. En effet, certaines parmi ces charges d'exploitation n'augmentent pas de façon proportionnelle à l'augmentation des affaires. Nous pensons notamment aux salaires des cadres et aux amortissements.

Si le modèle d'analyse par ratio peut se révéler très utile pour aider à l'identification de situations données, vécues par l'entreprise, il n'explique ni pourquoi la situation existe, ni comment la corriger ou la perpétuer. Le modèle présenté a été conçu pour aider le gestionnaire à identifier la situation sur laquelle il devra porter son attention. C'est à lui et à ses conseillers qu'il revient de trouver comment il devra intervenir.

LA GESTION DES COÛTS EN PÉRIODE DE CRISE
Mattio O. Diorio

Lorsque les profits s'affaissent, on voit nombre d'entreprises adopter, pour réduire leurs coûts, des moyens improvisés qui le plus souvent manquent le but visé. Examinons-en quelques-uns.

1. On impose une réduction générale de tous les coûts de X pour cent. Quand il est appliqué sans autres directives et au gré de chacun, un mandat aussi imprécis aboutit fatalement à la pagaille. Si on réalise quelques économies, elles sont rapidement contrebalancées par les nouvelles charges requises pour rétablir l'équilibre des opérations.

2. On exige une réduction de X pour cent, disons 10% de l'effectif ouvrier. Résultat: les coûts d'opération seront peut-être réduits de 3 à 6%, mais on voit vite diminuer le moral des travailleurs et la baisse de productivité vient annuler les bénéfices escomptés.

3. On élimine les dépenses "non essentielles" et on exige que tous les bons de commande soient approuvés par la direction. Résultat: quelques économies, bientôt rongées par les pertes de temps et de commandes dues au manque de produits ou de matières premières.

4. On annule des projets de développement ou d'amélioration des procédés. Si le seul autre choix est de fermer les portes, ce moyen s'impose. En tout autre cas, il faut prévoir que cette solution peut obliger la firme à subir à moyen terme des coûts d'entretien majeurs et la mettre, lors de la reprise économique, dans une situation non concurrentielle.

5. On élimine des contrats de sous-traitance et on exécute les travaux soi-même. Si la décision de sous-traiter était mauvaise, il faut la réviser. Mais si la décision était justifiée sur une base de coût/qualité/livraison, la nouvelle politique peut provoquer, à moyen terme, une hausse des coûts, la perte de fournisseurs compétents, et inciter le syndicat à renégocier la clause des "droits de gérance".

Peu de résultats; pourquoi?

1. La gestion des coûts est plus que la réduction des coûts. Elle comprend quatre types d'interventions qu'on doit gérer distinctement:

   a) *l'élimination des coûts* consiste à éviter un coût budgeté mais non dépensé;

   b) *la réduction des coûts* vise à diminuer un coût prévu en voie d'être dépensé;

   c) *le contrôle des coûts* consiste à maintenir dans les bornes prévues une dépense inscrite au budget;

   d) *l'addition de coûts efficaces* augmente les coûts à court terme, afin d'améliorer la performance et de réduire les coûts à long terme.

   Ces distinctions sont d'une importance majeure: elles lient les coûts au rendement; elles soulignent qu'une hausse des coûts à court terme peut entraîner des avantages futurs; elles montrent qu'il faut surveiller les coûts de façon constante, au moyen d'une gestion sélective plutôt que de coupures générales.

2. Les informations pertinentes ne sont pas toujours disponibles dans les rapports comptables. Lorsqu'elles s'y trouvent, elles sont parfois difficiles à repérer. Une bonne gestion des coûts exige des données pertinentes que le gestionnaire doit absolument obtenir, même s'il lui faut les générer lui-même.

3. La gestion des coûts n'est pas nécessairement déplaisante ou rebutante. Mon expérience personnelle et mes interventions dans bon nombre d'entreprises m'indiquent que celles qui ont pris la peine de former et de motiver leurs cadres et contremaîtres réussissent à réduire leurs coûts et à créer un climat très favorable à la productivité.

4. Enfin, il est faux de dire que les coûts d'opération sont prédéterminés et quasi incompressibles. Le coût du capital forme, en général, une partie relativement faible du coût unitaire de production et les coûts d'entretien, d'énergie, de fournitures, de main-d'oeuvre demeurent importants et sont toujours contrôlables. Quant aux méthodes, il faut les remettre en cause constamment; plus on s'améliore, plus on constate que les limites au progrès se repoussent indéfiniment.

Un programme de gestion des coûts

Chaque entreprise devra créer son propre programme; cependant, de l'étude de divers programmes ayant donné des résultats positifs, on peut dégager plusieurs éléments communs:

1. Il est essentiel que la haute direction soit totalement convaincue du besoin d'instituer un tel programme. Elle doit d'abord créer un esprit où chacun pourra reconnaître la valeur du programme et en tirer un défi personnel. Les dirigeants devront y participer activement et savoir attendre plusieurs mois avant d'en retirer des résultats concrets.

2. La formation des cadres intermédiaires et contremaîtres est aussi indispensable. Nombre d'entre eux ne peuvent distinguer les divers coûts, ou identifier les plus importants, ceux auxquels ils devraient s'attaquer en priorité. On doit développer chez les cadres la capacité de coopération, de communication, de décision, bases de la confiance et du dynamisme nécessaires.

3. On devra produire, pour chaque niveau de responsabilité, des données ou rapports simples, faciles à utiliser. Il faut insister sur ce point car la maîtrise des coûts dépend de la disponibilité et de la compréhension de l'information. Il est indispensable que le contremaître sache ce que coûtent l'opération et l'entretien des équipements sous son contrôle.

Pour compléter le programme

Si les trois éléments décrits — conviction, formation et information — sont essentiels à la bonne marche du programme, les quatre éléments suivants en assurent la réussite:

1. Scinder le programme principal en sous-programmes, selon les conditions d'affaires de l'entreprise: par exemple, durant

les périodes de forte demande, mettre l'accent sur les pertes de temps et les temps morts de production; si la demande est faible, l'accent pourrait porter sur l'énergie ou les matières premières.

2. Établir des objectifs précis: ceux-ci devront être suffisamment élevés pour susciter de l'intérêt, mais pas trop, afin d'éviter le découragement.

3. Assurer la continuité du programme par des rappels ou par des activités périodiques; ne pas laisser passer plus de quelques semaines sans une manifestation dans le domaine: session d'évaluation régulière, session spéciale, mise en évidence d'une réussite particulière, etc.

4. Enfin, le programme devra contenir diverses formes de compensations ou de primes afin de maintenir un intérêt constant et d'assurer un partage équitable des économies réalisées.

Un tel programme de gestion des coûts permettra de prévenir le dérapage des coûts et de rendre plus difficile le rattrapage par un concurrent qui se borne encore à un programme d'urgence.

8

EXPORTATION

MARK HOT INC.: UNE PME DU QUÉBEC EN CHINE
PME Gestion

Mark Hot Inc. a été fondée en 1945 par M. Louis-Philippe Marcotte qui lui imprimait très tôt un rythme de croissance endiablé. Pour répondre à la demande, on avait dû à la fin des années 50 procéder à trois emménagements dans des usines de plus en plus vastes.

À ses débuts, Mark Hot fabriquait des radiateurs de chauffage à convection naturelle. On ajouta graduellement d'autres produits: appareils de chauffage à air forcé, cabinets spéciaux pour appareils de chauffage, ventilation, climatisation.

Tout en multipliant ses produits et services, Mark Hot étend rapidement ses marchés. Après avoir couvert le Canada d'un réseau de bureaux de vente et d'agences, elle crée une filiale commerciale aux États-Unis où elle est actuellement représentée par 38 agents. Mark Hot s'intéresse au marché du revêtement mural et décroche en 1979 un premier contrat pour l'Arabie Saoudite, suivi d'un deuxième pour l'Alaska. En 1980, Mark Hot pénètre le marché du "mur rideau" en obtenant le contrat ($10,000,000.) de l'important édifice Wells Fargo, à Los Angeles.

Cette étape est suivie de la fondation de Mark Hot Engineering Inc. avec bureau à Los Angeles. En 1981, ouverture à Hong Kong de Mark Hot Engineering (Asia) Limited, chargée des relations avec le Sud-est asiatique et l'Extrême-Orient.

Les projets et les faits

Selon M. Pierre Marcotte, vice-président et directeur général de Mark Hot Inc. et président des compagnies-soeurs, les projets d'avenir prévoient l'implantation d'un réseau à l'exportation pour les pays arabes et l'Amérique du Sud et des opérations conjointes avec certains pays. On compte aussi accroître l'automatisation de la production grâce à l'acquisition de machines nouvelles et d'ordinateurs.

Mark Hot Inc. est l'unité principale de huit entreprises regroupées dans un holding: Piyo Inc. Elle opère deux usines d'une superficie totale de 180,000 p.c. Elle emploie 400 personnes et son chiffre d'affaires s'élevait à $25 millions en 1981. Le personnel des compagnies-soeurs est d'une centaine de personnes.

L'effort de marketing et de vente de Mark Hot est orienté vers les gros établissements industriels et commerciaux, qu'elle approche selon la méthode de "soumission sur spécifications" (bid on spec.). Les produits Mark Hot étant d'excellente qualité, on n'éprouve pas le besoin de réduire les prix. Dans un marché aussi sophistiqué, une telle politique ne servirait d'ailleurs qu'à soulever la méfiance des acheteurs.

Pouvoir d'entrainement

Pierre Marcotte souligne que les exportations représentaient, en 1980, 25% des ventes du groupe Piyo, et que même les expériences dans les marchés nouveaux du revêtement mural et du mur rideau se sont soldées par des profits intéressants. Le contrat de l'édifice Wells Fargo a fourni à M. Marcotte l'occasion d'inciter cinq entreprises du Québec à présenter des soumissions pour une partie des travaux. Une seule d'entre elles a consenti à relever le défi et elle a obtenu un sous-contrat bien que son prix fût le plus élevé. Ce qui, de l'avis de Pierre Marcotte, confirme le fait que le marché américain est largement ouvert aux produits et services canadiens de qualité.

Le marché d'Asie

C'est à la suite d'un voyage en compagnie de son représentant et d'un interprète que Pierre Marcotte décidait d'ouvrir un bureau à Hong Kong, centre d'une poussée de croissance particulièrement intense et l'une des plaques tournantes du développement de l'Asie. Mark Hot est évidemment disposée à y écouler les produits et services reliés directement ou indirectement à ses activités actuelles. À titre d'exemple, elle s'intéresse présentement à l'installation de tous les éléments mécaniques requis pour un hôpital chinois de 840 lits. Mais l'Asie offre des occasions d'affaires d'une variété presque illimitée.

Mark Hot se voit actuellement sollicitée d'agir comme intermédiaire entre deux pays pour l'achat de 700,000 pièces de literie; dans un autre cas, pour la fabrication de 400,000 sacs de coton. Les occasions d'affaires se multipliant, M. Marcotte songe à fonder une trading house qui aurait une double fonction: celle de servir les intérêts de Mark Hot, tout en lui permettant de canaliser vers des entreprises canadiennes la fabrication de certains articles requis par les pays asiatiques; celle de vendre les produits des pays asiatiques à travers le monde.

Une approche prudente

À cause de la proximité de son bureau de Hong Kong, c'est avec la Chine que Mark Hot entretient, en Asie, les rapports les plus étroits. Elle n'a, à ce jour, conclu avec les Chinois aucune entente ferme. Mais elle a signé avec un groupe une déclaration d'intentions et elle évalue divers projets de collaboration. Pierre Marcotte se refuse à bousculer les événements. Avec l'aide de son représentant du bureau de Hong Kong, il a consacré plusieurs mois à examiner la situation, qu'il décrit de la façon suivante.

Les besoins de la Chine sont inépuisables et il est possible de les traduire en échanges commerciaux, à condition que les transactions soient profitables aux deux parties: on ne doit pas tenter de cantonner la Chine dans le rôle d'acheteur, mais lui permettre aussi de développer ses ventes. Or, ses modes de production sont parfois inadaptés aux marchés mondiaux et elle doit pouvoir importer certaines technologies occidentales. Dans de telles conditions, les partenaires éventuels doivent apprendre à se connaître, à établir les bases d'une confiance mutuelle indispensable. Ils pourront ensuite s'entendre sur des projets précis. L'expérience de Mark Hot en Chine en est rendue à ce point. Il ne s'agit donc pas d'une opération de commando, d'une "shot gun affair", mais de l'établissement soigneusement mûri d'une collaboration aux multiples facettes et susceptible de se prolonger pendant de longues années.

"Made in China"

Pierre Marcotte estime que le Canada se trouve, en vertu de sa taille, de sa réputation et de son appareil technologique, dans une position privilégiée pour aborder les échanges avec la Chine. Quant à lui, il a déjà investi $150,000. dans les activités du bureau de Hong Kong. Il reste disposé à y consacrer des sommes additionnelles, surtout pour se procurer "le capital humain", soit les compétences qui lui permettront de mener ses projets à bonne fin. Car M. Marcotte ne doute aucunement de la vocation industrielle de la Chine: "il y a eu l'époque du *made in Germany,* celle du *made in Japan;* l'époque du *made in China* commencera bientôt. Car si les Chinois ont du terrain à regagner, ils sont animés par une volonté d'agir qui les conduira sûrement très loin".

L'aide au commerce extérieur

Invité à identifier les appuis les plus précieux qu'il a reçus dans sa prospection des pays asiatiques, M. Marcotte mentionne un bureau d'avocats de Montréal, quelques banques canadiennes, l'Office québécois du commerce extérieur et les contributions particulièrement efficaces des ambassades du Canada à Hong Kong et à Pékin.

Puissent les desseins de Pierre Marcotte se réaliser rapidement. Pour l'avantage de son entreprise, bien sûr, mais aussi pour les retombées que la présence de Mark Hot en Asie peut procurer aux producteurs canadiens.

L'ABORDAGE DE L'EXPORTATION
PME Gestion

Le 3 juin 1982, monsieur Pierre Marcotte, vice-président et directeur général de Mark Hot Inc., venait parler d'exportation devant un groupe de lecteurs de PME GESTION. Voici un résumé des propos de M. Marcotte.

Quand faut-il songer à exporter?

Selon Pierre Marcotte, il est normal de couvrir d'abord le marché canadien à moins de pouvoir vendre plus cher à l'étranger. Mais lorsque le marché domestique ne répond plus aux besoins d'expansion, il est temps de regarder vers l'extérieur.

Quand Mark Hot Inc. eut commercialisé ses produits dans toutes les régions du Canada, elle se tourna vers les États-Unis où elle fit faire un premier sondage par des employés de confiance. Encouragée par les résultats, elle décida de procéder à une enquête de marché dont elle confia la responsabilité à un promoteur compétent. Six mois plus tard, elle comptait aux U.S.A. 12 agents; elle en a aujourd'hui près de 40.

Agents étrangers ou filiales?

Pour l'exportateur, il est moins dispendieux d'utiliser, en pays étrangers, un ou des agents locaux que d'y installer un bureau avec personnel salarié. De plus, l'agent possède déjà une procédure, des contacts et une connaissance du milieu que des nouveaux venus ne pourront acquérir qu'au prix d'efforts coûteux.

Par ailleurs, l'agent représente le plus souvent plusieurs concurrents à la fois; pour toutes sortes de raisons, il peut n'attacher aux produits de tel fournisseur qu'une attention minimale. "Il faut les suivre, les pousser, les changer au besoin." Pour se protéger, l'exportateur serait sage de ne conclure avec ses agents que des contrats à court terme, renouvelables annuellement et résiliables à 90 jours. Monsieur Marcotte cite le cas d'un agent de Hong Kong qui se trouva dans l'impossibilité d'émettre des lettres de crédit. On le remplaça rapidement par un agent plus argenté et dont les taux de commission étaient moins élevés.

Quand le volume le justifie, l'exportateur trouvera avantage à ouvrir son propre bureau, ne serait-ce que pour tenir les agents sur le qui-vive. Cette solution s'impose quand les contrats dépassent les simples échanges et comportent des travaux d'installation ou d'entretien d'une certaine complexité. Quant à la main-d'oeuvre, Mark Hot utilise des travailleurs locaux.

Un promoteur ça sert à quoi?

Dans l'expérience de Mark Hot aux États-Unis, il s'agissait d'établir d'abord un réseau de distribution afin d'écouler ses produits traditionnels: ce qui fut fait. Mais le promoteur, qui avait le nez au vent, entendit parler d'un contrat de revêtement mural de $2 millions pour l'Arabie Saoudite. Saisie du projet, la direction de Mark Hot s'y intéressa et, même s'il s'agissait pour elle d'un domaine nouveau, elle présenta une soumission qui fut acceptée.

Après avoir répété l'expérience en Alaska, Mark Hot s'attaqua au contrat de revêtement mural de Wells Fargo, à Los Angeles: $12 millions comprenant la totalité des travaux, depuis l'engineering jusqu'à la mise en place des matériaux. Les succès de Mark Hot dans ce nouveau marché lui ont permis de s'engager dans un programme de diversification qui se développe à son rythme propre. Si bien que le chiffre d'affaires du Groupe Piyo Inc. (Mark Hot Inc. et sociétés affiliées) est passé en cinq ans de $12 millions à plus de $40 millions par année. Et il continue de croître.

Dans cette progression, le promoteur a joué un rôle majeur par sa vitalité et sa curiosité, son aptitude à servir de lien efficace entre son entreprise et le marché. Selon Pierre Marcotte, le promoteur type est rarement un administrateur... et inversement. Parce qu'ils sont rares, les bons promoteurs coûtent cher. Pour en découvrir à meilleur compte, il faut s'adresser aux écoles et aux universités, choisir un jeune qui possède ce talent et lui faire confiance, tout en sachant le diriger.

Autres facteurs de succès

Les produits Mark Hot se situent à la fine pointe de la technologie: ils se vendent bien et à bon prix.

Pierre Marcotte réalise que la dévaluation de notre dollar sert puissamment l'exportation des produits canadiens et il entend en profiter pleinement. Si cet avantage vient à disparaître, Mark Hot appliquera sans délai un programme déjà prévu, consistant à investir de $1 million à $1,5 million dans les équipements encore plus modernes pour lui permettre de conserver ses avantages concurrentiels.

Exportation et gestion

Monsieur Marcotte constate que son entreprise a assumé des risques sérieux en se lançant dans des voies inconnues. Son commentaire est simple: il faut prendre le train quand il passe. Mais c'est l'aptitude de son équipe de direction à rassembler ses énergies et à résoudre rapidement les problèmes rencontrés qui a permis à Mark Hot de faire un succès de chacune de ces aventures.

Cette remarque est importante. Elle souligne le fait que la décision d'exporter ne remplace pas une bonne politique de gestion. Si Pierre Marcotte est discret à ce sujet, un observateur de l'extérieur affirme que l'équipe Mark Hot possède à un haut degré la compétence administrative et technique indispensable à la maîtrise des situations complexes. Elle est en mesure de mobiliser des ressources d'une qualité exceptionnelle qui, alliées au dynamisme et à l'entrepreneurship caractéristiques de l'entreprise, la conduisent au succès, même dans des circonstances difficiles.

Filiales à l'étranger

Pour faciliter la gestion et la mise en marché de ses activités d'exportation, Mark Hot a fondé des filiales, notamment à Los Angeles et à Hong Kong. Aux États-Unis les possibilités sont telles qu'elle songe à y créer un nouveau bureau. Outre les avantages déjà mentionnées, ces bureaux étrangers permettent à Mark Hot:

— de fournir un meilleur service;
— de réduire les frais de douane;
— de profiter de taux d'impôt parfois plus avantageux (à Hong Kong l'impôt est de 15%);

— de diversifier ses relations avec les banquiers.

Un ou des banquiers?

Pour l'avancement de ses affaires dans le sud des États-Unis, Mark Hot Inc. a décidé de transiger avec une deuxième banque canadienne très active dans la région. Par ailleurs, sa première banque, solidement implantée dans le sud-est asiatique où elle finance des projets d'envergure, a pu lancer Mark Hot sur des pistes qui se sont avérées très profitables. De ces expériences, Pierre Marcotte conclut qu'il est sain de faire affaires avec deux et même trois ou quatre banques:

— pour établir entre les banques une certaine concurrence;

— pour profiter au maximum des contacts privilégiés que chacune d'elles détient dans tel secteur ou telle région.

Organismes utiles

Pierre Marcotte souligne la qualité élevée des services fournis par les organismes suivants:

— Office québécois du commerce extérieur: informations générales, préparation des rendez-vous en pays étrangers[1].

— Société pour l'expansion des exportations (Canada): diverses formules de financement du commerce extérieur permettant de faciliter les problèmes de paiement.

— Ambassades et consulats canadiens, maisons du Québec à l'étranger: généralement très efficaces et parfois d'un rendement exceptionnel.

Remarques diverses

1. Le personnel des établissements canadiens ou québécois, ici comme à l'étranger, est dynamique, compétent et dévoué à sa tâche: la promotion du commerce extérieur. Il ne s'attend nullement à ce que les hommes d'affaires "achètent" leurs services à coups de repas ou d'autres formes d'entertaining.

2. Les mêmes personnes ne peuvent faire un travail sérieux que si on leur laisse le temps de se préparer de façon convenable à jouer leur rôle d'intermédiaire ou d'informateur entre le vendeur et les acheteurs éventuels. Le vendeur ou l'exportateur ne doit pas compter sur des résultats mirobolants à trois jours d'avis. Il doit également faire preuve de bonne foi en assurant le suivi des premières démarches qu'on lui aura proposées.

3. Pour être pris au sérieux, il faut éviter en général de mêler les vacances ou le tourisme aux affaires.

-----

1. *Les services d'exportation du gouvernement du Québec sont maintenant assumés par le ministère du Commerce extérieur.*

4. Il en coûte moins cher de livrer des marchandises de Montréal à Hong Kong ou à Los Angeles que de Montréal à Vancouver.

5. Sur certains marchés (Hong Kong par exemple) la concurrence se fait surtout entre exportateurs: dans la plupart des secteurs industriels, il n'existe pas de producteurs locaux.

Merci, Pierre Marcotte

La plus grande part de la réunion s'est déroulée sous la forme de questions et réponses. On ne peut reproduire dans un bref résumé le style direct et accueillant de Pierre Marcotte. Aux questions qu'on lui posait, il a répondu clairement et avec la plus grande franchise.

PME & TRADING HOUSE: PARTENAIRES À L'EXPORTATION

Claude Choquette

Pour les PME désireuses d'exporter, la Trading House représente un mode d'entrée efficace et peu onéreux sur le commerce extérieur. Cependant il arrive que les motivations et les préoccupations respectives de telle PME et de telle Trading House aient pour effet de réduire la qualité de leurs relations et de limiter les résultats de leur collaboration.

Afin de décrire le plus clairement possible les problèmes qui peuvent alors se présenter, rappelons que les PME utilisent l'une ou l'autre des trois formes suivantes d'exportation.

1 — Exportation occasionnelle

C'est le cas de la PME qui désire écouler sur le marché extérieur un surplus de production.

2 — Exportation continue et indirecte

Dans cette approche, l'exportation fait partie intégrante des politiques commerciales de la firme, mais généralement le volume des ventes ne justifie pas l'établissement de liens directs, trop coûteux, avec les acheteurs étrangers. La PME utilise alors un intermédiaire — une Trading House — pour prendre charge de ses opérations sur les marchés extérieurs.

3 — Exportation continue et directe

La PME est implantée dans les marchés extérieurs. Le volume est généralement assez élevé pour justifier l'intégration des opérations d'exportation dans sa gestion interne.

En tant que négociant international, la Trading House possède l'expérience requise pour jouer un rôle important dans les deux premières approches à l'exportation. Les difficultés rencontrées par le tandem PME — Trading House se retrouvent principalement au niveau de l'approche 1 (exportation occasionnelle) pour les raisons suivantes.

1 — La PME peut percevoir l'exportation comme un moyen relativement facile d'écouler un surplus. Devant cette situation, la Trading House, n'étant pas assurée d'une source d'approvisionnement continue, fait relativement peu d'efforts pour développer les marchés extérieurs.

2 — Politique de prix de la PME:
La PME ayant peu d'expérience dans ce type de commerce peut être amenée à croire que la demande de la Trading House est un indice de rareté sinon d'urgence sur les marchés extérieurs. Résultat: le prix demandé est plus élevé que celui du marché domestique.

3 — Marchés extérieurs:
La PME peut avoir l'impression que les marchés extérieurs sont moins concurrentiels que le marché domestique et que la Trading House est capable de prendre avantage de cette situation.

4 — Coûts de transport:
La PME n'est pas toujours en mesure de réaliser que les coûts de transport peuvent quelquefois représenter jusqu'à 50% de la valeur des produits et, de ce fait, sont un facteur important dans le prix final à l'importateur.

5 — Informations sur les produits:
La Trading House transige sur les marchés par télex et appels téléphoniques; le temps est un élément précieux dans ce type de commerce. Les renseignements essentiels, tels qu'une description détaillée des produits, leur volume, leur poids, leur dimension exacte, spécifications, composition et emballage, doivent être disponibles dès les premiers contacts avec la Trading House.

La Trading House peut être partiellement responsable de ces difficultés, dans la mesure où elle se définit comme négociant international dont les tâches principales sont les transactions de produits et la passation des produits d'un producteur à un client. ˈ Laissée à ses seuls moyens, la PME peut difficilement adapter son approche et ses perceptions aux marchés d'exportation sans encourir des risques élevés. Et il est relativement difficile pour la PME d'assurer un approvisionnement continu sans l'existence de rapports organiques avec une Trading House.

Donc, pour la Trading House, l'affirmation d'une volonté de dépasser le rôle de négociant et de jouer celui de "marketer" international permet d'établir des liens plus étroits avec la PME. Cette approche est un élément de motivation à l'exportation pour la PME. Car la Trading House, grâce à son savoir-faire en termes d'adaptation des produits et d'établissement de réseaux de distribution, sécurise la PME et ainsi lui permet d'atteindre l'approche 2, soit l'exportation continue et indirecte.

En résumé, nous suggérons à la PME:

1 — D'établir des prix réalistes et compétitifs.

2 — De se tenir au courant des coûts de transport.

3 — De tenir compte du fait que les marchés extérieurs peuvent être très concurrentiels.

4 — De fournir sans délai à la Trading House l'information et les spécifications requises sur les produits à exporter.

Nous suggérons à la Trading House:

1 — De dépasser le stade de négociant.

2 — De jouer le rôle d'un agent actif dans le développement des marchés à l'exportation.

3 — D'assumer en partie le risque d'une telle approche.

Note. — Le ministère de l'Industrie et du Commerce du Canada vient de publier un cahier de recensement des Trading Houses au Canada. Pour renseignements, communiquer avec M. M.J. Reshitnyk, Industrie et Commerce, Direction des Services de distribution (88), 235, rue Queen, Ottawa, Ontario, K1A 0H5, (613) 593-7981

OUVERTURE SUR LES MARCHÉS ÉTRANGERS
PME-EXPORTATION ET GEORGES NADEAU INC.

PME Gestion

PME-EXPORTATION, une société fondée par des diplômés de l'École des Hautes Études Commerciales, offre des services de consultation en marketing international aux entrepreneurs du Québec.

Les dirigeants de la jeune entreprise — d'abord connue sous le nom de Mission Exportation PME Inc. — ont réuni au sein d'un conseil d'administration actif les compétences requises pour assurer la qualité de leurs interventions. Le conseil est composé de représentants du ministère de l'Expansion Industrielle Régionale, du ministère du Commerce Extérieur du Québec et de l'Association des manufacturiers canadiens, d'un professeur de marketing international (H.E.C.), du directeur des opérations internationales, division du Québec, Banque Royale du Canada et d'un professeur de droit international (H.E.C.)[1]*.*

Après à peine un an et demi d'existence, PME-EXPORTATION a déjà exercé des activités en Afrique Noire, dans les pays arabes, en Europe et aux États-Unis. Et la liste de ses clients s'allonge. L'un d'entre eux, M. Louis Nadeau, acceptait récemment de nous parler de son entreprise et de ses relations avec PME-EXPORTATION.

Georges Nadeau Inc.

Louis Nadeau est président-directeur général de Georges Nadeau Inc. Fondée par son père en 1962, l'entreprise distribue des isolants industriels et fabrique des incinérateurs "Pyrotek" (secteur où la concurrence est toute récente) et des cheminées industrielles "Isotherm". Elle étudie présentement l'opportunité de diversifier ce secteur de fabrication dans les domaines de l'environnement et de l'énergie, dont l'incinération municipale.

La plupart de ces produits sont fabriqués selon les spécifications d'une clientèle comprenant des firmes industrielles, les hôpitaux, les fours crématoires. On ne garde pas d'inventaire de produits finis, si ce n'est pour l'équipement des fours crématoires dont la production est standardisée.

Au point de vue technique, Georges Nadeau Inc. et ses concurrents utilisent généralement des méthodes semblables, y compris l'emploi de l'ordinateur pour le contrôle d'opérations particulièrement délicates. Son expérience de plus de vingt ans a permis néanmoins à Georges Nadeau Inc. d'accumuler un savoir-faire considérable dans la conception et le design de ses produits: certains de ses appareils sont des innovations de A à Z.

La compagnie Nadeau, dont le personnel est de 37 personnes, possède des établissements à Québec et à Montréal. Considérant que le marché québécois approche du point de saturation, M. Nadeau dirige son expansion, depuis quelques années, vers les

---

1. *On peut atteindre PME-EXPORTATION au 5255 avenue Decelles, Montréal, Qué., H3T 1V6. Tél.: 343-4435.*

provinces atlantiques et l'Afrique du Nord où il a effectué quelques livraisons. Mais il estime que, pour poursuivre et accélérer sa croissance, l'entreprise doit améliorer, entre autres, ses moyens de production. Et cette poussée technique ne sera rentable que si elle est dirigée par des gens compétents. Généraliste lui-même, Louis Nadeau cherche à s'entourer de spécialistes capables de prendre en charge chacune des fonctions majeures de l'entreprise, de contribuer à son évolution technologique et à son efficacité administrative.

Pour atteindre cet objectif, Louis Nadeau sait qu'il devra investir des sommes considérables. Quant aux sources de financement, il a décidé de compter sur les revenus additionnels provenant de l'augmentation des ventes, ici et éventuellement à l'exportation. La possibilité d'association éventuelle avec d'autres firmes pourrait également constituer une avenue intéressante permettant d'accélérer ce processus de croissance.

Un contact, un contrat

C'est par un article publié dans Le Devoir que Louis Nadeau apprit l'existence de PME-EXPORTATION. Il lui confiait bientôt le mandat de représenter les intérêts de son entreprise à l'étranger. Muni d'une documentation appropriée, un représentant de PME-EXPORTATION passa un mois dans sept pays d'Afrique et du Moyen-Orient, où il se livra à une étude des marchés et des réglementations gouvernementales. Il devait aussi tenter de dépister des firmes locales capables de promouvoir la vente des produits Nadeau. Il a établi une centaine de contacts avec lesquels on entretient des relations suivies.

Outre les démarches de son représentant, PME-EXPORTATION joue le rôle de gestionnaire en développement international pour le compte de Georges Nadeau Inc. Elle maintient des dossiers ouverts auprès des ambassades et consulats canadiens en Europe, au Moyen-Orient, en Afrique Noire et dans les fichiers des organismes spécialisés dans l'import-export. Les personnes intéressées aux produits Nadeau peuvent alors adresser leur demande directement à la direction de l'entreprise, qui se charge d'y donner suite. Grâce à cette procédure, la compagnie Nadeau travaille actuellement, de concert avec une firme française, à un projet comportant la vente d'incinérateurs à des acheteurs marocains.

Aux yeux de M. Nadeau, le coût de cette première percée sur l'exportation constitue "un investissement à terme". Et comme son entreprise ne disposait ni de l'expérience, ni du personnel, ni de l'encadrement requis pour effectuer un tel travail, il se déclare satisfait des résultats obtenus.

Quels résultats?

Les contacts, les relations engagées, la présence permanente de l'entreprise dans le réseau international sont des étapes préliminaires mais indispensables au succès sur les marchés extérieurs. Voilà donc un acquis précieux.

De plus, le programme a permis, "grâce au dynamisme de cette organisation", d'identifier certaines lacunes, non seulement dans le champ de l'exportation mais aussi dans l'organisation même de l'entreprise. Il a amené la direction à s'interroger sur tous les aspects de sa gestion: fabrication, marketing, vente, productivité, et à reconnaître que la faiblesse de la concurrence avait provoqué un relâchement des contrôles et du souci du rendement. Ce diagnostic provoqua dans l'entreprise une réaction vigoureuse, la volonté de rétablir des politiques de prévoyance et d'efficacité.

Vers un plan d'ensemble

M. Nadeau constate que la distribution prend une part de plus en plus importante de ses affaires. Mais il tient à mettre plus d'accent sur la fabrication. Quand le mouvement d'exportation se confirmera, il servira de stimulant à l'innovation et au perfectionnement de la production. "Pour se situer, dit-il, il est très utile de se frotter à la concurrence internationale."

Alerté par une meilleure connaissance du monde complexe de l'exportation, Louis Nadeau voit maintenant la possibilité de conclure des accords de fabrication sous licence. Il s'agirait de contrats bilatéraux entre Georges Nadeau Inc. et certains producteurs étrangers, chacun pouvant se prévaloir du savoir-faire et des spécialisations de l'autre. Au-delà de ces premiers rapprochements, deux ou plusieurs producteurs pourraient présenter des soumissions communes pour des contrats dépassant les ressources d'un seul d'entre eux. Louis Nadeau a établi des contacts à cet effet auprès d'entreprises de France, de Belgique, d'Allemagne de l'Ouest et de l'Inde.

Par l'entremise de firmes canadiennes chargées de travaux à l'étranger sous l'égide du gouvernement fédéral, Georges Nadeau Inc. a effectué des ventes en Côte-d'Ivoire, en Algérie et en Arabie Saoudite. Ces expériences donnent un avant-goût de réalisme aux perspectives ouvertes par les démarches de PME-EXPORTATION.

Et si c'était à refaire?

Monsieur Nadeau affirme qu'il est entièrement satisfait de la façon dont PME-EXPORTATION s'est acquitté de son mandat. "Si c'était à refaire, je n'hésiterais pas à prendre la même décision. Je n'ai qu'un seul regret c'est de n'avoir pas agi plus tôt."

Faisant allusion aux effets de ces interventions, il constate: "Le dynamisme de cette organisation nous pousse. Nous savons que les résultats ne se feront sentir, en termes de volume, qu'à longue échéance. Mais nous n'éprouvons à ce sujet aucune frustration."

Dans l'exécution de son plan d'ensemble, Louis Nadeau semble accorder la priorité, pour le moment, à la réorganisation interne de son entreprise. Il sait aussi qu'il devra soutenir de plus près et plus activement les efforts de l'équipe de PME-EXPORTATION. "Elle nous fournit un support excellent. Toutefois, l'arrangement actuel ne peut durer indéfiniment. Nous devrons l'appuyer davantage. Ce qui devrait se faire d'ici quelques mois."

En attendant, Louis Nadeau vient de renouveler le mandat de PME-EXPORTATION. "Son diagnostic initial était dynamique et il est resté orienté vers l'action. Si les efforts d'exportation ne sont pas suivis et encadrés, on risque de tourner en rond. Par ailleurs, il ne faut pas s'attendre au succès du jour au lendemain. Nous avons décidé de pousser l'expérience jusqu'au bout. Au terme de cette deuxième année, nous réviserons la situation en sachant davantage où faire porter nos efforts."

EXPORTATION ET GESTION
PME Gestion

L'exportation peut être un facteur d'expansion très important. Mais elle comporte aussi des embûches dont les nouveaux venus dans le domaine ont intérêt à être prévenus. Au cours d'une entrevue, nous avons demandé à M. Roger Charbonneau, familier des questions d'import-export, d'identifier quelques-unes de ces difficultés. On trouvera ici un résumé des propos de M. Charbonneau.

L'exportation: une forme de croissance

L'expansion géographique est une pratique courante: Une foule d'entreprises font éclater les cadres de leur clientèle initiale et étendent progressivement leurs marchés à des villes, à des provinces de plus en plus éloignées où, dans bien des cas, elles trouvent avantage à installer une usine ou un centre de distribution.

L'exportation n'est qu'une étape additionnelle de ce processus de croissance. Mais cette étape comporte une différence considérable: quand il a franchi les frontières de son pays, l'homme d'affaires pénètre dans un monde qui, même s'il ne lui est pas totalement inconnu, n'est plus le sien. Les lois et les habitudes sont différentes, de sorte que les conflits sont plus difficiles à résoudre.

Attention à la différence

Dans son propre pays, il est relativement facile d'obtenir l'information officielle et de solliciter les opinions de personnes connues. À l'étranger, le réseau des relations étant beaucoup plus restreint, il est parfois difficile de se procurer l'information officielle de date récente et les jugements d'individus sur qui on sait pouvoir compter.

Le produit ou le service qui se vend bien chez soi ne sera pas nécessairement aussi bien accepté dans un autre pays. Il arrive qu'on doive l'adapter à des habitudes, à des goûts différents, à une forme nouvelle de concurrence; ce peut être une opération onéreuse et délicate, exigeant une souplesse, une capacité d'adaptation qui ne s'improvisent pas.

Le succès local n'est donc pas une garantie de succès à l'exportation. Dans son pays d'origine, on se fie à soi-même et à son équipe. À l'étranger on est à la merci d'intermédiaires locaux: on devra dénicher l'agent intègre et efficace, capable de promouvoir les intérêts de l'entreprise. Il faut le contrôler de près aussi longtemps qu'on n'est pas assuré de sa bonne foi, et l'avion ne résout pas tous les problèmes de gestion à distance. Il faut aussi se familiariser avec la population et sa culture afin de répondre aussi exactement que possible à ses besoins.

Un danger: les prix des autres

Les entreprises se lancent ordinairement dans l'exportation dans le but de mieux utiliser leurs ressources humaines et matérielles en répartissant leurs frais fixes sur un marché plus étendu. Cette intention est excellente à condition de s'appuyer sur des prix qui laissent une marge suffisante de bénéfices. Quand un marché est déjà occupé par des concurrents qui pratiquent une certaine forme de dumping, il est sage de regarder ailleurs avant de décider de s'y établir.

Si on veut vraiment faire de l'exportation il faut la prendre au sérieux, viser à établir un marché stable et susceptible de se développer. Les facteurs de succès sur les marchés étrangers sont les mêmes que ceux qui s'appliquent dans le pays d'origine, auxquels il faut ajouter, en plus de l'éloignement, les facteurs répondant aux exigences particulières à telle ou telle région. L'adaptation à ces conditions nouvelles constitue une tâche difficile et spécialisée qui impose au nouveau venu une période plus ou moins longue d'apprentissage. Les entreprises qui traversent le plus aisément cette période sont celles qui possèdent l'organisation, la maturité et les ressources requises; celles dont l'administration générale est à point et dont les diverses fonctions — finance, technologie, personnel, marketing, contrôle des coûts, etc. — sont assez efficaces pour répondre à des demandes imprévues, pour soutenir les ventes et rentabiliser les opérations. Et leur dirigeants doivent disposer du temps (souvent considérable) et des aptitudes qui leur permettront de consacrer à cette activité les efforts essentiels au succès.

Le meilleur atout: une bonne gestion

L'exportation a permis à de nombreuses entreprises de se donner un second souffle et d'accroître leur chiffre d'affaires de façon souvent inespérée; et à leurs dirigeants, d'acquérir une vision élargie de leurs possibilités d'action. L'ouverture des frontières en fait de plus en plus une obligation, surtout pour les pays industrialisés, qui ne peuvent rester passifs devant la concurrence étrangère. Mais en exportation comme en toute expérience industrielle ou commerciale, la chance sourit d'abord aux équipes capables de transformer des projets en réalisations et suffisamment disponibles pour ajouter des tâches nouvelles à leurs responsabilités courantes. Là comme ailleurs, la réussite tient à la compétence des gestionnaires... et à leur esprit d'entrepreneurship.

9

FINANCEMENT — SOURCES DE FONDS

FINANCER UNE PME EN PÉRIODE DIFFICILE
Jean Guertin

Un problème majeur: le "cash flow"

En temps de crise ou de décroissance économique, il devient essentiel plus que jamais de s'assurer qu'on possède des réserves suffisantes de liquidités pour répondre aux besoins de l'entreprise. Or, la comptabilité traditionnelle, faite pour fins d'impôt et basée sur la mesure du profit, nous renseigne souvent très mal sur l'état réel des fonds disponibles. Les éléments constitutifs du profit, par exemple les inventaires et les comptes à recevoir, ne sont pas immédiatement ni entièrement réalisables.

Pour y voir plus clair, les dirigeants devraient recourir à la comptabilité de caisse, qui leur permettra d'établir beaucoup plus objectivement la valeur des ressources financières dont ils disposent. En l'absence de comptabilité de caisse, on s'expose à surévaluer ou à sous-évaluer le cash flow. Récemment, les états financiers d'une importante entreprise québécoise se soldaient par une perte de $1 million. Mais la comptabilité de caisse indiquant un cash flow positif, on constate que la situation de la firme n'est pas compromise. Cet exemple permet de souligner que

— l'état des profits et pertes n'est pas nécessairement représentatif "du compte en banque" ou du fonds de roulement;

— ce ne sont pas les pertes comptables en soi qui sont un danger, mais les sorties de fonds; surtout en période de crise, il faut les réduire au minimum.

L'entreprise en cause étant bien gérée, c'est précisément l'attitude qu'elle a adoptée, notamment en suspendant certaines activités, provisoirement non rentables. Cette méthode, appliquée spontanément par une foule de PME, est mise en pratique de plus en plus fréquemment par la grande entreprise et devient caractéristique de la période actuelle: on exerce un contrôle serré des sorties de fonds, en insistant moins sur les résultats comptables classiques.

Les taux d'intérêt

Il est normal qu'on cherche à payer sur ses emprunts les taux les plus bas. Mais, même si le loyer de l'argent a atteint en 1981 des taux spectaculaires, on ne peut pas prétendre qu'ils constituent une menace à la survie des entreprises. Ainsi, une hausse des taux d'intérêt de 5% sur une marge de crédit de $500 000. représente un coût additionnel de $25 000. par année. Puisque ce montant est applicable à l'impôt, l'entreprise encourt une charge nette additionnelle de $13 000. à $20 000. selon le taux d'imposition de l'entreprise. (Pour une marge de crédit de $100 000., la charge nette additionnelle sera de $2 600. à $4 000.). S'il suffit d'une somme aussi faible pour provoquer une faillite, la cause ne se trouve pas dans le taux d'intérêt mais ailleurs: dans un mauvais contrôle des inventaires, une politique de crédit trop conciliante, une mauvaise planification, ou le manque de réactions suffisamment rapides aux fluctuations de la situation. C'est bien davantage la quantité de fonds empruntée que leur coût qui importe. Dans le cas mentionné ci-dessus, l'entreprise a pris des mesures vigoureuses pour bloquer les sorties de fonds, en fermant une usine, en écoulant ses stocks, etc., afin d'augmenter son cash flow et son autonomie financière.

Uniformité des taux d'intérêt

Il importe de souligner que les taux d'intérêt attachés aux marges de crédit varient très peu d'une entreprise à l'autre. Une étude, réalisée en 1980 auprès de 2 000 entreprises de toutes tailles, indique que celles dont les ventes se situent entre $250 000. et $2 millions payent des taux d'intérêt qui, en moyenne, dépassent le taux préférentiel par moins de 2%, la grande majorité se situant à environ 1-1,5% au-dessus du taux préférentiel. Quant au niveau général des taux, on peut déplorer qu'il soit aussi élevé. Mais c'est un problème qui relève de la politique monétaire et sur lequel les emprunteurs, gros ou petits, ne peuvent exercer aucun contrôle. Ils sont tous dans le même bateau.

Il va de soi qu'un climat de récession incite les banquiers à surveiller de plus près la situation des emprunteurs, à leur poser des questions plus directes sur les moyens mis en oeuvre pour accroître ou maintenir leur cash flow. Les banquiers n'aiment pas les pertes et, surtout en période de crise, refusent de financer une gestion trop libérale ou malhabile. La réponse consiste à se plier à ces exigences et à fermer les valves par où s'écoulent les liquidités de l'entreprise.

Le fonds de roulement tend à grossir...

Le fonds de roulement est normalement financé à même un crédit bancaire. En temps de crise, les besoins de fonds de roulement se font souvent plus grands parce que les inventaires et les comptes à recevoir ont tendance à croître de façon insidieuse, par négligence ou excès de confiance. À ce facteur s'ajoute le fait que l'inflation, en augmentant les coûts de production et de vente, exerce des pressions additionnelles sur le fonds de roulement, qui peut prendre des proportions alarmantes à moins qu'on sache appliquer les freins aux bons endroits et au bon moment.

Financement à long terme

Comme il se renouvelle continuellement, l'emprunt bancaire qui soutient le fonds de roulement constitue en fait un financement à long terme. Mais il n'est pas recommandable de financer des immobilisations nouvelles à même cet emprunt.

On devrait aussi prendre des précautions avant de procéder à la vente d'actions dans le contexte actuel: ce marché, comme celui de l'immeuble, fonctionne au ralenti.

Par ailleurs, les institutions financières canadiennes détiennent un excédent de fonds pour investissements à long terme. Au Québec en particulier, où la concurrence entre prêteurs est plus vive que dans les autres provinces, les entreprises en bon état peuvent se procurer facilement les fonds requis pour des projets d'expansion intéressants.

Les SODEQ

Les SODEQ, qui sont des institutions privées, sont obligées par la loi d'investir 70% de leurs fonds dans des prêts non garantis ou du capital-actions. Elles sont normalement appelées à agir sur le plan régional et doivent s'impliquer dans la gestion des entreprises auxquelles elles participent. L'expérience des SODEQ est récente, mais les dirigeants de PME auraient avantage à s'en approcher et à s'informer des conditions qu'elles ont à offrir. Toutefois, en émettant des obligations d'épargne à 19 1/2% d'intérêt, les gouvernements n'incitent sûrement pas les SODEQ à la modération.

Les prêteurs publics

La Banque Fédérale de Développement (BFD) applique les méthodes courantes chez les institutions privées: elle ne prête pas à fonds perdus. Mais elle accepte de faire des transactions financières pour de petits montants, alors que les prêteurs privés ne s'y intéressent pas à cause des frais relativement élevés qui y sont attachés.

La Société de Développement Industriel (SDI) est, à toutes fins pratiques, le seul instrument du gouvernement du Québec en matière de financement des entreprises. Les subventions et les programmes de bonification d'intérêts passent tous par la SDI. Mais elle ne se substitue pas aux prêteurs privés, auxquels elle fournit plutôt des garanties additionnelles. La démarche, dans ce cas, doit donc consister à s'adresser d'abord au secteur privé, puis à demander à la SDI de soutenir le projet de financement.

Le ministère de l'Expansion Industrielle Régionale (MEIR) joue, au niveau fédéral, un rôle équivalent à celui de la SDI au Québec. Fait exceptionnel dans le domaine des relations Québec-Ottawa, ces deux institutions sont en relations étroites; et il en est de même de l'ensemble des deux réseaux d'affaires économiques, le national et le québécois. Pour mettre à profit les ressources dont ils disposent, les chefs d'entreprise devraient procéder selon la méthode du "guichet unique" et *s'adresser d'abord au délégué régional, soit du fédéral, soit du Québec*. Le délégué ne distribue pas de fonds. Mais, dans un cas comme dans l'autre, il a reçu le mandat de "faire le dispatching", de piloter le dossier, tout en assurant la complémentarité entre les deux niveaux de gouvernement. Connaissant à fond les fonctions de toutes les parties des deux réseaux, il pourra orienter efficacement le dirigeant vers les services les plus susceptibles de répondre à ses besoins. *Cette démarche auprès du délégué régional, le dirigeant doit la faire avant d'avoir pris quelque engagement que ce soit, sous peine de compromettre toute possibilité d'aide financière.*

Le programme CASE, conçu et distribué par la BFD, consiste à mettre à la disposition des PME des services de consultation, effectués par des hommes d'affaires retraités, pour la somme de $8,50 de l'heure. Les conseillers, des gestionnaires expérimentés, n'ont pas pour mission de procéder à des changements majeurs, mais de mettre en place des instruments essentiels à la bonne gestion de l'entreprise: système comptable cohérent, calcul du prix de revient et autres opérations courantes. (Les Ontariens sont beaucoup plus nombreux que les Québécois à utiliser le programme CASE. Pourquoi?)

Financement et gestion

En période de décroissance, il devient essentiel de surveiller très étroitement sa trésorerie; non seulement les inventaires et les comptes à recevoir, mais toutes les activités, tous les gestes qui affectent les entrées et les sorties de fonds. Des clauses apparemment inoffensives de la convention collective, par exemple, peuvent entraîner des déboursés très considérables. De sorte que, malgré les apparences, le problème majeur n'est pas le financement mais l'efficacité de la gestion.

Dans ce sens, le budget de caisse devient un outil indispensable. Il permet de passer en revue tous les aspects de la gestion, de bloquer les fuites avant qu'elles n'épuisent le fonds de roulement et de remettre l'entreprise sur ses rails. (Voir ci-dessous un modèle simplifié de budget de caisse).

Parmi les mesures que les dirigeants peuvent considérer pour augmenter leur fonds de roulement, mentionnons:

— le factoring (ou affacturage) c'est-à-dire la vente des comptes à recevoir à une maison spécialisée (les banques opèrent maintenant dans ce secteur.

— la location plutôt que l'achat d'actifs;

— la vente d'une usine, suivie de location, ce qui ne change rien à la capacité de production et peut augmenter le cash flow à bon compte.

Certaines de ces transactions sont complexes et exigent une étude attentive. Mais elles ne présentent pas de difficultés insurmontables pour celui qui sait où se procurer l'information, qui peut monter un bon dossier et le tenir à jour.

Les mesures de ce genre ont pour but de permettre à l'entreprise de récupérer des espèces sonnantes (du cash!) et de conserver la mobilité nécessaire pour lui assurer l'accès aux marchés. La mobilité, l'accès aux marchés, la survie de l'entreprise passent par le compte en banque, par la possibilité d'écrire des chèques. Ce qui exige de l'argent comptant, ou l'équivalent.

Budget de caisse (modèle simplifié)

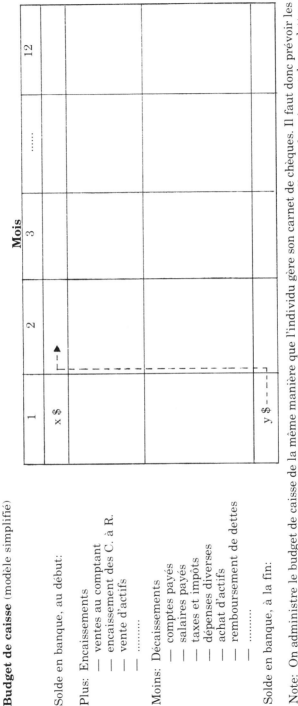

	Mois			
	1	2	3	......	12
Solde en banque, au début:	x $				
Plus: Encaissements					
— ventes au comptant					
— encaissement des C. à R.					
— vente d'actifs					
—					
Moins: Décaissements					
— comptes payés					
— salaires payés					
— taxes et impôts					
— dépenses diverses					
— achat d'actifs					
— remboursement de dettes					
—					
Solde en banque, à la fin:	y $				

Note: On administre le budget de caisse de la même manière que l'individu gère son carnet de chèques. Il faut donc prévoir les montants et les périodes où on pourra percevoir les sommes à recevoir et où on devra effectuer le paiement de ses dettes. Quitte à accélérer la première opération et à retarder la deuxième, si le solde prévu devient insuffisant.

LES EMPLOYÉS ET LE FINANCEMENT DES PME

Jean Guertin

Je me méfie spontanément d'une formule simple, vertueuse qui, s'appuyant sur la négociation, la concertation et la participation, prétendrait imposer à toutes les PME un mode uniforme et rigide de financement. Si la participation présente des avantages, elle comporte aussi des limites, comme le démontrent plusieurs aventures pénibles.

Il y a plusieurs mois, en me demandant de présider un comité sur le plan Biron, le CDE me fournissait l'occasion de revoir mes idées en cette matière et de bénéficier des conseils et remarques de plusieurs de ses membres. Je vais donc tirer parti de cette expérience et exprimer ici des commentaires personnels qui n'engagent en rien le CDE. Je compte examiner la Bête, voir ses avantages et ses inconvénients, explorer des voies d'utilisation possibles, sans jamais tenter de proposer *la* solution. À chacun d'en tirer ce qui lui convient. Et j'aborderai la participation des employés au financement EN SOI, mais surtout DU POINT DE VUE DES PME.

Le contexte

C'est l'éternel triangle: les besoins de l'entreprise, les besoins des employés, les contraintes (légales, institutionnelles, économiques et autres). Peut-on réconcilier les deux catégories de besoins, tout en respectant les principales contraintes?

A — L'entreprise désire quatre choses
1. Des capitaux permanents:
    - sans obligation de les rembourser à demande;
    - disponibles à travers les phases du cycle économique;
    - peu ou pas liés au plan de carrière d'un employé;
    - à un coût raisonnable.

    Donc: probablement des ACTIONS — pas nécessairement votantes.
2. Une liberté de choix dans ses sources de fonds:
    - possibilité de tenter l'expérience et d'en sortir (OPTING OUT) sans être pénalisée;
    - droit de premier refus en cas de revente: on ne vend pas une partie de l'entreprise à n'importe qui;

- surtout: RESPECT DU DROIT DE PROPRIÉTÉ ET DE GÉRANCE.

3.   La PME recherchera EN PLUS:

- *l'autonomie* pour l'entrepreneur: exigence fondamentale;
- *la séparation* entre vente aux employés et marché public — les deux ne sont pas intrinsèquement liés;
- *la séparation* entre accès à la propriété et cogestion, celle-ci présentant des risques particuliers pour la PME;
- les fonds requis, *en quantité suffisante;* or les employés fourniront PEU. L'argent provenant de cette source est lié à la capacité d'endettement qu'elle permet et à l'obtention de subventions gouvernementales; de plus, ces fonds s'accumulent au fil des ans — facteur important qui met en relief la nécessité d'éviter qu'ils soient remboursables à demande.
- un financement *sur mesure:* la PME, l'entrepreneur, ça n'existe pas; ce sont des catégories utiles en statistique, mais la réalité indique que chaque PME est différente — c'est peut-être la raison même de son existence: donc, pas de PROJET GLOBAL qui, visant TOUT LE MONDE, NE SATISFAIT PERSONNE!

4.   L'appartenance et la motivation des employés: un objectif désirable évidemment.

Mais préfère-t-on avoir des employés insatisfaits parce qu'ils ne sont pas co-propriétaires, ou des employés insatisfaits parce qu'ils sont co-propriétaires *et* que les choses vont mal? — Préfère-t-on voir un employé perdre son emploi, ou voir un employé perdre son emploi *et* ses épargnes?

B — L'employé-investisseur recherche quoi?

1.   Un BON PLACEMENT, *liquide,* à *rendement acceptable* et offrant un minimum de *sécurité,* qu'il peut modifier un peu à sa guise;

2.   Une DIVERSIFICATION raisonnable — évident pour lui comme pour tous;

3.   Pas trop complexe à gérer — il n'est pas nécessairement spécialisé en placement;

4.   Le CONTRÔLE n'est pas son objectif principal — c'est le cas de tous les actionnaires;

5.   Une certaine JUSTICE DISTRIBUTIVE — les avantages accordés aux *entreprises-REA* (régime d'épargne actions) — devrait leur être disponibles ... même dans une PME; et les employés doivent être à l'abri d'incitations trop pressantes à investir;

6.   Peut-être une meilleure connaissance de son employeur et de son entreprise: c'est une partie de sa vie.

C — Une source de conflit

Compte tenu des intérêts respectifs des employeurs et des employés, les aspects *cogestion-motivation* peuvent probablement *se réconcilier* si la situation est saine, si les rapports ne sont pas trop détériorés.

Mais les aspects *financement-investissement* mettent les deux parties dans une position de conflit presque direct: le gain de l'un est la perte de l'autre; la stabilité de l'un est le problème de l'autre; et plus l'entreprise est petite, plus le risque de conflit est élevé.

Cette opposition est fondamentale. Elle est au centre même du problème. La bonne volonté — ou la législation — ne la résolvent pas. ET POURTANT... DANS BIEN DES CAS ÇA MARCHE.

D — Une amorce de solution

Nous avons déjà identifié une première suggestion: regarder les choses une à une, à leur face même.

Cette suggestion ne résout pas, cependant, *la difficulté organique* contenue dans la dimension financement-investissement des relations entre l'entreprise et ses employés-actionnaires. Il suffit de songer, par exemple, à l'utilisation possible des fonds (dividendes ou expansion...) pour constater que l'opposition est beaucoup plus de nature économique qu'idéologique.

Mais là où, en dépit de ce conflit, les parties sont parvenues à établir des rapports satisfaisants dans ce domaine, là où "ça marche", on voit qu'elles ont eu recours à des interventions de caractère nettement économique (efficacité, productivité, etc.) et à d'autres tenant davantage au comportement des individus ou des groupes impliqués (style de direction et d'autorité, degré de formation et de responsabilité des employés, etc.). Or, le dosage de ces divers éléments varie considérablement et fatalement d'un cas à l'autre, car il est l'expression d'un ensemble de choix, d'un mode de vie, d'une personnalité propres à chaque entreprise.

Donc:

— Suggestion *d'humilité:* il serait suicidaire de chercher à imposer à toutes les PME un programme ou un modèle unique.

— Suggestion *de liberté:* laissons à chacun la liberté de choisir, entre plusieurs possibilités, celle qui lui convient le mieux.

— Suggestion *de structure* aussi: si la liberté de choix est une condition de succès, TOUTE STRUCTURE PROPOSÉE

DOIT ÊTRE ADAPTABLE, FLEXIBLE À L'EXTRÊME.
(On s'éloigne déjà du plan Biron).

E — Les contraintes... légales et autres

1. *L'universalité, l'accès à tous* me semblent *moralement et politiquement essentiels.*

2. *Les réglementations (celles de la Commission des valeurs mobilières, par exemple) jouent aussi un rôle essentiel dans la mesure où elles:*
    - définissent un bon placement;
    - permettent d'éviter les opérations peu éthiques;
    - épargnent aux investisseurs les frais d'une opération de sauvetage.
      Il ne faut pas demander aux gens l'impossible: FAIRE UN BON PLACEMENT DANS UNE MAUVAISE ENTREPRISE.

3. La Bourse (des PME ou autres):
    - demeure le seul vrai *marché secondaire;*
    - doit d'abord protéger *les investisseurs* (dans ce sens, elle exerce la même influence que la C.V.M.);
    - doit être séparée de l'opération financement dont il est ici question: la décision "d'aller public" est bien différente de celle de solliciter la participation de ses employés au financement de l'entreprise.
      À mon avis — BOURSE DES PME *égale* UTOPIE:
    - il n'existe pas de marchés pour ces titres;
    - l'investissement dans une PME implique des motivations particulières;
    - *un bon marché secondaire ne peut pas s'adapter aux réalités des PME.*

4. Les programmes gouvernementaux:
    Ils devraient respecter les conditions soulignées ci-dessus. Mais auront-ils jamais la souplesse requise, qui est un peu l'antithèse de la bureaucratie? On peut au moins exiger un minimum: respecter le fait que les PME ne sont pas un laboratoire passif de changement social que les bureaucrates peuvent manipuler à leur gré. Un tel esprit se manifeste dans la proposition inique et irréaliste voulant qu'on n'accorde de subvention que si elle est versée au nom des employés. Mais qui donc prend les risques? Qui endosse les emprunts? Qu'arrivera-t-il lors de la subvention no 2?

Conclusion

Un embryon de solution permettant de favoriser la participation des employés au financement de l'entreprise devrait:

1. Accepter le fait que c'est un *placement risqué;*
2. En *informer les gens* — ne pas faire l'autruche;
3. *N'exercer aucune contrainte*, ni sur l'entreprise, ni sur l'employé;
4. Respecter l'universalité tout en laissant chacun définir les modalités d'application.

Comme preuve que toute action gouvernementale n'est pas nécessairement mauvaise, deux programmes me semblent réaliser ces quatre objectifs: le Régime d'épargne-actions et les SODEQ — et les deux peuvent être mis bout à bout. De plus:

- ils permettent la diversification du portefeuille et sa gestion en commun (SODEQ);
- ils pénalisent très peu l'entreprise qui décide de ne pas s'en prévaloir.

Il serait probablement *assez facile de les adapter* à la question discutée ici, dans la mesure où on ne tente pas de leur faire réussir l'impossible: faire abstraction de l'opposition économique à laquelle je faisais allusion, ou éliminer tout risque financier pour les deux parties.

Peut-être obtiendrions-nous *en prime:*

- des employés plus au fait de la chose économique;
- des entreprises plus disposées à faire appel aux marchés publics des capitaux pour financer leur croissance à long terme.

Mais ça devrait se faire lentement et naturellement, au rythme de chacun.

LES PRIVILÈGES FISCAUX DE LA PME
Roger Séguin

Il ne faut pas confondre les privilèges fiscaux de la PME avec les très nombreux programmes d'aide gouvernementale à la PME. Ceux-ci présentent généralement des caractéristiques qui en font des objets de consommation politique: ils sont éphémères (de quelques mois à quelques années), non universels (ne s'adressent qu'à une minorité d'entreprises), très nombreux (on en recense des dizaines) et comportent habituellement une subvention qui peut prendre différentes formes.

Les privilèges fiscaux des PME, quant à eux, sont universels, plutôt permanents et très peu nombreux. En fait, on n'en trouve que trois types:

1- **Pour les corporations** exploitant une petite entreprise, un taux d'imposition réduit.

2- **Pour les propriétaires** des PME, des assouplissements fiscaux s'appliquant au transfert des titres de propriété aux descendants.

3- **Pour les investisseurs dans les PME,** un traitement préférentiel pour les pertes en placements.

Il convient d'ajouter que l'application de ces trois types de privilèges fiscaux est soumise en pratique à de nombreuses exigences et limitations dont l'élaboration dépasse le cadre de cet article.

1. Le taux d'imposition des PME

Les PME québécoises ont droit à une réduction du taux d'imposition de 21% au fédéral et de 2,5% au provincial. En conséquence, le taux d'imposition effectif de base des PME est de 18% (15% au fédéral et 3% au provincial) au lieu de 41,5% (36% au fédéral et 5,5% au provincial) comme c'est le cas pour les grandes entreprises (G.E.).

Les PME manufacturières (manuf.) ont droit à une réduction supplémentaire de 5% au fédéral. Leur taux combiné est ainsi de 13%.

Taux d'imposition des corporations:

	P.M.E.		G.E.	
	Manuf.	**Non manuf.**	**Manuf.**	**Non manuf.**
Fédéral	10	15	30	36,0
Provincial	3	3	5,5	5,5
Total	13	18	35,5	41,5

Ces réductions des taux d'imposition ont sûrement eu des effets positifs dans le développement des PME.

En effet, ces réductions de taux sont une des principales causes d'incorporation des PME. Très répandue en milieu urbain, l'incorporation des entreprises, qui s'étend de plus en plus rapidement aux exploitations agricoles, permet et favorise l'accumulation de capital dans l'entreprise. Pour mesurer cet avantage, il suffit de comparer les taux du tableau au taux marginal d'impôt d'un particulier au Québec, qui débute à 30%, atteint 40% pour un revenu imposable de 15 000 $, et dépasse 48% pour un revenu imposable de 30 000 $.

2. Le transfert à des descendants

D'autres privilèges fiscaux facilitent au propriétaire de PME le transfert des titres de propriété à ses descendants.

Une première distinction s'impose selon que le transfert se fait du vivant ou à la mort du propriétaire. En effet, au Québec, à l'impôt sur le revenu s'ajoutent l'impôt sur les dons dans le cas de donation entre vifs et l'impôt sur les successions en cas de donation au décès (legs).

Une autre distinction s'applique selon que l'entreprise est agricole ou non.

a) PME agricole

Dans le cas d'une PME agricole, il est possible au propriétaire de transférer à un enfant, de son vivant ou à son décès, tous ses biens sans aucune incidence fiscale quant à l'impôt sur le revenu. Ce transfert est cependant sujet à l'impôt sur les dons ou à l'impôt sur les successions.

S'il effectue le don de son vivant, le propriétaire d'une PME agricole n'a droit qu'à une exemption de 100 000 $ en vertu de l'impôt sur les dons, alors que la loi sur les successions accorde une exemption de 200 000 $ en cas de legs au décès.

b) Actions d'une corporation exploitant une petite entreprise

Depuis 1978, moyennant certaines conditions, il est possible à tout contribuable de transférer à ses enfants des actions de PME et de bénéficier d'une exemption de 200 000 $ de gain de capital en vertu de l'impôt sur le revenu.

Si la loi de l'impôt sur les successions accorde également depuis 1980 une déduction de 200 000 $ pour la transmission d'actions de PME à des descendants, la loi de l'impôt sur les dons n'est pas aussi généreuse car elle ne prévoit pas d'exemption dans ce cas.

Exemption maximale lors d'un don ou d'un legs à des descendants

	impôt sur le revenu	impôt sur les dons	impôt sur les successions
PME agricole	complète	100 000	200 000
PME non agricole	200 000	0	200 000

Bien que les lois favorisent le transfert d'une PME à des descendants il convient de remarquer

1° que les PME agricoles jouissent d'un traitement de faveur;

2° que le législateur québécois incite les entrepreneurs à donner leur PME lors de leur décès plutôt que de leur vivant.

3. Pertes en placements admissibles

Le privilège fiscal favorisant l'investisseur est l'attribution par les autorités d'un traitement particulier pour les pertes résultant de prêts à des PME ou d'achat d'actions de PME.

Ces pertes ne sont pas considérées comme de simples pertes en capital. Contrairement aux pertes en capital, la demie des pertes sur ces placements est totalement déductible contre toutes autres sources de revenus.

Cette mesure favorise la capitalisation des P.M.E. car elle contribue à atténuer considérablement les effets négatifs subis par ceux qui ont investi sans succès dans la PME.

Conclusion

Depuis 1972, l'application de mesures fiscales tendant à favoriser la PME ou ses propriétaires a connu une certaine progression. Cependant, on peut se demander si les "quelques privilèges" existants n'ont pas été en grande partie effacés par les augmentations des charges sociales: assurance-maladie, C.S.S.T., assurance-chômage, qui sont autant d'impôts frappant davantage les PME, car le facteur de production TRAVAIL y est relativement plus important que dans les grandes entreprises.

Dans une note postérieure au dépôt du budget du 22 mai 1984, l'auteur exprimait l'opinion que ce nouveau texte représentait "une grande amélioration dans l'harmonisation des impôts sur les dons et sur les successions. Ainsi la fiscalité n'inciterait plus les entrepreneurs à attendre à leur décès pour léguer leur PME". Il ajoutait en terminant:

"On obtient alors le tableau suivant:

Exemption maximale lors d'un don ou d'un legs à des descendants (budget du 22 mai 1984)

	impôt sur le revenu	impôt sur les dons	impôt sur les successions
PME agricole	complète	300 000*	300 000
PME non agricole	200 000	300 000*	300 000

* Cette exemption ne pourra être cumulée avec celle prévue aux droits successoraux.

Une autre lacune continuera cependant d'exister. Dans le transfert entre générations, les lois fédérales et provinciales de l'impôt sur le revenu favorisent les propriétaires d'entreprises agricoles.

En effet, une personne qui exploite une entreprise agricole peut la transférer à ses enfants sans incidence fiscale quant à l'impôt sur le revenu, alors que le propriétaire d'une PME non agricole ne peut jouir que d'une exemption maximale de 200 000 $ quant à l'impôt sur le revenu."

COMMENT LIMITER LE COÛT DES EMPRUNTS? 1982-1984, 1985
Maurice N. Marchon

Il n'y a guère de variables économiques plus difficiles à prévoir que l'évolution future des taux d'intérêt. Le dirigeant de PME qui décide de se financer à taux fixe ou à taux variable, prend des décisions de financement impliquant un certain pari sur l'évolution future des taux d'intérêt.

On peut dire que le dirigeant de PME fait face à une situation un peu semblable à celle du particulier voulant financer l'achat d'une maison. Les compagnies de financement (Roynat, Banque fédérale de développement) offrent à la PME un prêt à long terme (3-5 ans) à taux variable calculé à partir de leurs propres coûts de financement, ajusté d'une prime de risque variant d'une entreprise à l'autre (ex.: le taux préférentiel plus 1 à 3%), ou un prêt à long terme à taux fixe supérieur au taux variable courant.

Les prêteurs échaudés
Dans la conjoncture de l'automne 82, le choix d'un prêt à taux d'intérêt variable nous paraît préférable au prêt à taux d'intérêt fixe. Les compagnies de financement font payer cher la garantie d'un taux fixe, car leur expérience des dernières années fut coûteuse. Dans la mesure où nous pensons que la tendance des taux d'intérêt est à la baisse, le choix d'un prêt à taux variable nous apparaît préférable. L'emprunteur met plus de chance de son côté s'il prend le risque de miser sur les taux variables et cela d'autant plus que les compagnies de financement chargent des taux d'intérêt fixes élevés pour quasiment éliminer le risque de perte en cas

de revirement de tendance. Les compagnies de prêt ont fait de très mauvaises affaires en 1980-82 parce qu'elles avaient accordé des prêts à taux fixe pour 5 à 7 ans. Elles se trouvaient à prêter à perte puisque les coûts des fonds prêtés étaient supérieurs au taux fixe garanti à l'emprunteur.

Conséquences de l'inflation aux É-U....

Dans les paragraphes suivants nous tentons d'expliquer pourquoi nous arrivons à cette recommandation en nous basant sur l'évolution de la conjoncture économique canadienne. L'élément déterminant de la conjoncture actuelle fut la politique monétaire extrêmement restrictive de la Banque du Canada à partir de la fin de 1979. Cette politique découle en grande partie de la décision de conserver un écart positif entre les taux d'intérêt canadiens et américains afin d'éviter une trop grande dépréciation de notre monnaie. Ce lien avec les États-Unis implique que la Banque du Canada a emboîté le pas à la politique de lutte à l'inflation poursuivie par la Banque centrale américaine. Cette lutte à l'inflation nous a valu des taux d'intérêt records, deux récessions dont la dernière fut très coûteuse en termes de baisse de la production et de perte d'emplois. Aux États-Unis, ces coûts ont été en partie compensés par une réduction marquée du taux d'inflation qui passe de 14,4% en taux annuel au 2e trimestre 1981 à 5,4% de janvier à août 1982. Les progrès seront d'autant plus permanents que les hausses de salaires seront fortement ralenties. Les hausses de salaires consenties par les conventions collectives signées dans les premiers six mois de 1982 accordent des augmentations de salaires de 2,7% la première année.

... Et au Canada

L'inflation canadienne mesurée par l'indice des prix à la consommation est à la baisse. Après avoir atteint son sommet à 12,7% au 3e trimestre 1981, le taux d'inflation canadien est de 10,6% en août 1982 par rapport à août 1981. Le taux d'inflation canadien est plus lent à baisser que le taux américain parce que nous avons absorbé la hausse des prix de l'énergie en 1981-82 alors que les États-Unis s'étaient ajustés en 1974-75 et en 1979-80. De plus, tous les niveaux de gouvernements ont augmenté les prix des biens et services qu'ils contrôlent directement (cela comprend les péages, les primes d'immatriculation, les différentes formes d'énergie, les boissons alcooliques, etc...) pour accroître leurs rentrées fiscales sous forme d'impôts indirects afin de réduire leurs déficits grandissants. Finalement. les coûts de production continuent de refléter des hausses de salaires bien plus élevées que celles encourues par les entreprises américaines: les conventions collectives canadiennes signées au 1er semestre

1982 accordaient encore des augmentations de salaire de 12,4% la première année. Cela représente un écart de près de 10% par rapport aux hausses salariales accordées aux États-Unis. Il n'en demeure pas moins que la longueur et l'ampleur de la récession et la faiblesse de la demande vont contenir les hausses de salaires et des prix des biens et services. L'inflation canadienne devrait poursuivre sa tendance à la baisse pour atteindre un taux voisin de 7% à la fin de 1983 et un taux inférieur à 6% en 1984. Ces prévisions sont naturellement conditionnelles à la poursuite de politiques fiscales et monétaire cohérentes avec le retour à une stabilité relative des prix.

La situation et le choix à faire

Si ce scénario se confirme, il est prévisible que les taux d'intérêt à court et long termes poursuivront leur tendance à la baisse, car la prime d'inflation incluse dans les taux d'intérêt tendra à diminuer. La prime d'inflation est la compensation que l'emprunteur paie au prêteur pour le dédommager de la baisse du pouvoir d'achat de l'argent, causée par l'inflation pendant la durée du prêt. Lorsque les attentes inflationnistes diminuent, les taux d'intérêt baissent parce que la prime d'inflation diminue. Nous prévoyons cependant que lorsque la reprise économique se fera sentir sous forme de demande accrue de prêts des entreprises, les taux d'intérêt pourront augmenter temporairement si la Banque du Canada désire contrôler la croissance de la masse monétaire. Même dans ces conditions, un prêt à taux fixe voisin de 18% sera probablement plus coûteux qu'un prêt à taux d'intérêt variable permettant à l'emprunteur de bénéficier de la tendance à la baisse des taux d'intérêt.

Janvier 1985

Deux ans plus tard, la stratégie des taux d'intérêt variables s'est avérée payante car le taux préférentiel moyen fut de 11,7% entre novembre 1982 et décembre 1984. Ce taux préférentiel moyen est certainement 1 à 2% meilleur marché que le taux fixe négociable en novembre 1982 par une entreprise typique.

Le facteur déterminant de la baisse des taux d'intérêt fut la baisse du taux d'inflation. Le taux d'inflation canadien observé fut encore plus faible que prévu: 4,5% en décembre 1983 et 4% en décembre 1984.

Nous prévoyons que l'inflation demeurera faible (3,7% pour l'année 1985) car les forces déflationnistes sont toujours en place. En d'autres termes, la tendance à long terme des taux d'intérêt est toujours à la baisse bien que des revirements temporaires à la hausse soient à prévoir.

Donc, il n'en demeure pas moins que la stratégie des taux variables nous semble préférable.

SOUS-CAPITALISATION: LE VRAI PROBLÈME?
Jean Guertin

Le 22 mars 1984, le Groupement québécois d'entreprises tenait un colloque consacré aux travaux de la Commission québécoise sur la capitalisation des entreprises, chargée de proposer des solutions à la sous-capitalisation des PME.

Dans une communication présentée à cette occasion, M. Jean Guertin, titulaire de la chaire des PME de l'École des H.E.C., exprimait l'opinion que les sources de fonds, y compris le capital de risque, ne manquent pas au Canada ni au Québec. Même si on peut introduire des améliorations dans leur fonctionnement, les institutions financières, estime-t-il, sont en mesure de répondre aux demandes de crédit normales de la plupart des entreprises. La sous-capitalisation serait donc un faux problème. Là où elle existe, elle serait la conséquence d'autres facteurs que l'indisponibilité de capitaux.

Dans la dernière partie de son texte, que nous reproduisons ci-dessous, M. Guertin propose que l'on se préoccupe plutôt d'identifier les besoins prioritaires des PME, de préférence tels que perçus par leurs dirigeants, et à leur fournir les services et les supports les mieux adaptés aux défis qu'elles doivent relever aux phases névralgiques de leur évolution.

• • •

De prime abord, il ne m'apparaît pas souhaitable d'accroître sensiblement l'effort financier du côté de la capitalisation. Il me semble en effet que cette question se réglera d'elle-même — si tant est qu'elle demande à être réglée — avec l'aide des institutions qui existent déjà et dans la mesure où la qualité de la gestion s'améliore. Le Québec accuse un retard à cet égard. Ce retard s'explique surtout par le fait que les francophones ne s'intéressent vraiment que depuis fort peu longtemps à la gestion des entreprises, PME ou institutions financières, en contexte de libre concurrence et à l'échelle nord-américaine ou mondiale. Je favoriserais donc personnellement les trois axes suivants:

1. **L'axe marché.** Il est évident que la taille restreinte du marché local ne permet pas le développement normal des entreprises dans plusieurs secteurs. Le point mort inhérent à plusieurs technologies exige un volume d'affaires nettement supérieur à ce qui est accessible ici. Or, vendre à distance suppose d'abord l'identification de ces marchés et la capacité — au besoin — de s'adapter à leurs exigences. Cela suppose également que la structure administrative de l'entreprise, ses outils de contrôle en particulier, s'adapte aux distances: délégation d'autorité, transport, services... Dans le cas d'un Québécois francophone, la langue peut être un problème, de même que les institutions, le droit, la fiscalité, la réglementation, etc. Est-il possible de concevoir un regroupement des ressources qui supporterait à la fois les efforts de découverte de nouveaux marchés **et** la mise en place de l'infrastructure administrative requise? L'un n'allant pas sans l'autre.

2. **L'axe mobilité.** Le pire ennemi de la PME, c'est le frais fixe, au sens large du terme. Tout ce qui rend l'adaptation continue plus difficile accentue l'effet négatif des malchances ou des erreurs stratégiques. Au risque de m'attirer l'anathème, je dirais que je me méfie de l'automatisation et de la mécanisation dans la mesure où elles impliquent une trop grande spécialisation des produits et outils de production, l'arrivée de financement à terme qui mobilise les flux financiers pour plusieurs années et la sur-spécialisation des ressources humaines. Or, plusieurs programmes gouvernementaux visent justement ces fins. Pour les mêmes raisons, la syndicalisation selon le modèle propre aux grandes organisations m'apparaît dangereuse. J'ajouterais que certains aspects de la Loi 17 et plusieurs pratiques de la CSST pèchent dans le même sens.

   Les PME vivent et survivent, compte tenu de leurs caractéristiques propres, en s'adaptant continuellement. C'est d'ailleurs le style de leadership qui identifie le mieux leurs dirigeants. Toute mesure ou décision qui diminuerait cette mobilité mérite qu'on l'évalue plutôt deux fois qu'une: si elle risque de compromettre la liberté de manoeuvre essentielle à la PME, il ne faut pas hésiter à modifier cette mesure ou à en formuler une nouvelle. Ce que je propose ici, c'est bien plus un état d'esprit qu'une série de projets immédiatement réalisables. Il m'apparaît cependant que cette philosophie n'est pas toujours présente et que plusieurs lois, programmes ou règlements mériteraient d'être revus et ajustés dans cette optique.

3. **L'axe management.** Voilà probablement mon préjugé fondamental, je l'avoue. Beaucoup a été fait depuis 20 ans pour

améliorer la compétence de nos gestionnaires mais le retard n'est pas encore comblé dans bien des domaines, chez les PME et dans les institutions financières francophones en particulier. Sans entrer dans les détails, je verrais ici un effort spécial dans trois directions:

a) **les institutions financières** en général, les sociétés de capital de risque en particulier, ont encore besoin d'affiner leurs compétences, d'importer et d'adapter ce qui se fait ailleurs depuis plus longtemps et d'accroître la taille de leurs équipes de gestionnaires. Il y a des moyens nouveaux à inventer ici (par opposition à de nouvelles structures.).

b) **les entreprises naissantes** méritent qu'on les supporte davantage — administrativement à tout le moins: tant mieux si des capitaux sont également disponibles mais il me semble suicidaire, en ce domaine comme dans d'autres, de s'en tenir aux seuls moyens financiers. Il y a des jeunes dans cette province, et d'autres personnes en instance de recyclage, qui souhaitent créer des entreprises. Sommes-nous capables d'identifier les meilleurs projets soumis par ces deux groupes et de les encadrer par l'expérience et certaines connaissances afin de susciter plus de créations d'entreprises dans des conditions de succès qui feraient mentir certaines statistiques? Je le crois, dans la mesure où les choix sont bien faits et où le suivi est de qualité, personnalisé et fondé sur l'expérience pratique[1].

c) **les PME déjà existantes,** dans bien des cas, ont besoin d'aide en gestion, c'est évident. **Le défi à ce niveau réside plutôt dans le choix des moyens que dans la création de nouveaux programmes.** Ces jours-ci, tout le monde désire "éduquer" nos pauvres entrepreneurs. Combien réussissent vraiment? Il faudrait "aller au champ", rencontrer des dirigeants de PME et leurs divers représentants dans le but de réorienter ce qui se fait déjà aux niveaux gouvernementaux, universitaires, institutionnels, etc. Nous avons besoin d'identifier plus clairement les besoins de formation et d'information. Il nous faut songer à d'autres moyens d'intervention qui soient mieux adaptés à la réalité des petites entreprises, quitte à utiliser certaines mesures incitatives. Pour l'instant, je favoriserais personnellement une approche très individuelle basée sur l'insertion lente de personnes compétentes dans ces sociétés: conseil d'administration, ressources

---

1. *Le programme "bourse d'affaires" pourrait être intéressant à cet égard.*

ponctuelles attachées par un "retainer", embauchage de diplômés (UNIPME)...

Ma réflexion m'amène en particulier à suggérer la création de conseils d'administration ou de petits comités qui aideraient le dirigeant de PME, tous les mois par exemple, à sortir du quotidien, à mieux analyser ses besoins de fonds à long terme, à "magasiner" pour son financement et à évaluer de façon complète les offres reçues. Il va sans dire que cet effort de planification (le mot est lancé!) devrait normalement s'étendre par la suite aux autres fonctions de l'entreprise. Constatons simplement qu'il est souvent plus facile de l'aborder par le biais du financement. Voudrions-nous faire de ces conseils ou comités une condition de subvention ou de financement? Pourrions-nous subventionner cette activité qui coûte normalement de 5 à 8 000 $ par an à une PME?

Ici comme ailleurs quand il s'agit de PME, je me méfierais cependant de toute mesure à grand déploiement et provoquant des changements brusques. Il faut lancer l'idée, lui donner toutes les chances de succès... et attendre de voir ce qu'en feront les principaux intéressés.

Épilogue

Je comprends bien que ces quelques notes ne permettent pas la mise en place d'actions nouvelles à effet considérable et surtout immédiat. Ce n'est pas un hasard. Il me semble plutôt que le passé nous enseigne une certaine humilité face à toute recette magique dans ce domaine. Les PME sont trop près de la nature humaine pour se prêter facilement à des transformations rapides. Je propose plutôt, au-delà de certains ajustements réalisables à court terme, de mettre l'emphase sur ce qui m'apparaît être le coeur de la question, afin d'obtenir des résultats peut-être moins spectaculaires mais plus durables.

La qualité de la capitalisation des PME passe par le marketing et l'exportation, l'embauchage de personnel qualifié et son perfectionnement continuel, la présence d'un bon conseil d'administration, l'accroissement de la productivité...

Ce n'est certainement pas une question de bien-être social corporatif.

ÊTES-VOUS PRÊT À CHANGER DE BANQUE?

Jean Guertin

S'il y a une suggestion qui vous a été faite à répétition à maintes reprises, c'est bien de surveiller vos entrées et sorties de fonds. La conjoncture actuelle nous rappelle en effet avec insistance que gérer c'est prévoir. Or rien n'est plus fondamental pour une entreprise que son encaisse. Dans certains cas, il ne faut pas oublier qu'encaisse et profit ne sont pas synonymes: les ventes augmentent, les profits suivront si les marges sont maintenues. Mais ces profits se retrouveront fréquemment en comptes à recevoir ou en inventaires additionnels avant de regarnir la trésorerie de la compagnie. Nous nous trouvons alors dans la situation paradoxale de réaliser notre objectif, augmenter le profit, tout en inquiétant notre banquier qui doit nous financer davantage. Pour beaucoup d'entreprises, le prix de l'augmentation de profit, c'est une difficulté au niveau des liquidités et une diminution — temporaire on l'espère — de l'encaisse.

Si gérer c'est prévoir et dans la mesure où la crise économique rend cette responsabilité plus difficile, il m'apparaît donc qu'il faut un peu "oublier le profit" et centrer toute notre attention sur le seul véritable outil disponible pour se tirer d'une passe difficile: le compte en banque. C'est d'ailleurs ce que nous faisons dans la vie de tous les jours, en tant qu'individus.

Le salarié s'intéresse peu au montant brut apparaissant sur son chèque de paie, c'est le net qui importe parce que seul ce montant lui indique s'il peut faire face à ses responsabilités financières. Plus il est serré financièrement ou plus il est inquiet pour son avenir, plus son attention se portera tout entière sur son solde en banque. Pourquoi raisonner différemment quand le même individu devient dirigeant d'entreprise, surtout d'une PME?

Si vous acceptez cette suggestion, votre banquier devient un fournisseur particulièrement important ces jours-ci. C'est à lui que vous avez confié l'administration de votre actif le plus précieux, l'encaisse. Il peut l'accroître par ses prêts, ou le ramener à zéro s'il décide de se rembourser: votre dette envers lui est en effet, plus que probablement, à demande. Vous comportez-vous, face à lui, comme devant tout autre partenaire? Tentez-vous d'obtenir les meilleures conditions possible? **ÊTES-VOUS PRÊT À CHANGER DE BANQUE?** Il est bien évident que personne ne remplace un fournisseur important par un autre sans bien mesurer tous les aspects de la question. Ceci dit, on le fait si les conditions sont meilleures ailleurs. Il me semble que beaucoup de dirigeants de PME traitent leur banquier avec trop d'égards; il est craint, justement parce qu'il fournit de l'encaisse. Ou encore, nous faisons le raisonnement que tous les banquiers sont semblables et qu'il n'y a rien à gagner en "magasinant" d'une banque à l'autre. L'expérience récente prouve le contraire.

Deux études faites auprès de plusieurs milliers d'entrepreneurs indiquent en effet que plus de la moitié d'entre eux ont récemment "magasiné" pour leurs services bancaires. Vous devriez être du nombre! Il ne s'agit évidemment pas de brusquer les choses et de couper les ponts du jour au lendemain. Il s'agit plutôt de revoir sa relation bancaire froidement et à tête reposée si possible, de dresser la liste des modifications raisonnables espérées pour finalement en discuter avec son directeur de succursale... ou un autre banquier si le premier ne veut rien entendre. Vous pourrez alors voir s'il est possible d'espérer tel ou tel changement dans les conditions qui vous sont présentement consenties. C'est exactement ce que je vous propose de faire ici, ni plus, ni moins.

Si l'expérience des autres s'applique à votre cas, voici ce que vous devriez obtenir:

— une meilleure connaissance de votre entreprise par son banquier;

— cette compréhension facilite l'analyse des demandes de crédit;

— dans un certain nombre de cas, à court terme, il en a résulté un accroissement de la marge de crédit accordée;

— en général, les dirigeants de PME qui ont ainsi "magasiné" — qu'ils aient changé ou non de banque par la suite — affirment que leurs relations avec la banque, globalement, sont maintenant plus satisfaisantes.

En contrepartie, rares sont les emprunteurs qui ont pu ainsi obtenir une réduction importante des taux payés ou une diminution considérable des garanties (personnelles et autres) requises. Somme toute, l'analyse de votre relation bancaire force les deux parties à revoir le dossier d'un peu plus près et à tenir compte de facteurs qui n'étaient peut-être pas considérés dans le passé à leur juste mérite. Dans beaucoup de cas, l'expérience vaut d'être tentée, même si elle exige une préparation sérieuse... et un certain courage. De toute façon, vos relations avec le banquier en seront probablement plus saines.

GÉRER LA REPRISE
Roger Séguin

La reprise économique semble devoir succéder à la crise économique. Cette dernière a provoqué un déplacement des positions relatives de l'ensemble des entreprises sur les différents marchés. Les PME ont été particulièrement affectées: des milliers d'entre elles ont dû volontairement ou non fermer leurs portes alors que la plupart des survivantes ont connu une baisse relative de leurs ventes, le plus souvent accompagnée d'une détérioration de leur situation financière.

Pour les PME, la reprise économique devrait généralement signifier:

1. **Une hausse des ventes qui ne se matérialisera cependant pas avec la même ampleur ni au même "timing" dans les différents secteurs d'activités.** Plusieurs PME liées au domaine de la construction connaissent déjà des augmentations de ventes de l'ordre de 30 à 50% relativement à 1982, alors que d'autres marquent encore le pas dans d'autres secteurs.

2. **Le développement de la concurrence par l'arrivée successive de nouvelles entreprises, de nouveaux produits et de produits importés.** La reprise économique n'est pas sans donner le goût de plonger à plusieurs qui rêvent depuis longtemps d'être à leur compte, surtout dans les secteurs où le prix d'entrée n'est pas trop élevé.

AU SORTIR D'UNE CRISE ÉCONOMIQUE, L'OBJECTIF D'UN DIRIGEANT DE PME DOIT ÊTRE DE SAISIR LE PLUS RAPIDEMENT POSSIBLE LES OPPORTUNITÉS QUI SE PRÉSENTENT.

La poursuite d'un tel objectif n'est pas sans poser de sérieux problèmes de financement à la plupart des PME. En effet, une hausse rapide des ventes est généralement accompagnée d'une augmentation des stocks, des comptes à recevoir et des dépenses en immobilisations retardées volontairement. Il s'agit donc d'augmentation d'actifs qu'il faut financer.

LE TOUT DOIT POUVOIR SE RÉALISER QUELQUEFOIS TRÈS RAPIDEMENT. LA RESSOURCE TEMPS, SI ELLE EST ENCORE DISPONIBLE, DEVIENT PLUS RARE AU FUR ET À MESURE QU'UNE ENTREPRISE ENTRE DANS LE SILLAGE DE LA REPRISE. IL EST ALORS IMPORTANT DE NE PAS MANQUER LE BATEAU.

Chose certaine, plus une PME sera affectée positivement par la reprise, plus ses besoins financiers seront grands. Il apparaît donc nécessaire qu'une PME se dote d'avance d'un plan de financement face aux besoins escomptés en la matière.

La préparation d'un plan de financement comporte généralement les étapes suivantes:

1. **La préparation des prévisions de ventes.** C'est à la fois l'étape la plus importante et la plus discutable. La plus importante parce que les prévisions des besoins financiers découlent directement des prévisions de ventes. La plus discutable parce que celles-ci sont loin de reposer sur des certitudes et parce que les bailleurs de fonds ont plus souvent vu des prévisions de ventes trop optimistes que trop pessimistes.

2. **L'établissement des besoins financiers à l'aide des techniques financières telles le budget de caisse et les états financiers prévisionnels.** On peut retrouver un modèle de budget de caisse dans PME GESTION de mars 1982. Cette étape ne pose généralement pas de problème. Elle découle "techniquement" de la première étape et de certaines hypothèses concernant les vitesses d'encaissement et de décaissement des fonds.

3. **L'inventaire des garanties dont l'entreprise dispose.** À cette étape, il s'agit de dégager les garanties non utilisées et la partie des garanties déjà données aux créanciers mais jugées ou évaluées comme devant s'appliquer à du financement supplémentaire. Ce dernier exercice donne souvent lieu à de bonnes discussions avec les créanciers car, il faut le dire, toute augmentation de prêt représente une diminution relative des garanties, donc une augmentation du risque pour le créancier. Dans certains cas, seule la perspective de perdre le compte peut amener l'institution prêteuse à accéder en partie à une demande.

4. **L'inventaire des outils de financement possibles compte tenu des actifs de l'entreprise et des exigences normales des bailleurs de fonds.** On retrouve au tableau suivant les outils de financement les plus communément utilisés ainsi que les garanties généralement exigées.

   Il existe d'autres outils de financement: le factoring et le crédit bail.

5. **Le plan proprement dit, présentant, avec ordre et cohérence, les besoins de fonds à court terme et les différents moyens de les satisfaire de façon réaliste.** Cela signifie que l'on a déterminé assez exactement les objectifs de financement de chacun des créanciers, les garanties qu'il est possible d'offrir à chacun ainsi que le montant que l'entreprise est prête à auto-financer.

BILAN		
ACTIF	**PASSIF**	**GARANTIES GÉNÉRA-LEMENT EXIGÉES**
Disponibilités	Exigibilités	
• Encaisse	• Comptes fournisseurs	Aucune
• Comptes clients	• Marge bancaire	Comptes clients et stock
• Stock		
Immobilisations	Dettes à terme	
• Terrain	• Hypothèque	Terrain et bâtiment
• Bâtiment	• Obligations	Terrain et bâtiment
• Équipement	• Prêt avec nantissement	Équipement et matériel
• Matériel roulant		roulant
	Avoir des actionnaires	
	• Capital-actions	Aucune
	• Bénéfices non répartis	

6. **La négociation avec les institutions concernées.** C'est la partie la plus délicate. Alors que l'entreprise pense au bienfait d'une croissance, ses interlocuteurs, c'est-à-dire les officiers de prêts des institutions financières, ont sur leurs bureaux les statistiques des mauvaises créances de l'an passé et leurs effets négatifs sur la rentabilité de l'institution. D'où la nécessité de bien préparer la présentation qui sera faite aux représentants des institutions financières. C'est à cette étape qu'il se perd souvent de bonnes causes.

7. **Suite aux négociations, l'entreprise devra prendre les décisions qui s'imposent:**
   a) La réalisation ou l'abandon de certains projets.
   b) La poursuite ou le ralentissement de sa croissance. Dans cette dernière situation il faudra choisir les produits ou les clients qu'on laisse tomber.
   c) Le changement ou non de créanciers. Faut-il chercher des fournisseurs qui nous donnent de meilleurs délais de paiement? Faut-il changer de banquier?

8. Revoir périodiquement le plan que l'on s'est donné afin de l'ajuster aux réalités de l'entreprise et de l'environnement.

QUELQUES ASPECTS DU FACTORING
PME Gestion

Le factoring ou affacturage

1- L'affacturage est une opération en vertu de laquelle une société spécialisée garantit la solvabilité des clients d'une entreprise vendant des biens ou des services à des fabricants, des détaillants ou autres organismes. Cette garantie ne s'applique toutefois qu'aux clients dont le crédit a été reconnu comme valide par la société d'affacturage: les comptes sont alors garantis à 100%; dans la mesure où les clients sont connus, elle propose à l'entreprise une limite de crédit pour chacun; dans les cas douteux, elle invite l'entreprise à la consulter avant chaque livraison.

2- La société d'affacturage perçoit les comptes en se conformant aux conditions de vente; dès le paiement d'un compte, le montant en est versé à l'entreprise ou, le plus souvent, à son compte en banque; quand un client dont elle a approuvé le compte s'avère incapable de le payer, la société d'affacturage en acquitte le paiement dans un délai prédéterminé; en cas de faillite, elle paie le compte dès que la faillite est confirmée;

3- La société d'affacturage informe l'entreprise sur l'évolution de ses comptes à recevoir, au moyen de rapports
— quotidiens: liste de paiements reçus, griefs des clients, etc.;
— hebdomadaires: analyse des comptes à recevoir, limite du crédit accepté pour certains clients, etc.;
— mensuels: liste détaillée des comptes à recevoir et de leur âge, marges de crédit individuelles, etc.;
— trimestriels: total des ventes par client en regard du montant pour la même période de l'année précédente.

Ces rapports sont autant d'outils qui permettent à l'entreprise de suivre de près la situation de ses comptes à recevoir et des entrées de fonds, et d'évaluer la qualité des services rendus par la société d'affacturage.

Pour effectuer ces services, celle-ci exige une commission de 1% à 2% de la valeur des comptes. La commission varie en fonction
— du secteur industriel ou commercial en cause;
— de la base de la clientèle;
— du nombre de clients.

Pour établir l'intérêt que peut présenter pour elle un contrat d'affacturage, une entreprise devrait identifier
— ses mauvaises créances;
— le coût des emprunts additionnels que peut occasionner une perception lente de ses comptes à recevoir;

— les frais (salaires, équipement de bureau, matériel divers, etc.) liés à la gestion de son système de crédit.

Il lui reste à comparer le total de ces coûts à la commission qu'elle devrait verser pour faire administrer son système de crédit par une société d'affacturage.

Entreprise, banquier, facteur

Les banquiers eux-mêmes recommandent parfois à certains clients dont les comptes "ne tournent pas assez vite" de transiger avec une telle société. Ils y trouvent des éléments de sécurité importants. Les comptes de leurs clients sont alors administrés par des professionnels qui, grâce à leurs méthodes de travail, sont en mesure de résoudre rapidement les conflits, erreurs ou malentendus entre vendeurs et acheteurs et, généralement, d'obtenir des entrées de fonds plus rapides. L'assainissement des comptes à recevoir d'une entreprise ne peut que faciliter ses relations avec le banquier. Notons que plusieurs banques à charte offrent des services d'affacturage, ordinairement par l'entremise d'une filiale spécialisée.

Fonctionnement du système d'affacturage

Pour chaque client de l'entreprise, la société d'affacturage approuve le crédit applicable à une livraison spécifique ou, le plus souvent, établit une marge de crédit pour livraisons futures. Normalement, cette décision est prise sans délai, la société d'affacturage étant au courant de la situation d'une foule de clients grâce à sa banque de données. L'entreprise peut demander un rapport de crédit pour tout client éventuel. Dans bien des cas, la société d'affacturage pourra suggérer à l'entreprise de nouveaux marchés pour ses produits et services. Son intérêt étant directement lié au succès de l'entreprise, il est normal qu'elle cherche non seulement à lui conserver sa clientèle mais aussi à contribuer à son expansion.

Au moment de la livraison, l'entreprise envoie à la société d'affacturage copie de la facture et celle-ci émet un état de compte mensuel détaillé. Les démarches relatives à la perception des comptes sont faites avec le tact et la fermeté requis pour en assurer l'efficacité et pour maintenir des relations cordiales avec la clientèle.

Autres formules de financement

Outre la gestion à commission des comptes à recevoir, plusieurs sociétés d'affacturage mettent d'autres services à la disposition des entreprises:

— Le financement anticipé des comptes à recevoir: selon cette formule, une entreprise peut obtenir une avance de fonds égale à 90% de la valeur de ses comptes approuvés; le montant du prêt fluctue donc au même rythme que la somme des comptes à recevoir; ce genre de prêt porte un intérêt de 1,5% à 2,5% supérieur au taux de base, selon la solidité de l'entreprise et la qualité des comptes.

— Le même genre de formule peut être appliqué au financement des inventaires (à partir de l'arrivée des matières premières) et des actifs fixes.

Une entreprise peut trouver avantage à utiliser l'une ou l'autre de ces méthodes de financement si elle lui permet de se procurer un emprunt plus élevé, et à la condition de pouvoir faire produire à ces fonds des revenus supérieurs à ce qu'il lui en coûte pour les obtenir.

Quelques sociétés d'affacturage sont disposées à répondre à des besoins particuliers sous forme d'interventions "taillées sur mesures": financement ou refinancement d'équipement; financement de fusions ou d'acquisitions; application de leurs formules de financement ou de prêt aux divers aspects du commerce international...

Les impressions et les faits

Après avoir longtemps limité leurs opérations à un nombre restreint de secteurs, les sociétés d'affacturage ont connu depuis une dizaine d'années, grâce notamment à l'utilisation de l'ordinateur, un développement accéléré. L'ordinateur permet de réduire de façon radicale le temps et les coûts liés à la manipulation d'une masse de dossiers, et de fournir aux entreprises des renseignements presque instantanés sur le crédit d'un nombre croissant de clients actuels ou potentiels. Grâce à cette rapidité de l'information, souvent disponible avant même le début des livraisons, l'entreprise peut améliorer graduellement la qualité de ses comptes à recevoir et concentrer ses efforts de vente sur la clientèle la plus rentable: c'est là un facteur d'efficacité, un véritable luxe que peu d'entreprises peuvent se payer par leurs propres moyens. Toute évaluation des coûts de l'affacturage devrait tenir compte de cette donnée essentielle.

L'arrivée des banques dans le domaine de l'affacturage vient confirmer la légitimité de cette forme de financement, dont on croit parfois qu'elle est réservée aux entreprises en situation précaire. Au contraire, les sociétés d'affacturage cherchent avant tout des entreprises saines, dynamiques, avec lesquelles elles puissent établir des relations mutuellement profitables.

Certains prêts (par exemple sur comptes à recevoir, inventaires ou actifs fixes) constituant des risques élevés, le prêteur voudra s'assurer de l'habileté des dirigeants de l'entreprise et de la qualité de leurs méthodes de gestion, principales conditions de succès de leur aventure commune. S'il y a lieu, il pourra mettre à leur disposition des spécialistes capables de contribuer à la viabilité et à la profitabilité de leurs projets, ou de les conseiller en matière de gestion des inventaires, de prix de revient, de production, de marketing, etc. Peut-être spécialisé lui-même dans l'une ou l'autre de ces fonctions, l'homme d'affaires ne l'est pas nécessairement dans tous les aspects de la gestion. Les ressources en personnel de la société d'affacturage peuvent l'aider grandement à instaurer les méthodes professionnelles et la discipline qui seront les meilleurs garants de sa réussite.

ACHETER OU LOUER
Pierre Langevin

On peut, aujourd'hui, obtenir le matériel et les équipements dont on a besoin sans pour autant en être le propriétaire. C'est le phénomène du **crédit-bail.** En effet, le dirigeant d'une PME peut se procurer un mobilier, des ordinateurs, des dactylos, des automobiles et même des plantes pour améliorer l'environnement de travail de ses employés, grâce à une location de nature particulière, le crédit-bail.

Le crédit-bail est donc un contrat (bail) conclu entre deux parties (le locateur et le locataire) pour l'usage d'un bien spécifique et pour une période donnée, contre paiement d'une charge fixe périodique, le loyer.

L'avantage d'une telle opération, pour le locataire, c'est de pouvoir bénéficier de l'usage économique d'un bien sans être tenu de l'acheter. Certains penseront qu'il s'agit là d'un simple contrat traditionnel de location. Ce n'est pas exact puisque le locataire a la possibilité, au terme du contrat, de devenir propriétaire du bien, sous certaines conditions.

Sur le plan financier, un contrat de crédit-bail se compare à une opération classique de financement. En effet, si vous jugez qu'il serait avantageux pour votre entreprise d'utiliser un actif donné, vous pourriez retenir l'un ou l'autre des modes de financement suivants: effectuer un emprunt pour en payer le coût, ou encore louer l'actif, c'est-à-dire vous assurer de pouvoir vous en servir à votre gré sans en devenir propriétaire. De même, les versements périodiques de loyers peuvent être assimilés aux paie-

ments d'intérêts et de remboursement de capital qu'il serait nécessaire d'effectuer si vous empruntiez.

Comment choisir entre ces deux modes de financement?
Voici quelques facteurs à considérer lors de l'évaluation de l'alternative de financement achat-location:

1. la durée du contrat de crédit-bail comparativement à la
   durée de vie économique **réelle** de l'actif;
2. le montant du loyer périodique par rapport aux versements périodiques d'intérêts et de capital sur la dette;
3. à qui incombe la responsabilité de **l'entretien** de l'actif
   loué;
4. les avantages fiscaux résultant de chacun de ces modes de
   financement;
   — les amortissements fiscaux annuels si on fait l'achat de
     l'actif;
   — la déductibilité des loyers si on loue l'actif;
5. la future valeur de cession du bien;
6. le risque d'obsolescence du bien;
7. le taux d'impôt de l'entreprise.

La location représentera donc un net avantage sur l'emprunt
lorsque la **valeur actuelle** des déboursés du premier mode de
financement sera inférieure à celle résultant de l'achat (ou de
l'emprunt).

Indépendamment de l'analyse technique qui pourrait être
effectuée pour retracer, en termes de dollars actualisés, lequel de
ces deux modes de financement pourrait être le plus avantageux
pour l'entreprise, mentionnons que la location représente certains avantages par rapport à l'emprunt, notamment que:

— la location est équivalente à un financement à 100% de l'actif;
— la totalité des loyers est déductible d'impôts soit "l'équivalent"
  des paiements périodiques d'intérêt et de **capital**;
— la location offre plus de flexibilité compte tenu de l'existence
  d'une option d'achat à l'échéance du bail. L'entreprise demeure libre de devenir propriétaire ou non de l'actif et cette
  décision dépendra, évidemment, de la **désuétude réelle** de
  l'actif faisant l'objet du bail;
— le loyer est un montant fixe alors que le prêt à terme peut
  comporter un taux variable;
— la durée du bail peut être plus longue que celle d'un emprunt.

On ne doit toutefois pas oublier qu'un contrat de crédit-bail
peut contenir certaines restrictions telles que celles concernant
l'usage du bien. De même, on doit analyser attentivement les

302 Le management de la PME

clauses traitant des pénalités en cas de retard dans le paiement des loyers et les clauses de résiliation.

La **cession-bail** est une autre modalité de financement. Elle diffère du crédit-bail en ce que le locataire a déjà été propriétaire du bien.

On peut illustrer la différence entre ces deux modalités de financement par l'exemple suivant.

Soit une Société financière A (locateur) qui acquiert en son nom un bien choisi et commandé par le futur locataire, la Compagnie B. La Société fait livrer le bien à la Compagnie B selon les termes du contrat. Il s'agit là d'une opération de crédit-bail.

Inversement, lorsque la Compagnie B qui est déjà propriétaire du bien le vend à la Société financière A qui, ensuite, le loue à la Compagnie B, il s'agit alors de la cession-bail. Cette seconde modalité de location peut être avantageuse parce qu'elle permet, d'une part, de générer des liquidités et, d'autre part, de conserver l'usage économique du bien loué.

Les opérations de crédit-bail sont souvent avantageuses tant pour les PME que pour les entreprises d'envergure. Au plan du volume des affaires, on estime que près de 25% de celui-ci est orienté vers la PME. Quant aux intervenants sur ce marché, mentionnons que les banques à charte y sont relativement actives par l'intermédiaire de leurs filiales.

AIDE FINANCIÈRE DES GOUVERNEMENTS
Jean-Pierre Le Goff

Nous remarquons depuis le début des années soixante un souci croissant des gouvernements, fédéral et provinciaux, d'assister financièrement les entreprises, au nom de la création d'emplois et du développement industriel. Nous voyons apparaître un grand nombre de programmes de prêts ou de subventions. Ces programmes d'aide peuvent s'avérer très intéressants pour les entreprises; malheureusement, le nombre de programmes est tel qu'il est difficile de savoir à priori ceux pour lesquels un projet est éligible, et quel est le montant d'aide à espérer. Nous traitons donc ici de quelques renseignements de base concernant les principaux programmes d'aide et discuterons du problème d'éligibilité, de montant d'aide, ainsi que de la perception qu'on peut avoir d'une entreprise qui reçoit une assistance financière d'un gouvernement.

I- Information de base

Les programmes d'aide sont nombreux; par contre, les principaux émanent des organismes suivants: le ministère de l'Expansion industrielle régionale (M.E.I.R.), la Banque fédérale de Développement (B.F.D.), la Société de développement industriel du Québec, le ministère de l'Industrie et du Commerce fédéral, la Société d'expansion des exportations (S.E.E.) et le ministère de l'Industrie, du Commerce et du Tourisme du Québec (M.I.C.T.). Chaque institution offre plusieurs programmes pouvant impliquer soit un prêt, soit une subvention. L'information précise sur chaque programme peut être obtenue lors d'un premier contact avec un représentant d'une agence. Il est à noter que les gouvernements sont devenus très réceptifs aux problèmes d'information liés aux différents programmes, et que les agences s'efforcent, lors d'un premier contact, d'informer l'entreprise des différentes possibilités d'aide même celles qui émaneraient d'une autre agence et d'un autre niveau de gouvernement. *Les agences deviennent en quelque sorte non seulement des pourvoyeurs de fonds mais des conseillers en financement.*

La tâche d'informer sur les aides disponibles est souvent rendue difficile parce que le projet du requérant n'est qu'ébauché; il arrive qu'au premier contact l'entreprise n'ait quantifié aucune des dimensions de son projet (revenus, coûts, besoins de financement). La transmission d'information n'exige pas une connaissance détaillée du projet, mais demande qu'on puisse en identifier les principales caractéristiques, les forces et les faiblesses. *Il est donc conseillé de quantifier sommairement les différentes dimensions d'un projet, ensuite de prendre contact avec une des agences mentionnées ci-haut.*

II- Éligibilité et acceptation d'une demande

L'éligibilité à certaines mesures d'aide, comme les prêts de la B.F.D., est à toutes fins pratiques universelle, alors que pour d'autres elle est définie de façon précise par la nature du projet (investissement, recherche et développement, exportations, taille de l'entreprise, secteur d'activité ou localisation du projet). L'éligibilité est facile à déterminer. Les critères d'évaluation des demandes d'assistance de la part des agences sont cependant beaucoup moins précis: le projet doit avant tout être rentable, mais doit aussi faire face à des conditions de financement non raisonnables dans le marché privé. Le terme non raisonnable peut être un refus de prêt, un prêt d'un montant "insuffisant" pour répondre aux "besoins" de l'entreprise, des exigences de garanties "trop" fortes, un taux d'intérêt "trop" élevé... Le terme "raisonnable" permet une grande flexibilité dans l'évaluation des demandes d'assistance. Il y a lieu de croire, étant donné le nombre de programmes d'aide, les budgets correspondants et le nombre de prêts accordés, que le terme raisonnable, lorsqu'un problème de définition surgit, peut être interprété à la faveur du requérant; *il est donc conseillé à une entreprise de ne pas décider d'elle-même qu'elle peut obtenir un financement privé à des conditions "raisonnables".* Le problème de définition d'un projet rentable qui ne peut pas être financé à des conditions raisonnables est entièrement celui de l'agence d'aide, et non celui de l'entreprise. Le montant d'aide accordé, qu'il s'agisse d'un prêt ou d'une subvention, est surtout déterminé par le flux de liquidités qui permette au projet de "bien" se réaliser, sans "trop" peser sur le fonds de roulement de l'entreprise.

On trouve des listes de programmes et conditions d'éligibilité dans les publications suivantes:

— *Aide,* Conseil des Ministres au développement économique, Ottawa;

— *Possibilités de développement,* M.E.I.R.;

— *Votre affaire, c'est notre affaire,* B.F.D.;

— *Résumé des critères d'admissibilité,* S.D.I.;

— *Guide des programmes d'aide offerts aux entreprises québécoises,* ministère de l'Industrie, du Commerce et du Tourisme du Québec (MICT).

III- Perception du milieu

Les programmes dont il est ici question sont caractérisés par les termes aide, assistance, incitation, encouragement. Ils ont pour but d'augmenter le niveau d'activité des entreprises en leur facilitant la réalisation de certains projets ou certaines opérations courantes. On ne doit pas les considérer comme une opération de dernier recours dont dépendrait la survie de l'entreprise. Il n'y a donc pas lieu de renoncer à faire appel à ces programmes à cause de la perception que pourraient avoir les concurrents, les fournisseurs, les clients ou les prêteurs privés. Ces derniers, même s'ils estiment que dans l'ensemble ces programmes se substituent au financement privé, n'hésitent pas à recommander à un client de demander un financement, prêt ou subvention auprès des agences publiques afin de répondre à ses besoins, et de partager les risques qu'ils encourent eux-mêmes.

Les programmes d'assistance financière sont nombreux et la structure d'accueil des demandes s'est grandement améliorée. L'entreprise doit les considérer simplement comme une source additionnelle de financement et ne pas hésiter à les utiliser.

L'AIDE DE L'ÉTAT: AVANTAGES ET INCONVÉNIENTS
Jean-Pierre Le Goff

Il existe plusieurs programmes gouvernementaux d'aide financière aux entreprises dont l'accès nécessite un certain effort de l'entrepreneur sans que le succès de la démarche soit assuré. Il importe donc de bien en identifier les avantages et les inconvénients pour l'entreprise.

I - Les avantages

Les avantages se retrouvent au niveau des conditions de financement, de la rentabilité, des conseils en gestion et de l'information. Les avantages financiers sont les plus visibles. L'agence gouvernementale peut être la seule à vouloir accorder un financement, ou encore sa présence peut être tenue nécessaire par les autres bailleurs de fonds, à cause des risques liés au projet ou à l'entreprise elle-même. Mais il y a plus que le fait de vouloir prêter alors que le secteur privé se montre réticent.

Souplesse

Un prêteur gouvernemental exigera souvent des garanties moins considérables qu'un prêteur privé. Les agences gouvernementales seraient aussi plus souples quant aux modalités de paiement: une entreprise en difficulté pour effectuer un remboursement trouverait leur attitude plus compréhensive que celle d'un prêteur privé. De plus, un prêteur public, pour un même projet, pourrait accorder un prêt quelque peu plus élevé afin d'éviter à l'entreprise une situation financière serrée; les prêteurs privés, voyant le risque partagé par une tierce partie, pourraient eux-mêmes être prêts à hausser leur apport financier.

Les subventions

Il faut noter le rôle particulier de la subvention: elle est à toutes fins pratiques considérée par les prêteurs privés comme de l'équité, c'est-à-dire des fonds ne réclamant aucune garantie. Les prêteurs privés sont enclins à offrir des conditions de financement plus intéressantes pour un projet impliquant une subvention. Une aide financière de type subvention aura aussi une forte influence sur la rentabilité du projet. Notons qu'une subvention du M.E.I.R. représente en moyenne 20% des dépenses de capital d'un projet, et qu'une prise en charge de paiements d'intérêt par la S.D.I. peut équivaloir à 10-12% des dépenses d'investissement.

La consultation

D'autres avantages sont moins visibles et quantifiables. L'entreprise peut, à toutes fins pratiques, se procurer gratuitement des services de consultation auprès d'une agence publique. L'agence gouvernementale, afin d'évaluer la demande d'aide, étudiera la structure financière et le fonds de roulement de l'entreprise et pourra suggérer quelques modifications ainsi que d'autres sources de fonds possibles. Les conseils peuvent aussi porter sur l'ensemble des activités de l'entreprise. Diverses agences ont acquis une expertise sectorielle: l'entreprise pourrait alors obtenir des renseignements sur les tendances du marché, ou des avis sur l'équipement disponible et sur les produits annexes offrant des occasions de diversification.

Information

Finalement, l'agence gouvernementale devient un centre d'information. L'agence est en contact étroit avec les prêteurs privés, avec les ministères à vocation économique, avec les commissaires industriels, avec des associations d'entreprises ainsi qu'avec un grand nombre d'hommes d'affaires. Elle ne peut être la source d'information unique, mais elle s'ajoute sûrement au nombre des agents qui connaissent une industrie ou une région et qui peuvent fournir des renseignements sur de nouveaux fournisseurs et des clients éventuels.

II - Les inconvénients

Ces programmes d'aide peuvent aussi présenter certaines difficultés aux entreprises. Notons tout d'abord les problèmes d'information: il faut être au courant des questions d'éligibilité d'une part, et ensuite trouver la personne à qui il faut s'adresser. Le processus de demande d'aide, d'analyse de dossier et de réponse est bureaucratisé; l'entreprise trouvera, en règle générale, que le secteur privé règle son cas plus rapidement. Il faut souligner cependant un effort des agences pour accélérer le processus, au point que certaines soutiennent être aussi rapides que les prêteurs privés.

Certaines entreprises se plaignent de la quantité de renseignements demandés par les agences gouvernementales. Le dossier de demande d'assistance financière exige certes un certain effort de collecte de données et de réflexion de la part de l'entrepreneur, mais il semble que ceux qui trouvent le dossier trop exigeant sont ceux qui n'avaient pas les renseignements à leur disposition, renseignements qui pourtant sont pertinents à la bonne marche de l'entreprise...

L'emploi des fonds

Certaines difficultés peuvent surgir une fois que l'aide est accordée: l'entreprise utilisera souvent une assistance financière des gouvernements pour accélérer la croissance de ses opérations; cette croissance étire ses ressources administratives et financières. La perspective de l'assistance financière peut occasionner une sous-estimation du coût des changements reliés à la croissance.

Certaines subventions sont accordées afin d'encourager la localisation dans telle ou telle région. Les problèmes de réorganisation posés par la relocalisation des activités, ou même une expansion ailleurs qu'au site habituel des opérations tendent, à tort, à être négligés. Ces subventions posent d'ailleurs quelque problème de fonds de roulement: la subvention n'est accordée, après un contrôle très serré des conditions à respecter par l'entreprise, que lorsque les activités de production sont en marche. Le processus de contrôle peut subir quelque délai et l'entreprise se voit alors privée pendant un certain temps de la subvention sur laquelle elle comptait.

Les avantages des aides financières des gouvernements semblent substantiels, alors que les inconvénients sont mineurs; hormis le problème d'information au départ et un processus que l'entrepreneur trouvera un peu lourd, les inconvénients sont liés à des faiblesses de planification et d'organisation et sont surmontables. L'entreprise trouvera intérêt à faire appel aux divers programmes d'assistance des gouvernements.

L'ASSURANCE-FLUCTUATION DE PRIX

Carmine Nappi

Si vous êtes producteur ou acheteur d'aluminium, argent, cuivre, plomb, zinc, blé, café, contre-plaqué, coton, sucre, oeufs frais, poulets congelés, titres hypothécaires, dollars américains ou d'une quarantaine d'autres marchandises et actifs financiers, cet article sur les marchés à terme est pour vous. Il vous intéressera d'autant plus si, en tant que manufacturier, vous vous mordez les doigts de ne pouvoir acheter aujourd'hui, lorsque les prix sont très bas, les approvisionnements de cuivre, plomb ou zinc dont vous aurez besoin dans quelques mois. Le même intérêt devrait être partagé par les cultivateurs rêvant de vendre aujourd'hui la récolte anticipée dans huit mois, pour éviter la catastrophe d'un prix ne justifiant plus les surfaces ensemencées.

Les marchés à terme: comment ça marche?

Les marchés à terme se distinguent des marchés physiques dans la mesure où on n'y transige pas vraiment des marchandises mais plutôt des **contrats**, c'est-à-dire des droits de propriété représentant une certaine quantité de produits physiques. Chaque contrat est spécifique dans le sens qu'il fait référence à une quantité fixe du produit (cuivre: 25 000 livres; blé, graines de soja: 5 000 boisseaux; etc.), de qualité égale, livrable à un lieu et à une date déterminés. De plus, sur ces marchés nous rencontrons deux prix: **le prix pour livraison immédiate** (prix "spot") et **le prix à terme** (celui qui devrait être payé dans trois, six ou douze mois selon le contrat et le marché).

Ceci dit, illustrons le fonctionnement d'un marché à terme dans le cas d'un producteur de fil de cuivre désireux de se protéger contre une hausse des prix. En effet, ce producteur a reçu aujourd'hui, le 1er septembre 1982, une commande de 25 000 livres de fil de cuivre à livrer pour le 1er avril 1983, à un prix X, dans lequel il a établi son coût du cuivre à 0,70 $/lb. Pour des raisons commerciales, l'entrepreneur de cette compagnie a voulu présenter un prix ferme pour le produit fini et non pas, comme ses concurrents, un prix fonction du cours du cuivre à la date de livraison. Étant donné que les approvisionnements en cuivre ne seront nécessaires qu'en février prochain et que cet entrepreneur veut se protéger contre une hausse d'ici là des prix du cuivre, il achète un contrat de 25 000 livres à 0,73 $/lb, échéance février. Que se produit-il si, à cause d'une reprise économique, les prix grimpent, au moment d'acheter effectivement le cuivre, à 0,80 $/lb sur le marché physique et à 0,84 $/lb sur le marché à terme? Allons voir:

---

1. *Pour toute information concernant les publications du Bureau de recensement du Canada, téléphoner à: (514) 283-5725.*

AU COMPTANT	À TERME
1er septembre 1982	**1er septembre 1982**
Soumission dans laquelle le producteur s'engage à livrer, le 1er avril 1983, 25 000 livres de fil de cuivre (coût du cuivre calculé à 0,70 $/lb)	Achat de 25 000 livres à 0,73 $/lb, échéance février 1983.
1er février 1983	**1er février 1983**
Achat de 25 000 livres à 0,80 $/lb pour respecter le contrat signé le 1er septembre 1982.	Vente de 25 000 livres à 0,84 $/lb.
Perte sur les opérations au comptant: 0,10 $/lb.	Gain sur les opérations à terme: 0,11 $/lb.
Gain net: 0,01 $/lb.	

Le producteur pourra doubler et inverser les transactions et acheter le 1er février une deuxième quantité de 25 000 livres de cuivre sur le marché physique et vendre immédiatement la même quantité sur le marché à terme. Ce faisant, les pertes de 0,10 $/lb sur le marché physique seront compensées par des gains de 0,11 $/lb sur le marché à terme. Le gain net est de 0,01 $/lb, ce qui est nettement préférable à la perte de 0,10 $/lb qui serait survenue si le producteur de fil de cuivre n'avait pas opéré sur le marché à terme. Notons que les prix auraient pu ne pas augmenter d'une façon parallèle et provoquer, supposons, une perte nette de 0,01 $/lb. Cette perte peut alors être considérée comme le paiement d'une prime d'assurance contre des fluctuations imprévues des prix.

Qu'arrive-t-il maintenant si ses anticipations d'une hausse des prix s'avèrent contredites par la réalité et que les prix s'effondrent lamentablement à 0,59 $/lb sur le marché au comptant et à 0,62 $/lb sur le marché à terme? Ses opérations se résumeront alors ainsi:

AU COMPTANT	À TERME
1er septembre 1982	**1er septembre 1982**
Soumission dans laquelle le producteur s'engage à livrer, le 1er avril 1983, 25 000 livres de fil de cuivre (coût du cuivre calculé à 0,70 $/lb).	Achat de 25 000 livres à 0,73 $/lb, échéance février 1983.
1er février 1983	**1er février 1983**
Achat de 25 000 livres à 0,59 $/lb.	Vente de 25 000 livres à 0,62 $/lb.
Gain sur les opérations au comptant: 0,11 $/lb.	Perte sur les opérations à terme: 0,11 $/lb.
Gain net: 0,00 $/lb.	

Notre producteur peut encore cette fois doubler et inverser les transactions et, en achetant au mois de février la quantité requise de cuivre à 0,59 $/lb il réalise un gain de 0,11 $/lb sur le marché physique. Par contre ce gain est annulé par des pertes de 0,11 $/lb sur le marché à terme où il a dû vendre à un prix dérisoirement bas son contrat acheté le 1er septembre dernier. Donc, le marché à terme qui l'avait protégé contre une hausse de prix, peut le priver des bénéfices découlant d'une évolution favorable des prix. Ces revenus moindres peuvent sembler déprimants mais il ne faut pas oublier qu'au mois de septembre il n'avait pas la moindre idée sur l'évolution des prix futurs.

En guise de conclusion

Donc, si vous désirez vous protéger contre les fluctuations de prix et acquérir une assurance pour couvrir les pertes d'une évolution défavorable des prix de certaines marchandises ou actifs financiers, informez-vous sur les services offerts par les marchés à terme. Il y en a une vingtaine dans le monde qui depuis des années (quelques-uns sont plus que centenaires) fournissent une telle assurance aux producteurs, consommateurs, commerçants, importateurs ou exportateurs.

Les marchés à terme ne sont pas d'abord des instruments de spéculation même si certains ont voulu, à certaines périodes, s'en servir comme tels. Leur véritable fonction est de permettre aux entreprises de se protéger contre la hausse ou la baisse des prix. Nous avons tenté d'expliquer un peu plus la seconde fonction des marchés à terme et inciter les entrepreneurs à s'informer davantage de leur fonctionnement auprès de leur courtier. Il leur indiquera en plus des critères d'utilisation des marchés à terme comment ces derniers assurent le risque de prix et peuvent aussi améliorer la politique d'achat et de vente de l'entreprise moyenne québécoise.

LES GOUVERNEMENTS FAVORISENT LE FINANCEMENT PAR ACTIONS
Pierre Royer

Grâce à des mesures fiscales qui seront adoptées prochainement, les gouvernements fédéral et provincial faciliteront l'émission d'actions et ainsi l'obtention de capitaux à long terme, à des sociétés qui autrement auraient pu difficilement se procurer les fonds nécessaires à leur expansion.

Programmes fédéraux

Le gouvernement fédéral permettra à des sociétés canadiennes privées et publiques d'émettre, jusqu'à la fin de 1986, des actions ordinaires donnant droit à leurs acheteurs de réclamer un crédit d'impôt égal à 25% du prix payé pour ces actions. Ce crédit, appelé crédit d'impôt à l'achat d'actions, pourra être déduit de l'impôt fédéral payable par l'actionnaire qui devient le premier détenteur de ces actions admissibles. Pour fins de détermination du gain en capital réalisé lors de la revente des actions, leur prix de base sera égal au prix payé moins le crédit obtenu. La société émettant les actions admissibles au crédit d'impôt à l'achat d'actions perdra toutefois le droit de déduire de ses propres impôts les crédits d'impôts à l'investissement gagnés après le 19 avril 1983. Ces crédits à l'investissement sont accordés à une entreprise lors de l'achat de biens amortissables acquis à l'état de neuf pour fins de fabrication. Par exemple, si une société émet des actions admissibles d'un montant égal à un million de dollars, les acheteurs de ces actions auront droit à des crédits d'impôts de 250 000 $, mais la société ne pourra pas bénéficier de crédits d'impôt à l'investissement jusqu'à concurrence de 250 000 $. Ainsi, ce sont principalement les sociétés dont les revenus sont insuffisants pour payer des impôts qui auront avantage à émettre de telles actions parce qu'elles ne peuvent pas bénéficier elles-mêmes du crédit d'impôt à l'investissement. En somme, la loi permettra à une société incapable d'utiliser un crédit d'impôt à l'investissement de transférer ce crédit à l'acheteur d'actions admissibles. Si l'investisseur lui-même ne peut pas se servir du crédit au cours de l'année, il le reportera dans sa déclaration d'une autre année. Si, d'autre part, l'investisseur est une entité exonérée d'impôt, comme un régime de pensions ou un organisme de charité, il aura le droit d'exiger du gouvernement un montant égal au crédit.

Crédit à la recherche

Une autre mesure proposée par le gouvernement fédéral facilitera le financement de sociétés engagées dans des activités de recherche et de développement. Ces sociétés peuvent, depuis octobre 1983, émettre des actions, des titres de créances et certains droits permettant aux premiers détenteurs de ces titres de se prévaloir d'un crédit d'impôt égal à environ 50% du coût des actions. Ce crédit, qui s'appelle crédit d'impôt à la recherche scientifique, réduira le prix de base des titres acquis par l'investisseur. Les sociétés qui émettent des titres admissibles au crédit d'impôt à la recherche scientifique doivent renoncer pour elles-mêmes à des déductions et à des crédits auxquels elles auraient eu droit pour les dépenses de recherche et de développement engagées. Par exemple, si une société émet 2 millions $ d'actions admissibles au crédit à la recherche scientifique, les acheteurs de ces actions auront droit à des crédits d'environ un million $, mais la société émettrice perdra le droit de déduire 2 millions $ de dépenses relatives à la recherche et au développement engagées après le 19 avril 1983 et les crédits d'impôt rattachés à ces dépenses. Ce sont donc les sociétés qui subissent des pertes et, par conséquent, se trouvent dans l'impossibilité de déduire ces crédits, qui tireront avantage de l'émission de titres admissibles au crédit d'impôt à la recherche scientifique.

Par les crédits d'impôts décrits ci-dessus, le gouvernement fédéral espère non seulement encourager les sociétés à émettre du capital à long terme, mais aussi à stimuler les investissements et les dépenses en recherche et développement. Ainsi, les sociétés émettrices doivent entreprendre les investissements prévus par les programmes fédéraux, sinon elles devront payer des impôts spéciaux pour compenser les avantages fiscaux offerts aux acheteurs de titres.

Programme provincial

Le gouvernement du Québec a, de son côté, présenté dans son budget de mai 1983 une mesure visant à favoriser l'émission publique d'actions par certaines sociétés. C'est à ce moment qu'est née la corporation en voie de développement (CVD), soit une corporation dont le siège social ou la principale place d'affaires est au Québec et qui exploite une entreprise admissible, définie comme une entreprise de fabrication ou de transformation, de construction, de transport, de pêche, d'exploitation agricole, forestière, minière ou pétrolière. Le nombre d'employés permanents d'une CVD ne peut pas être inférieur à 5, sans compter les initiés, et le total des actifs doit se situer entre 2 millions $ et 25 millions $. En novembre 1983, la définition d'une CVD a été élargie pour inclure une corporation dont l'actif est inférieur à 2 millions $ si son avoir net des actionnaires est d'au moins 750 000 $ et celle dont l'actif est supérieur à 25 millions $ si son avoir net des actionnaires ne dépasse pas 10 millions $.

Lors d'une première émission publique d'actions effectuée par une CVD, le gouvernement du Québec accorde des avantages fiscaux à la fois à la CVD et aux acheteurs d'actions. D'abord, la corporation elle-même peut recevoir un remboursement égal à 50%, sans excéder 10 000 $, des coûts relatifs à l'étude de faisabilité d'une première émission publique d'actions. De plus, le gouvernement provincial lui fournit une aide financière dont le montant varie selon la valeur des actions admissibles souscrites et payées, comme suit:

75% des premiers 200 000 $

50% pour la tranche entre 200 000 $ et 400 000 $

25% pour la tranche supérieure à 400 000 $ sans excéder 1 000 000 $

Ainsi, une corporation pourra recevoir, dans les 90 jours après avoir adressé sa demande, une somme de 410 000 $ si elle a émis des actions admissibles d'une valeur supérieure à 1 000 000 $. Pour avoir droit à cette aide, la société doit émettre les actions avant le 1er avril 1985.

L'investisseur qui achète les actions admissibles nouvellement émises d'une CVD a le droit de déduire de son revenu, à titre de contribution à un REA, un montant égal à 150% du coût de ces actions (comparativement à 100% ou 75% pour les actions d'autres sociétés admissibles au REA émises en 1984). Les actions admissibles d'une CVD comprendront non seulement les actions ordinaires comportant un droit de vote, mais aussi les actions privilégiées non rachetables, convertibles au gré du détenteur en actions ordinaires avec droit de vote lors de leur conversion. Un investisseur ayant un taux marginal d'impôt provincial de 32%, soit celui gagnant un revenu annuel imposable supérieur à 60 000 $, pourra bénéficier, lors de l'achat de 1 000 $ d'actions admissibles d'une CVD, d'une économie permanente d'impôt de 480 $.

Conclusion

Les programmes décrits ci-dessus représentent les plus récents stimulants fiscaux offerts par les gouvernements pour encourager le financement à long terme et pour favoriser les investissements. D'autres programmes existent pour aider des industries comme l'industrie minière. Par exemple, certaines sociétés minières peuvent émettre des actions donnant droit à l'acheteur de déduire jusqu'à 133 1/3% du coût des actions au fédéral et 166 2/3% au provincial. Si les Québécois peuvent se plaindre à bon droit de taux d'imposition élevés sur les revenus personnels, ils doivent toutefois se réjouir des mesures fiscales adoptées par les deux gouvernements dans le but de stimuler les investissements dans le secteur privé. Les dirigeants des sociétés québécoises doivent s'enquérir sur les programmes offrant des stimulants fiscaux s'ils veulent accroître la rentabilité et la valeur de leur entreprise. Enfin, il est à souhaiter que les gouvernements continuent à adopter d'autres mesures fiscales aussi avantageuses, dont l'un des effets est de rendre nos entreprises plus concurrentielles au Canada et à l'étranger.

10

PERFECTIONNEMENT

PERFECTIONNEMENT = INVESTISSEMENT

Jacques Villeneuve

Dans les lignes qui suivent, nous éviterons de faire la distinction entre formation et perfectionnement des gestionnaires ou cadres. La pratique veut, en effet, lorsqu'il s'agit d'augmenter la compétence des cadres, que l'homme d'affaires parle indifféremment de formation, de perfectionnement ou de développement.

Cette activité, et il vaut la peine de se poser la question, est-elle rentable? Il est impossible de répondre par une affirmation absolue, car les résultats dépendent du cadre lui-même, de ses dirigeants et de la qualité de l'entraînement. Mais l'on sait que les grandes entreprises n'ont pas l'habitude de jeter leur argent par la fenêtre. Or, durant la récession de 1982 et 1983, elles ont continué d'investir des sommes importantes dans la formation et le perfectionnement de leurs gestionnaires, même si elles ont alors réduit considérablement les budgets affectés à cette fin. Les entreprises en question n'ont toutefois pas songé à annuler leurs budgets de perfectionnement au cours de cette période difficile; elles les ont plutôt scrutés à la loupe et se sont efforcées plus que jamais auparavant de quantifier les résultats de cet investissement. Cette manière de penser fait maintenant partie des politiques des grandes entreprises et on peut affirmer qu'elle est là pour y rester. On peut donc conclure qu'elles considèrent le perfectionnement comme un investissement ayant pour but d'augmenter l'efficacité des cadres, c'est-à-dire la valeur de leur contribution à l'accroissement de la productivité.

Qu'ont-elles alors exigé? Des programmes spécifiques et à court terme durant lesquels les participants pouvaient obtenir des connaissances et des compétences qu'ils puissent mettre en pratique dans leur milieu dès leur retour au travail. C'est peut-être le critère le plus réaliste pour évaluer la rentabilité de tel ou tel programme de perfectionnement.

Mais quand on est petit, direz-vous, on n'a pas les moyens de dépenser des sommes importantes à cette fin. C'est vrai. Néanmoins, certaines petites entreprises trouvent le moyen de faire ce que plusieurs grandes sociétés font dans le domaine du perfectionnement des gestionnaires: elles concentrent leur temps, leurs efforts et leur argent dans deux types d'activités qui ne coûtent pas un prix fou et qui rapportent beaucoup: le développement dans le poste de travail, et les activités de développement dans un groupe organisé.

Développement ou perfectionnement dans le poste

Cela signifie simplement que le développement du manager se concrétise d'abord dans l'exercice même de son travail quotidien. Le défi que pose tous les jours au gestionnaire l'exercice de ses fonctions doit être la **source première** de l'élargissement de son expérience et l'outil essentiel de son perfectionnement.

En d'autres termes, si, d'une part, il appartient à la direction de l'entreprise, petite, moyenne ou grande, de créer un climat propice au développement des gestionnaires, ces derniers doivent, d'autre part, prendre charge de leur propre perfectionnement. Une personne ne se développe que dans la mesure où elle désire le faire et prend elle-même les moyens qui s'imposent pour satisfaire ses ambitions. Aucun programme de perfectionnement n'aura de succès à moins que le gestionnaire n'ait l'ardent désir et la ferme volonté d'apprendre et de se préparer lui-même à des fonctions plus exigeantes et plus rémunératrices.

Bref, l'individu doit, dans son travail de tous les jours, se considérer comme le principal responsable de son propre perfectionnement en mettant en pratique de saines méthodes administratives sur lesquelles nous reviendrons dans un prochain article.

Toutefois, cette approche traditionnelle au problème du perfectionnement des cadres — approche qui a fait ses preuves dans nombre d'organisations — ne donne pas toujours les résultats espérés. Plusieurs entreprises en sont donc venues à la décision d'élargir les expériences et d'inviter certains cadres à participer à des activités formelles organisées par l'entreprise même ou par des organismes extérieurs, comme le Centre de perfectionnement H.E.C.

Les activités de groupe

La valeur réelle de ces activités formelles ou séminaires s'adressant à des groupes réside dans le fait que les participants y trouvent l'occasion de vivre des mois ou des années d'expérience en un court laps de temps et d'acquérir l'habitude de travailler en équipe. De la confrontation des idées jaillit la lumière: tel est, substantiellement, l'immense avantage des sessions de groupe.

Un homme, avons-nous dit, apprend énormément par l'exercice de ses responsabilités quotidiennes; mais il se perfectionne aussi beaucoup en écoutant les autres et en transposant ensuite dans sa situation de travail les principes de gestion, les techniques, façons de faire et renseignements divers récoltés au cours d'une session de groupe.

Les échanges d'idées en groupe, les discussions théoriques ou pratiques mettant en lumière les différents aspects d'un problème de financement, de vente, d'expansion, l'analyse de certains principes et de certaines données, sont autant d'instruments visant au perfectionnement des cadres, donc à l'efficacité administrative. Il n'est pas rare de voir un cadre rapporter d'une telle session une ou des idées qui valent à son entreprise des sommes parfois bien supérieures à ses frais d'inscription.

Suivre un séminaire de temps à autre, y rencontrer des gens avec lesquels on partage des expériences, c'est la bouffée d'air pur ou le jogging intellectuel dont plusieurs gestionnaires ont besoin, au moins une fois par année.

En cette période où le monde économique connaît des chambardements sans précédent, la compétence des dirigeants et cadres est indispensable au succès. Les PME doivent elles aussi penser à la formation ou au perfectionnement des cadres parce qu'elles ont besoin de "cerveaux" autant que les grandes sociétés. Investir dans les cerveaux comporte peu de risques par rapport au rendement escompté, surtout si les nouvelles connaissances acquises et les nouvelles habiletés développées servent à régler des problèmes préalablement identifiés par l'entreprise. Dans ces cas, tout au moins, il s'agit d'un placement sûr.

RÉFLEXIONS SUR LES "GROS" ET LES "PETITS"!

Jacques Villeneuve

- C'est un fait connu, les hommes d'affaires lisent peu, en général. Ils lisent notamment peu de livres parce qu'ils n'en ont pas le temps et parce qu'ils peuvent fréquemment trouver dans certains magazines et revues des articles ou textes qui conviennent davantage à leurs intérêts immédiats.

- Toutefois, lorsque la nouvelle se répand chez les hommes et femmes d'affaires que tel ou tel volume vaut vraiment la peine d'être lu, c'est par milliers qu'on se l'arrache.

- Ce fut le cas lorsque Peter F. Drucker, le gourou du management des années 50 et 60, publia *The Practice of Management*. Ce volume devint très rapidement le livre de chevet d'une multitude de gestionnaires tant américains que canadiens. Nombre d'entre eux furent profondément influencés par les idées de Drucker sur l'administration par objectifs, la structure des organisations, la motivation des gestionnaires et des employés, la prise de décision, la culture de l'entreprise, etc.

- Drucker était ce qu'il est convenu d'appeler "prescriptif", dans le sens qu'il édictait à sa manière des normes devant servir à la bonne marche de l'entreprise.

- Vingt-cinq ou trente ans plus tard, c'est-à-dire aujourd'hui, un autre volume fait fureur dans le même domaine. Il est en effet difficile depuis quelques mois de rencontrer des gens d'affaires sans qu'ils vous incitent fortement à lire "In Search of Excellence", une production de deux conseillers en gestion de la maison américaine McKinsey.

- Ce livre est devenu en douze mois un best-seller. Le magazine Time du 17 octobre dernier annonçait que la millionième copie venait d'être vendue. La cause de cet engouement? Le livre de Peters et Waterman décrit — il est donc "descriptif" par opposition à "prescriptif" — les pratiques de gestion courantes de soixante-deux compagnies américaines — Johnson & Johnson, IBM, Texas Instruments, Procter & Gamble, General Electric, McDonald's, Avon, Polaroid, Dow Chemical, Dupont, 3M, Xérox, etc., — qui ont en commun un même objectif: la recherche obstinée de l'excellence.

- Pourquoi ces entreprises, au cours des années, se sont-elles classées au rang des "champions" en dépit des difficultés auxquelles elles eurent et ont encore à faire face régulièrement, comme n'importe quelle autre organisation? Parce qu'elles savent utiliser d'une manière brillante, consciente et soutenue, certains principes simples de gestion. Les auteurs Peters et Waterman identifient comme suit les huit traits — "eight basics" — qui les caractérisent.

1- **Elles agissent rapidement.** À cette fin, elles simplifient procédures et paperasse; elles se font également un devoir de maintenir un réseau de communication informel afin d'accélérer la transmission de l'information à ceux qui doivent prendre des décisions. Dans ces organisations, les choses bougent vite.

2- **Elles se tiennent très près de leurs clients** afin de rapidement satisfaire leurs besoins. La qualité du produit commercialisé et le service après vente sont deux véritables obsessions de ces compagnies à succès. Tout pour le client.

3- **Elles encouragent l'innovation et l'entrepreneurship** en créant de petites équipes de réflexion ou en mettant sur pied de petites divisions au sein de leur organisation, aussi vaste soit-elle. Car elles ont appris par expérience que "small is beautiful" et que la plupart des meilleures idées proviennent d'unités de petite ou moyenne taille.

4- **Sans exception, elles considèrent le personnel d'exécution — les employés — comme la source première d'augmentation de la productivité.** Elles traitent donc leurs employés en adultes, avec respect et dignité. Ce respect et cette dignité n'excluent toutefois pas la fermeté dans les relations interpersonnelles, fermeté qui s'exprime par l'évaluation constante du rendement du personnel en regard des résultats attendus.

5- **Elles ont, toutes et chacune, leur culture ou leur propre système de valeurs** sur lequel reposent leurs politiques et leurs stratégies d'action. Ces valeurs, qui vont bien au-delà des impératifs financiers, sont systématiquement véhiculées par l'équipe de direction et pénètrent tous les niveaux de l'organisation. C'est ainsi que les individus sont motivés à donner le meilleur d'eux-mêmes dans la réalisation des objectifs qui leur sont assignés.

6- **Ces entreprises ont pour principe de ne pas trop s'éloigner de leur champ de spécialisation,** donc de demeurer le plus possible dans le ou les domaines qu'elles maîtrisent. "N'acquiers jamais une entreprise que tu n'est pas sûr de pouvoir bien administrer" disait Robert Wood Johnson, le fondateur de Johnson & Johnson. "Et si tu le fais, acquiers de petites organisations afin de réduire tes risques au minimum".

7- **Ces compagnies d'élite ont une structure d'organisation simple** — établie généralement sur la base des produits —
et qui change très peu souvent. Cette structure simple a non
seulement l'avantage d'être comprise par tous mais permet
surtout de déléguer l'autorité et la prise de décision aux échelons les plus bas possibles. Il est intéressant de noter ici que,
toutes choses égales par ailleurs, ces compagnies ont presque
toutes un personnel corporatif très restreint, qui se déplace
constamment dans les différentes unités, divisions et régions
pour régler des problèmes, plutôt que de rester au siège social à
vérifier les événements "after the facts".

8- **Les compagnies de ce groupe dirigent leurs affaires
d'une manière à la fois très serrée et très détendue.** C'est,
en fait, la co-existence d'une direction centrale ferme et d'une
liberté très large laissée à l'individu dans l'exercice de ses
fonctions.

* La conclusion? Ces entreprises dites "excellentes" **qui continuent d'afficher, en dépit du climat économique difficile,
des résultats plus que satisfaisants,** "ont ramené à sa plus
simple expression un monde des plus complexes, en exigeant la
QUALITÉ dans le produit et le service, en faisant preuve de
véritable empressement auprès de leurs **CLIENTS** et en traitant leurs **EMPLOYÉS** en adultes". (Jules Béliveau, *"Le Devoir"*, 23 juin 1983).

Ce n'est rien de nouveau ou d'extraordinaire, direz-vous, et
vous avez raison. Sauf que les "champions" utilisent tous l'ensemble de ces variables "non par accident, mais par dessein".

À notre avis, si pour le gros "small is beautiful" et profita-
ble, le petit aurait intérêt à imiter le gros dans l'application de
certaines des variables ci-dessus mentionnées.

LE PERFECTIONNEMENT INDIVIDUALISÉ — SUR LE TAS

Jacques Villeneuve

C'est en forgeant qu'on devient forgeron! C'est en gérant
qu'on devient gestionnaire! C'est en administrant qu'on devient
administrateur! Bref, quatre-vingt pour cent — 80% — d'un programme efficace de perfectionnement des cadres dans la grande,
moyenne ou petite entreprise repose d'abord et avant tout sur le
développement de l'individu dans le poste qu'il occupe.

Pourquoi le perfectionnement "individualisé"?

Le perfectionnement doit donc être "individualisé" pour au moins les raisons suivantes:

— L'individu est le principal responsable de son perfectionnement;

— les capacités et les besoins en développement diffèrent généralement d'un individu à un autre;

— chaque poste de management exige des capacités spécifiques.

Les responsables?

Si le perfectionnement, comme nous l'avons dit, commence dans la fonction qu'on occupe, les premiers responsables en sont le titulaire du poste et son supérieur immédiat.

Le perfectionnement individualisé
du gestionnaire dans son poste
exige la participation active
du supérieur et du subalterne

par

| Description succincte de la tâche | Clarification du défi à relever | Liberté d'action à partir des objectifs établis | Évaluation des résultats | Rétributions monétaires et psychologiques |

Il appartient au supérieur immédiat de voir à clarifier les objectifs à atteindre, de déléguer les responsabilités et d'apprécier continuellement le rendement de ses collaborateurs. Lorsque le supérieur immédiat fait bien ces trois choses, il ne se contente pas alors de diriger ses collaborateurs, il les développe véritablement, comme l'expérience le prouve.

D'ailleurs les méthodes de perfectionnement individualisé qui ont fait leur preuve — délégation d'autorité et de responsabilités, "coaching", "counselling" et rotation dans divers postes — étant généralement bien connues des gestionnaires, je n'en dirai ici que quelques mots:

— **la délégation d'autorité** est l'outil de perfectionnement le plus largement disponible et qui ne coûte pas cher. C'est effectivement l'art de distribuer des tâches à des collaborateurs et aussi de développer au maximum leur sens de responsabilité et de décision;

— **le "coaching"** est un complément nécessaire à la délégation. C'est l'habileté du patron à faire analyser un problème par le subalterne et à lui ouvrir des horizons nouveaux. Le coaching vise à modifier certaines aptitudes susceptibles d'influencer le rendement et le développement du gestionnaire;

— le **"counselling"** tend plutôt à modifier certaines **attitudes** du collaborateur. Il est sûrement moins que le "coaching" à la portée du patron et exigera de temps à autre la présence de conseillers professionnels, tels les psychologues industriels;

— **la rotation des individus**
Les fonctions de haute direction exigent, idéalement, une expérience variée. L'apprentissage de ces fonctions peut être accéléré par une politique de rotation des individus d'un poste à un autre. Toutefois, les séjours dans un poste doivent être suffisamment longs pour permettre au gestionnaire d'y voir clair et de régler des problèmes importants. Autrement, le jeu n'en vaut pas la chandelle.

Ces quatre techniques ou méthodes traditionnelles de perfectionnement comportent, certes, des lacunes, mais elles ont depuis belle lurette démontré leur efficacité. Il faut en profiter au maximum. Elles traduisent d'ailleurs la qualité de la relation supérieur-subalterne, relation qui trouve sa véritable expression dans un dialogue ouvert sur tous les aspects des fonctions ou responsabilités du collaborateur/subalterne.

Description succincte de la tâche

Les cadres efficaces tirent leur principale motivation de la valeur du travail qu'ils ont à accomplir. La tâche elle-même est donc le facteur déterminant dans le développement d'une personne. La diversité des problèmes auxquels fait face le manager doit lui fournir la possibilité de se faire valoir, de se réaliser et de se développer. Pour qu'il en soit ainsi, les responsabilités du manager doivent être clairement définies sans qu'il soit nécessaire d'écrire des pages et des pages.

Clarification d'objectifs à réaliser et du défi à relever

La classification et la hiérarchisation des objectifs départementaux et des objectifs personnels du gestionnaire exigent le concours du supérieur et de l'intéressé pour la simple raison que le supérieur exerce une influence considérable — positive ou négative — sur le rendement et le développement de ses collaborateurs. Le cadre efficace sait ce qu'il a à faire mais il est capital que lui et son supérieur s'entendent sur les projets essentiels à réaliser — par rapport aux secondaires — afin que l'action du subalterne apporte les résultats escomptés. Le défi de la tâche et la détermination que le manager mettra à le rencontrer constituent des outils de développement reconnus dans les entreprises bien gérées. Toutefois, le climat dans lequel le gestionnaire exécute sa tâche est aussi un élément qui contribue à son développement.

Liberté d'action à partir des objectifs établis

Les cadres efficaces diffèrent entre eux autant que les cadres inefficaces. Pourtant, ils ont une chose en commun: ils veulent être laissés aussi libres que possible dans l'exercice de leurs fonctions. Et c'est justement cette liberté de penser, de planifier, d'organiser, d'exécuter, de contrôler et de communiquer facilement avec leur supérieur qui fait que les individus se développent et apportent une contribution importante aux résultats de l'organisation.

L'évaluation des résultats

Les gestionnaires ont non seulement besoin, pour se développer, d'un véritable défi à relever dans un climat de liberté d'action, mais ils veulent aussi savoir si leur supérieur est satisfait ou non des résultats. Ils veulent, comme tout le monde, se sentir appréciés et estimés, et ce désir est d'autant plus vif que leurs responsabilités sont plus lourdes à porter. Une évaluation bien faite du rendement des gestionnaires incite ces derniers à se dépasser et même à rechercher l'excellence.

Rétributions monétaires et psychologiques

Bien payer ses gestionnaires n'est pas une dépense mais un investissement. Le gestionnaire, comme n'importe quel autre individu, travaille pour deux sortes de rétributions: les rétributions monétaires concrétisées dans le chèque de paye et les rétributions psychologiques provenant de la satisfaction du travail accompli, des occasions d'avancement, du sentiment d'appartenance à l'organisation et de l'intérêt manifeste du patron dans les résultats produits. Ces conditions, qu'on l'accepte ou non, sont tout à fait indispensables à la motivation et au développement du gestionnaire.

Conclusion

Les lignes qui précèdent ont tenté de démontrer que le développement ou perfectionnement des gestionnaires n'est pas une science mais un art qui fait appel au bon sens et à des méthodes ou techniques de management qui ont fait leur preuve et qui peuvent s'appliquer dans à peu près n'importe quelle organisation, sans que cela ne coûte cher. Il faut toutefois garder à l'esprit le concept fondamental de tout programme de perfectionnement des cadres, à savoir que la qualité du perfectionnement d'un gestionnaire repose non seulement: a) sur un travail bien fait ainsi que, b) sur l'acquisition de connaissances et habiletés techniques et administratives, mais également, c) sur la formation de l'esprit au raisonnement et à l'analyse, en somme, sur la discipline ou la rigueur intellectuelle.

11

LES FEMMES ET LA GESTION

CHEFS D'ENTREPRISE AU FÉMININ

Marie-Françoise Marchis-Mouren

Depuis une dizaine d'années, le nombre de femmes propriétaires d'entreprises au Canada a plus que doublé. En effet, en 1964, on comptait 22 394 femmes entrepreneurs ayant déclaré un revenu imposable et en 1979, 49 866. Au Québec, on a remarqué, chez celles-ci, deux types de profils, caractérisés par un cheminement très différent. Il s'agit de celui des "héritières" et de celui des "fondatrices".

Les héritières, comme leur nom l'indique, ont pris la tête de l'entreprise familiale à la mort de leur mari ou de leur père. La survie, la réorientation voire même la restructuration de l'entreprise dont elles ont assumé la responsabilité ont été bien souvent les défis les plus immédiats qu'elles ont eus à relever. Il leur a fallu acquérir rapidement une connaissance adéquate du nouveau milieu où elles étaient appelées à oeuvrer pour occuper la place qui leur revenait auprès de leurs employés, clients et fournisseurs et prendre les décisions qui s'imposaient. En voici quelques exemples.

— Guylaine Saucier est devenue p.d.g. du "Groupe Gérard Saucier Ltée" entreprise de sciage de bois à Comtois en Abitibi, à la mort de son père en 1975. À l'époque, le chiffre d'affaires s'élevait à 15 millions $; maintenant, il est de 50 millions $.

— Jeannine Guillevin-Wood a hérité de son mari d'une entreprise de distribution de fournitures et d'appareils électriques à Montréal, "Guillevin Wood Allied Ltée" et l'a fait croître considérablement. En 1965, le chiffre d'affaires s'élevait à 1,5 millions $ et en 1981, à plus de 26 millions $. À l'automne 1982, elle faisait l'acquisition de GESCAN, une division de General Electric.

— Iseult Lefebvre Richard, p.d.g. de "J.B. Lefebvre Ltée, Chaussures Pavanes Ltée et Mayfair", possédait en 1959, 14 magasins de chaussures. Maintenant, elle en compte 53 qui rapportent plus de 15 millions $ de chiffre d'affaires.

— Lynda Gould, p.d.g. de "Montreal's Gould Marketing Ltd.", entreprise d'importation de composantes stéréo a, elle aussi, largement fait ses preuves depuis qu'elle a pris la succession de son mari en 1969. En douze ans, son chiffre d'affaires est passé de 1 à 10 millions $.

— Gabrielle Grimard est p.d.g. de "Les Entreprises d'électricité Inc.". La compagnie qu'elle dirige à Québec a été responsable de l'électrification de la Baie James. Son chiffre d'affaires s'élève actuellement à 7 000 000 $.

— Gisèle Ménard, p.d.g. de "Les Vêtements du Manufacturier" à Montréal, est spécialisée dans la fabrication et la vente de vêtements pour hommes. Elle possède une usine de fabrication et 7 magasins qui génèrent un chiffre d'affaires de 1,5 million $.

Les fondatrices constituent un groupe plus nombreux que le premier. Sur le plan des caractéristiques individuelles et des motifs qui les ont poussées à se lancer dans les affaires, elles se révèlent très semblables aux chefs d'entreprises masculins: goût du risque, sens du leadership, désir d'être "son propre patron", forte combativité, créativité poussée. Voici quelques-unes d'entre elles:

— Suzanne Leclair, p.d.g. de "Les Fourgons Transit", est spécialisée dans la fabrication et la vente des boîtes de camions de livraison. Elle réalise un chiffre d'affaires de l'ordre de 2 millions $

— Louise Roberge, p.d.g. de la compagnie "Mendès Inc." à Québec, fabrique des planteurs de quilles automatiques et des planchers de gymnase.

— Audrey Morris possède 4 compagnies: "Audrey Morris et Associés" (agence de mannequins), "Audrey Morris Cosmétiques", "Audrey Morris International" et "Audrey Morris Boutiques" (produits de beauté). Elle fabrique plus de 35 produits dans les grandes lignes des cosmétiques distribués dans 600 points de vente au Canada, aux États-Unis, en Australie, au Japon et à Hong Kong. Son chiffre d'affaires s'élève à 10 millions $.

— Lise Watier a fondé "Lise Watier Inc.", il y a environ 10 ans. Les produits de beauté qu'elle fabrique dans son usine montréalaise sont diffusés dans tous les grands magasins canadiens. Son chiffre d'affaires dépasse 1 million $.

— Marie Selick, p.d.g. de "Les Associés Marie Selick Ltée", a une agence de placement à Montréal qui comble entre 400 et 500 emplois temporaires par semaine. Son chiffre d'affaires s'élevait, en 1981, à 5,5 millions $.

— Aline Hooper, p.d.g. de "Aline Hooper et Associés", possède, elle aussi, une agence de placement de personnel à Dorval dont le chiffre d'affaires, en 1981, était de l'ordre de 1 million $.

— Judith Berman a démarré avec un associé, il y a 3 ans, "Beau Bazou", entreprise de location à court terme de voitures usagées dont les tarifs sont inférieurs aux prix de marché de 40%.

— Sylvie Dagenais est également dans cette branche. Elle a fondé "Auto Gouverneur Location Inc." et s'occupe de location de voitures à court et à long termes.

Ces deux dernières compagnies connaissent actuellement une croissance exceptionnelle.

— Pauline Brodeur, elle aussi s'est fait une niche intéressante. P.d.g. de "Formules Municipales Inc", elle publie des formulaires pour divers paliers gouvernementaux et s'est spécialisée dans les éditions à feuilles mobiles pour gens de loi (1,5 million $).

— Ginette Gadoury, p.d.g., des "Publications Decormag", a lancé, il y a dix ans, un magazine de décoration diffusé maintenant à travers le Canada en versions française et anglaise (3 millions $).

Mentionnons enfin qu'il existe une pléiade de femmes qui ont su allier leurs talents artistiques à leur sens des affaires. Nous ne ferons état que de trois d'entre elles qui, ayant débuté comme artisanes, sont actuellement à la tête d'une PME en pleine expansion:

— Huguette Larue Desrosiers, p.d.g. de "La Maison de Poupées", qui fabrique plus de 35 000 poupées par an.
— Suzanne Sansfaçon et Michèle Boucher, propriétaires de "Coccinnelle", entreprise de fabrication de vêtements pour enfants.

Ces deux compagnies vendent leurs produits à travers le Canada et ont récemment pénétré le marché américain.

Cette énumération est loin d'être exhaustive, mais elle sert à mettre en évidence la présence des femmes entrepreneurs au Québec, autant dans le secteur manufacturier que dans celui des services ou des arts. Espérons que l'exemple de leur succès incitera d'autres femmes à venir joindre leurs rangs.

GUYLAINE SAUCIER: P.D.G. DU GROUPE GÉRARD SAUCIER LTÉE, D'ABITIBI
Marie-Françoise Marchis-Mouren

Dirigeante de l'une des trois plus grosses entreprises de sciage au Québec, Guylaine Saucier est une femme d'affaires peu commune, tant sur le plan de ses réalisations professionnelles, de sa jeunesse que du secteur dans lequel elle oeuvre. Nommée présidente de l'entreprise familiale en 1975, à l'âge de 29 ans, Guylaine Saucier a, en l'espace de 7 ans, restructuré la compagnie, élargi le champ de ses activités, changé son orientation, identifié de nouveaux marchés et triplé son chiffre d'affaires.

Historique de l'entreprise
En 1966, Gérard Saucier et Vianney Barrette, deux hommes d'affaires de l'Abitibi, s'associent pour implanter à Comtois, petite localité située à une dizaine de milles au nord-ouest de Lebel-sur-Quévillon, une usine de sciage de bois résineux d'une capacité annuelle de production de 12 millions de P.M.P. (Pied Mesure de Planche). À cette époque, cette unité de transformation de bois opère sous la raison sociale Barrette et Saucier Enr. Les affaires sont florissantes et trois ans plus tard, les deux associés décident de s'incorporer sous le nom de Barrette et Saucier Ltée.

Guylaine, la fille aînée de Gérard Saucier fait, pendant ce temps, ses études en commerce à l'École des Hautes Études Commerciales de Montréal et obtient le titre de comptable agréée en 1971. Elle fait son stage chez Raymond, Chabot, Martin, Paré et Associés, puis se voit offrir, en 1971, un poste de contrôleur au sein de l'entreprise familiale.

Les débuts de Guylaine Saucier

Dès son entrée en fonction chez Barrette et Saucier, Guylaine Saucier commence à envisager l'expansion de l'entreprise. Sa formation et la nature de son poste lui permettent d'approfondir tous les dossiers importants et, progressivement, d'acquérir une vision globale de l'entreprise familiale et de son secteur économique. Ses responsabilités dépassent d'ailleurs rapidement le cadre de ses fonctions car son père la fait participer aux décisions stratégiques et à la négociation de contrats auprès du gouvernement et des clients.

Puis, une succession d'événements la met à la tête de la compagnie. En 1973, l'associé de son père, M. Barrette, meurt subitement. Gérard Saucier rachète les parts de la famille Barrette devenant ainsi propriétaire de l'entreprise qui prend alors le nom de "Les produits forestiers Saucier Ltée". En 1975, son père meurt dans un accident d'avion. La famille Saucier forme un conseil d'administration et élit Guylaine présidente et directrice générale, car elle est la seule à ce moment-là, parmi les 6 enfants, à détenir des diplômes et une expérience de travail en gestion.

Entrepreneurship

Devenue subitement présidente, Guylaine Saucier a plus que sa part de défis à relever: responsabilité totale de l'entreprise à assumer du jour au lendemain, poids de la succession, jeune âge et enfin, le fait d'être une femme dans un milieu presque exclusivement masculin. Il lui faut de plus, malgré sa légitimité incontestable, imposer leadership et crédibilité.

Le rôle de bras droit de Gérard Saucier ayant constitué une excellente préparation à la présidence, Guylaine Saucier, par la série de gestes qu'elle pose au cours des 7 années suivantes, établit clairement son autorité:

— choix d'une nouvelle équipe: elle s'entoure de cadres aux compétences complémentaires partageant sa philosophie et ses objectifs. Provenant de secteurs autres que celui du sciage du bois, ceux-ci mettent en commun formation, idées et expérience, s'avérant ainsi un apport novateur à l'entreprise;

— mise sur pied d'un vaste programme d'intégration de la production qui nécessitera des investissements de 12 $ millions et sera à la base de sa réussite.

— achat, en 1977, d'une scierie à Senneterre;

— construction, un an plus tard, d'une usine de séchage et de rabotage à Comtois à proximité de la scierie construite par Gérard Saucier en 1966. Le Complexe Comtois deviendra ainsi l'un des plus importants au Canada et sera connu sous le nom de Groupe Gérard Saucier Ltée.

— mise en place d'un système d'administration moderne avec ordinateur;

— prise en charge, en 1980-1981, de la mise en marché de tous ses produits, jusque-là confiée à une agence;

— ouverture d'un bureau à Montréal pour faciliter les contacts avec la clientèle et commercialiser les produits.

Réussite dans son propre secteur

Grâce à la création de ce complexe intégré, Guylaine Saucier est à la tête de l'unité de production la plus importante à l'est des Rocheuses, capable d'assurer sur place toutes les phases de transformation du bois.

Par cet avantage marqué, Guylaine Saucier a été en mesure de diversifier sa clientèle. Avant l'expansion de l'entreprise, la majorité de la production de bois était vendue en Nouvelle-Angleterre et les copeaux, à Domtar, au Canada. À l'heure actuelle, Guylaine Saucier vend 50% de son bois dans divers États américains, 40% au Canada et 10% au Québec. Elle fournit en copeaux, outre Domtar, des entreprises telles que Donohue, Kruger, Consolidated Bathurst et C.I.P.

Le chiffre d'affaires a triplé en l'espace de sept ans et dépasse actuellement 50 000 000 $. Le total des emplois générés qui, en 1966 atteignait moins de 100, est maintenant de l'ordre de 1 300. Le Groupe Gérard Saucier se classe aujourd'hui parmi les géants de sa région, aux côtés de Forex et de Normick Perron.

Style de gestion

Malgré son jeune âge, Guylaine Saucier n'a pas hésité à accepter la responsabilité ultime de la compagnie. Pour elle, cependant, cette prise en charge allait au-delà de la gestion de l'entreprise. Il s'agissait de continuer l'oeuvre de son père, face à la famille, aux employés, à l'industrie et à la région tout entière.

Vis-à-vis des employés, elle s'est montrée fidèle aux engagements de son père. C'est ainsi que contremaîtres et ouvriers, qui avaient participé aux débuts de l'entreprise, sont encore à ses côtés. Comme elle le dit elle-même: "La qualité des relations humaines a toujours été la marque de commerce de notre entreprise." Guylaine Saucier est constamment sur place, disponible, accessible. Elle passe beaucoup de temps avec les membres du personnel, à l'écoute de leurs problèmes et de leurs suggestions.

En ce qui concerne son équipe de gestion, elle délègue ses pouvoirs tout en exerçant un contrôle judicieux au niveau des résultats. Le climat de travail s'en ressent de façon positive. Ses collaborateurs sont des individus hautement motivés qui se sentent concernés de près par la croissance de l'entreprise.

Guylaine Saucier fait également preuve de rayonnement à l'extérieur de l'entreprise, rayonnement qui reflète son désir d'assumer une responsabilité sociale vis-à-vis de l'industrie et de l'économie du pays. C'est aussi qu'elle siège aux Conseils d'administration de l'Association canadienne du bois et de l'Association des manufacturiers de bois de sciage du Québec. Elle est aussi membre du Comité consultatif de la Banque fédérale de développement. Elle a, en outre, donné, au cours des dernières années, des conférences au 60e Congrès annuel de l'Ordre des Ingénieurs forestiers du Québec, à la Faculté des Sciences de l'administration de l'Université de Laval et auprès de l'Association des hommes d'affaires du Saguenay.

12

PRÉVISION DE LA DEMANDE

LA PRÉVISION DE LA DEMANDE: SOURCES D'INFORMATION

Jean-Pierre Le Goff, Philippe Aubé

La demande du marché oriente l'ensemble des activités de l'entreprise. La vente de biens ou services constitue l'aboutissement de tous ses efforts et sanctionne le bien-fondé de ses décisions. Une sous-estimation de la demande du marché entraîne un manque à gagner et laisse la place aux concurrents. Une surévaluation de la demande entraîne une accumulation des stocks ou la sous-utilisation des équipements, ce qui peut compromettre la viabilité de l'entreprise. La prévision de la demande est donc au centre des préoccupations du gestionnaire.

La demande à l'entreprise est en grande partie fonction du niveau d'activité général, ou macroéconomique. Celui-ci détermine en effet les besoins en équipements et fournitures, ainsi que le revenu disponible des individus. La prévision du niveau d'activité macroéconomique est un élément essentiel d'une estimation correcte de la demande à l'entreprise. Le gestionnaire doit donc être au fait des informations les plus récentes touchant la conjoncture macroéconomique.

Il existe des organismes spécialisés, gouvernementaux ou privés, qui fournissent l'expertise, effectuent des analyses macroéconomiques et les commentent, ou diffusent les statistiques de base de l'analyse conjoncturelle. Le gestionnaire peut alors, après identification des informations qui lui sont pertinentes, simplement faire appel aux diverses publications traitant de conjoncture, et en tirer les renseignements désirés.

Les sources d'information publiques

Nous retenons trois sources publiques de renseignements pertinents à l'analyse conjoncturelle. Il s'agit de la publication *Conjoncture Économique* de Statistique Canada, de la *Revue de la Banque du Canada,* et de l'ensemble des publications de Statistique Canada fournissant des données sectorielles. La publication *Conjoncture Économique* est avant tout un recueil de statistiques qui vise à fournir une évaluation mensuelle de la conjoncture macroéconomique. Néanmoins, en plus des séries statistiques, la revue contient un résumé des événements économiques du dernier mois, destiné à faciliter l'interprétation des données chiffrées. La *Revue de la Banque du Canada* contient un grand nombre de séries statistiques, tout comme la publication *Conjoncture Économique.* Cependant à la différence de cette dernière, la *Revue de la Banque du Canada* met l'accent sur le secteur monétaire. De plus, cette publication ne contient pas de commentaires ou d'analyses. Finalement, Statistique Canada fournit des renseignements sur différentes industries canadiennes. Malheureusement, dans plusieurs cas les données sont annuelles et vieilles de dix-huit mois au moment de leur parution.

Les sources d'information privées

Nous retenons aussi quatre "revues d'affaires" privées hebdomadaires, soit la revue *Finance, Les Affaires,* le *Financial Times* et le *Financial Post.* Ces revues spécialisées contiennent, chaque semaine, des statistiques de base utiles à l'analyse conjoncturelle, des comptes-rendus de travaux d'organismes de recherche ainsi que des commentaires sur les politiques gouvernementales, au Canada et à l'étranger. Notons que la présentation de statistiques de base de la conjoncture est particulièrement complète dans le *Financial Post* et la revue *Finance.* En revanche le *Financial Times* est souvent cité pour la qualité de ses analyses. Le journal *Les Affaires*, comme la plupart de ses concurrents, présente des numéros ou des sections spéciales touchant les problèmes de l'heure, comme l'inflation, le taux de chômage, ou les prévisions générales pour l'année qui vient. Les résultats d'analyses et des commentaires contenus dans ces hebdomadaires faciliteront grandement la tâche du gestionnaire.

Certaines publications spécialisées présentent des prévisions économiques détaillées ainsi que des analyses de la conjoncture. Mentionnons *L'éconoscope* publiée par la Banque Royale, ou l'une des publications bi-annuelles préparées par différentes maisons de courtage (Wood Gundy ou Nesbit Thompson).

Les renseignements à obtenir

L'entreprise a donc à sa disposition, à peu de frais, nombre d'éléments utiles à la prévision de sa demande. Afin de faciliter l'utilisation des sources d'informations, nous présentons la classification suivante des renseignements qu'un gestionnaire peut désirer obtenir.

Les politiques gouvernementales

Nous pensons ici à la définition des priorités des gouvernements en matière d'inflation, chômage, taux de change et déficit budgétaire et aux grandes lignes des politiques fiscales et monétaires qui sont mises sur pied en fonction de ces priorités. Bien que les interventions des gouvernements fassent les manchettes des quotidiens, les analyses contenues dans ces derniers ne laissent souvent pas voir l'impact macroéconomique de ces mesures. Les hebdomadaires d'affaires sont alors les meilleures sources de renseignements. Il est d'ailleurs souvent utile, lors de modifications importantes dans les politiques gouvernementales, de se référer à plus d'une source.

Les indicateurs de la situation actuelle et récente

Nous songeons ici aux variables macroéconomiques permettant d'évaluer la performance présente et récente de l'économie nationale. Il s'agit d'évaluer la situation existante et de noter une amélioration ou une détérioration relativement au passé récent. Il faudrait alors avoir des renseignements:

— sur le taux de variation du P.N.B. qui mesure notre volume total d'activité,

— sur le taux de chômage, le taux d'inflation,

— sur le revenu disponible qui est une indication du pouvoir d'achat des consommateurs,

— sur le niveau des composantes de la dépense nationale, tels les dépenses en bien durables/non durables, les investissements des entreprises incluant les variations de stock, les dépenses des gouvernements, les exportations, afin de distinguer quels sont les grands secteurs de l'économie qui sont le plus marqués par la situation actuelle.

Ces données sont facilement disponibles. Elles font l'objet, ainsi que plusieurs autres, de tableaux dans la *Revue de la Banque du Canada* et dans la revue *Conjoncture Économique*. Les plus récentes valeurs de ces variables macroéconomiques sont aussi présentées dans le *Financial Post, Finance* et *Les Affaires*.

Les indications de la situation à venir

Les informations sur la situation à venir disponibles au gestionnaire prennent deux formes: il s'agit tout d'abord des valeurs prises par certaines variables macroéconomiques appelées indicateurs avancés, qui sont surtout pertinentes non par ce qu'elles révèlent sur la situation actuelle, mais par ce qu'elles indiquent sur le comportement à venir des agents économiques; en second lieu, il s'agit d'analyses faites par des organismes spécialisés qui répondent à certaines questions posées par le gestionnaire.

Les principaux indicateurs sont les suivants: durée hebdomadaire du travail, indice de la construction résidentielle, indice avancé composite des États-Unis, offre de monnaie, nouvelles commandes de biens durables, ventes de meubles et appareils ménagers, ventes de véhicules automobiles neufs, ratio livraisons/stocks finis, indices boursiers, variation en % du prix par coûts unitaires de main-d'oeuvre. Une croissance observée dans la valeur de ces indicateurs laisse croire à une croissance à venir dans le niveau d'activité d'ensemble. Ces séries n'évoluent pas toutes de concert dans le temps, elles sont alors souvent soumises à des manipulations mathématiques dans le but de produire un seul indicateur avancé **composite.** Statistique Canada, la Banque Royale et la Banque de Commerce calculent de tels indicateurs avancés composites (voir *Conjoncture Économique*, l'*Éconoscope* ou le feuillet l'*Indicateur Économique Commerce*). Ces indicateurs sont aussi publiés dans deux des quatre hebdomadaires d'affaires mentionnés plus haut. Notons que la présentation la plus systématique se retrouve dans la revue *Finance*.

Attitude du gestionnaire face aux prévisions

En conclusion, nous suggérons au gestionnaire d'adopter deux attitudes face aux prévisions économiques: continuité et prudence.

Continuité: l'effort initial d'acquisition d'informations pertinentes à la prévision de la demande est considérable. Il devient cependant très rapidement minime, dans la mesure où la préoccupation est continue: chaque élément d'information vient s'ajouter à un cadre existant. La continuité paraît plus importante que le détail de la recherche. Il est alors préférable de limiter les sources d'information, mais de les suivre régulièrement, et de ne faire appel à des sources supplémentaires d'informations que pour des besoins particuliers.

Prudence: le gestionnaire doit bien réaliser que tout effort de prévision n'apporte pas de réponse certaine. L'avenir n'est pas parfaitement prévisible. Les modèles économiques complexes sont basés sur l'hypothèse que les comportements observés dans le passé se répéteront dans l'avenir. Or telle hypothèse est très contestable, particulièrement lorsque le contexte présent diffère considérablement de celui des années passées. En dépit de cette marge d'incertitude inévitable, les gestionnaires trouveront avantage à mettre toutes les chances de leur côté plutôt que de se laisser ballotter au gré des événements.

PRÉVISIONS ÉCONOMIQUES: LES INDICATEURS

J.P. Le Goff, P. Aubé

La demande à l'entreprise est en grande partie fonction du niveau d'activité économique générale. Le gestionnaire doit donc être au fait des informations les plus récentes touchant la conjoncture macroéconomique.

Les indicateurs économiques avancés forment une des principales sources d'information sur la situation conjoncturelle à venir. Nous identifierons et expliquerons les indicateurs avancés les plus importants, tout en soulignant certaines de leurs faiblesses.

Identification et explication

Les variations dans les valeurs prises par certaines variables macroéconomiques servent d'indicateurs pour la situation économique à venir parce qu'elles ont tendance à précéder les variations du niveau d'activité économique générale. Ainsi l'observation d'une croissance dans la valeur d'un indicateur indique une croissance à venir dans le niveau d'activité générale, et inversement pour l'observation d'une diminution. Les principaux indicateurs et leur justification économique sont les suivants:

1- Durée hebdomadaire moyenne de travail dans le secteur manufacturier

Au début d'une période d'expansion les entreprises font travailler leurs employés plus longtemps avant d'embaucher de nouveaux travailleurs. À l'inverse, au début d'une période de contraction de l'économie, les entreprises réduisent le nombre d'heures de travail plutôt que de mettre à pied leurs employés. Tout ceci implique qu'un accroissement (une diminution) du nombre moyen d'heures travaillées par semaine signale que les entreprises ont à l'avenir l'intention d'accroître (de diminuer) leur niveau de production.

2- Indice composite de la construction résidentielle

Il s'agit d'une série regroupant tantôt les mises en chantier de logements et les permis de bâtir octroyés, et tantôt ces deux variables en plus des prêts hypothécaires approuvés. Ces séries devancent les dépenses dans le domaine de la construction résidentielle qui est un des secteurs "moteurs" de la croissance économique.

3- Ventes de meubles, d'appareils ménagers et d'automobiles neufs

Au début d'une récession les ménages diminuent leurs dépenses de biens durables car l'achat de ce type de produit est en général plus facile à reporter que l'achat de biens non durables (la nourriture par exemple) ou semi-durables (vêtements par exemple). L'évolution des dépenses des ménages pour les biens durables est donc un indicateur précurseur de l'évolution de l'ensemble des dépenses des consommateurs. Ces séries ne sont toutefois pas aussi "précurseurs" lors d'une reprise économique. On les considère alors davantage comme des indicateurs coïncidants.

4- Nouvelles commandes de biens durables

Les biens durables (automobiles, machines, outils, etc...) sont généralement fabriqués sur commande. Un accroissement des nouvelles commandes précède donc la fabrication de ces produits et de ce fait, cette série est considérée comme un indicateur avancé des investissements des entreprises et des achats des ménages.

5- Indice avancé composite des États-Unis

À cause de l'étroitesse des liens entre l'économie canadienne et celle des États-Unis, une reprise économique dans ce dernier pays se traduira par une augmentation des achats faits par les Américains au Canada quelque 6 à 9 mois plus tard. L'évolution de cette série précède donc celle des exportations canadiennes vers les États-Unis.

6- L'offre de monnaie

En période de récession précédant une reprise, les autorités monétaires permettront au stock de monnaie d'augmenter plus rapidement qu'en temps normal afin de stimuler davantage la croissance économique. Une augmentation rapide du stock de monnaie peut donc être précurseur d'une relance économique. À l'inverse en période de forte croissance, la banque centrale adopte une politique monétaire restrictive afin de prévenir une sur-chauffe de l'économie. Un ralentissement de la croissance de l'offre de monnaie est souvent le résultat de cette politique.

7- Indice du cours des actions: généralement, le Toronto Stock Exchange 300

L'indice du cours des actions est un reflet des anticipations des investisseurs quant au niveau d'activité économique générale qui est un déterminant important des profits des entreprises. Si les divers agents économiques investisseurs, après une analyse des tendances récentes, anticipent une reprise économique, ils achèteront des actions afin de participer aux profits à venir des entreprises. Cet achat d'actions occasionne une hausse de leur prix sur le marché boursier, d'où l'association d'une hausse du cours des actions et d'une reprise économique.

Inversement, les investisseurs vendront des actions s'ils anti-cipent une baisse du niveau d'activité économique générale vou-lant ainsi éviter de participer aux pertes des entreprises. Cette vente d'actions fait baisser leur prix, d'où l'association d'une baisse du cours des actions et d'une baisse à venir du niveau d'activité économique.

8- Ratio livraisons/stocks de biens finis

À l'approche d'une période de ralentissement de l'économie, les ventes des entreprises fléchissent (diminution des livraisons) et le niveau des stocks s'accroît. En conséquence une diminution du ratio livraisons/stocks est un indicateur précurseur d'une pé-riode de ralentissement de l'économie et vice versa lorsqu'une période de ralentissement de la croissance économique tire à sa fin.

9- Ratio des prix aux coûts unitaires de main-d'oeuvre dans le secteur manufacturier

Ce ratio fournit des informations sur les marges bénéficiaires des entreprises manufacturières. Ainsi un accroissement des coûts unitaires de main-d'oeuvre qui n'est pas suivi d'un accroisse-ment équivalent des prix entraîne une diminution des profits des entreprises ce qui aura pour effet de freiner l'expansion des activi-tés de ces dernières et de ralentir la croissance économique. Au contraire un accroissement de ce ratio indique un redressement de la situation financière des entreprises: une condition qui doit être vérifiée pour que la reprise soit durable.

10- Production d'acier primaire

L'évolution de cette série suit celles des nouvelles commandes de biens durables; les manufacturiers qui reçoivent ces nouvelles commandes placent à leur tour des commandes auprès de leurs fournisseurs de matières premières, dont les fabricants d'acier. La production d'acier primaire précède la fabrication de biens durables et devance ainsi le cycle économique général.

Faiblesses de ces indicateurs

Les indicateurs précurseurs sont une source de renseignements précieux, mais ne permettent toutefois pas de prédire sans risque d'erreur. Ces séries n'évoluent pas toutes nécessairement de concert dans le temps: elles révèlent alors des renseignements contradictoires. Par ailleurs, le délai entre la variation observée dans un indicateur et celle du niveau d'activité générale peut varier: notre prédiction est alors imprécise. Il se peut aussi qu'un indice normalement précurseur puisse parfois "manquer" un point de retournement du cycle économique: notre prévision peut alors être erronée.

Notons finalement que ces indicateurs nous livrent des informations qualitatives, mais non quantitatives. Ils ne permettent pas de dire de combien variera le niveau d'activité générale.

Certains correctifs peuvent être apportés aux faiblesses mentionnées ci-dessus. Afin de synthétiser l'information de séries qui n'évoluent pas nécessairement toujours de concert dans le temps, on peut les soumettre à des manipulations mathématiques dans le but de produire un seul indicateur avancé composite. Les indicateurs composites les plus connus sont ceux compilés par Statistique Canada, La Banque Royale (L'*Écoindicateur*) et la Banque de Commerce (L'*Indicateur Commerce*).

13

PME ET UNIVERSITÉ

POUR MIEUX CONNAÎTRE L'ENTREPRENEUR

Jean-Marie Toulouse

Pendant 20 ans, les universitaires ont examiné les problèmes de gestion en insistant sur le développement de l'entreprise et ses fonctions, sur la tâche du gestionnaire, sur l'élaboration d'outils statistiques capables de faire face aux problèmes de gestion et sur le rapport vie économique/vie de l'entreprise.

À la fin des années 60, les facultés ou écoles de gestion sont revenues à une préoccupation fondamentale: la création d'entreprises; les créateurs d'entreprises. Les questions auxquelles on a essayé de répondre se regroupent sous cinq titres:

Les personnes

Qui sont les individus qui créent les entreprises? Comment les décrire? Ont-ils des personnalités particulières? Ont-ils des besoins spéciaux? Quel est leur profil psychologique? De quel milieu socio-économique viennent-ils? Ces questions sont à la base de recherches faites par Y. Gasse à l'Université Laval; par M. Kets de Vries à l'Université McGill; par J.M. Toulouse aux H.E.C.; par Y. Allaire à l'U.Q.A.M.; par les responsables du projet

Entraide PME; par A. Salles à l'Université de Montréal et par J. Robidoux à l'Université de Sherbrooke.

Les conditions de succès

Pourquoi certains projets d'entreprise réussissent-ils alors que d'autres échouent? Y a-t-il des conditions socio-économiques plus favorables à la création d'entreprises? L'histoire constitue-t-elle une trame qui favorise ou défavorise la création d'entreprises? Les programmes gouvernementaux facilitent-ils le succès des entrepreneurs?

Ces questions ont animé les recherches de J. Robidoux de l'Université de Sherbrooke, celles de J.M. Toulouse des H.E.C., celles de A. Salles de l'Université de Montréal, celles de J. Chicha et P.A. Julien de l'U.Q.T.R. et celles de la chaire McDonald Stuart à l'U.Q.A.M.

Formation à l'entrepreneurship

Est-il possible de former des entrepreneurs? Quel devrait être le contenu de cours sur l'entrepreneurship? À qui offrir ces cours? Voilà les questions qui ont suscité aux H.E.C. et à l'Université de Sherbrooke l'introduction d'un cours sur l'entrepreneurship ainsi que la mise sur pied de projets expérimentaux à l'Université Laval et à l'U.Q.A.M. Il faut noter que 211 universités américaines offrent de tels cours en 1980, alors que le nombre n'en était pas de 10 en 1975.

Le programme UNIPME fait l'objet d'une évaluation de la part de la chaire des PME (H.E.C.).

Limites de l'entrepreneurship

L'entrepreneurship est-il réservé uniquement à ceux qui créent des entreprises de type capitaliste? Celui qui met sur pied une caisse populaire ou une coopérative est-il un entrepreneur? Peut-on parler d'une entreprise qui fait montre d'entrepreneurship? Si oui, dans quel sens?

Ces questions ont animé les recherches de J.M. Toulouse des H.E.C., de M. Kets de Vries de l'Université McGill, celles de D. Lévesque et B. Tremblay du Centre de gestion des coopératives des H.E.C. et de J. Robidoux de l'Université de Sherbrooke.

L'entrepreneur comme gestionnaire

L'entrepreneur est-il toujours un bon gestionnaire? Comment l'entrepreneur se comporte-t-il face à la décision, la planification? Est-il capable de développer l'entreprise, de déléguer des tâches? Comment réglera-t-il sa relève? Voilà les questions sur lesquelles ont travaillé M. Kets de Vries de l'Université McGill, Y. Gasse de l'Université Laval, J. Robidoux de l'Université de Sherbrooke, J.M. Toulouse des H.E.C. et la chaire McDonald Stuart de l'U.Q.A.M.

Aux H.E.C., J.-P. Le Goff a étudié les effets des programmes gouvernementaux sur les décisions d'investissement des entrepreneurs.

Ces quelques lignes illustrent les questions à la base des travaux des chercheurs québécois.

PME ET DIPLÔMES: DES RELATIONS DURABLES
J.M. Toulouse et J. Guertin

Si on en croit certains dirigeants d'entreprise, il est possible d'établir des relations mutuellement avantageuses entre les PME et les diplômés universitaires:

"Avant d'embaucher un diplômé, on se demandait si on en avait les moyens; maintenant, on se demande si on aurait les moyens de s'en passer".

"Il a rehaussé (la qualité de) notre équipe de gestion".

"Il a apporté des idées nouvelles qui nous ont fait réfléchir et ce fut bénéfique".

"Financièrement, nous aurions pu l'embaucher; mais je ne l'aurais pas fait parce que je ne savais pas ce que valait un diplômé universitaire".

Ces opinions sont tirées d'une étude dont le but était d'évaluer l'intégration des diplômés à la gestion des PME, diplômés qui avaient été embauchés en vertu du programme UNIPME. Effectuée par deux professeurs de l'École des H.E.C., MM. Jean-Marie Toulouse et Jean Guertin, assistés de deux étudiants, cette étude portait sur 86 entreprises inscrites au programme UNIPME en 1977, 1978 et 1979 et sur autant de diplômés. La conclusion principale de l'étude: quatorze mois après leur arrivée, 69% des diplômés se considéraient et étaient considérés par l'employeur, comme intégrés, c'est-à-dire comme faisant partie de l'entreprise.
partie de l'entreprise.

Nous présentons ci-dessous la tranche du rapport qui traite des quatre avenues de recherche retenues par l'équipe HEC: le dirigeant d'entreprise, le diplômé, les tâches, l'entreprise. On peut se procurer le rapport complet en s'adressant à PME Gestion. ("L'intégration des diplômés universitaires dans la PME", document polycopié, 19 pages, 3 $, frais de poste inclus).

Le dirigeant d'entreprise

Les études antérieures permettent de penser que certaines caractéristiques professionnelles et personnelles du dirigeant de PME sont susceptibles de favoriser l'intégration d'un diplômé dans la petite entreprise. De plus, la relation qui s'établit entre le diplômé et le dirigeant est susceptible de faciliter l'intégration. Plus spécifiquement, les entrevues visaient à éclairer les idées suivantes:

1) Plus le dirigeant a une expérience des affaires diversifiée (postes au sein de la grande entreprise et de la PME par exemple), plus la situation sera favorable à l'intégration du diplômé.

2) Si le dirigeant possède une formation scolaire avancée, l'intégration du diplômé sera facilitée.

3) Le besoin d'indépendance et de contrôle du dirigeant sur sa destinée (qu'on peut associer à une certaine forme de narcissisme) ne doit pas être trop fort si l'on veut maximiser les chances d'intégration. En d'autres mots, un style de leadership de type "one man show" est nuisible à l'intégration.

4) Une concordance entre les valeurs du dirigeant et du diplômé est favorable à l'intégration.

5) Le dirigeant qui fournit un support effectif et moral au diplômé (support pour exercer l'autorité, accomplir ses tâches) favorisera son intégration.

6) Le dirigeant s'identifiant démesurément à sa firme, c'est-à-dire celui qui a du mal à la percevoir comme une entité distincte de lui-même, représente un facteur susceptible de nuire à l'intégration.

7) Le dirigeant qui a une attitude positive face aux universitaires sera plus ouvert pour faciliter l'intégration d'un diplômé.

8) Le fait que le dirigeant soit conscient que le diplômé a été engagé pour résoudre un problème réel dans son entreprise sera un facteur favorisant l'intégration de ce dernier.

9) Le fait que le dirigeant ait confiance au diplômé et croie qu'il apporte une aide concrète, sera susceptible de faciliter son intégration.

10) Le fait que le dirigeant soit influencé dans sa perception du diplômé par des caractéristiques telles que l'âge, le sexe et le statut civil sera un facteur négatif pour l'intégration.

11) Les chances d'intégration seront plus grandes si le dirigeant est actif au début de la relation. Par exemple, il accueille le diplômé de façon appropriée en l'introduisant sans délai dans le milieu hiérarchique, humain et physique de l'entreprise.

Le diplômé

Plusieurs études ont montré que la personnalité du diplômé, son expérience préalable et son objectif de carrière constituent des variables importantes pour examiner l'intégration d'une personne dans l'entreprise. Plus spécifiquement, les entrevues visaient à explorer les idées suivantes:

1) Le fait que le diplômé ait une connaissance préalable de la PME est susceptible de faciliter son intégration. Cette connaissance peut avoir été acquise par des cours, des lectures, des stages ou par une implication dans les affaires familiales.

2) Le fait que le diplômé attache moins d'importance au salaire et aux bénéfices marginaux augmente ses chances de s'intégrer.

3) Le fait que le diplômé fasse preuve de réalisme dans ses attentes à court terme facilite son intégration dans la PME.

4) Le fait que le diplômé ait une motivation positive pour les PME (plutôt que de l'indifférence) et qu'il envisage de faire carrière dans ce type d'entreprise sera un élément susceptible de faciliter son intégration.

5) Le fait que le diplômé fasse preuve d'une certaine modestie face à son savoir, qu'il accepte de "faire ses preuves", est un élément favorable à l'intégration.

6) Le fait que le diplômé soit conscient du réseau d'interrelations informel dans l'entreprise (tel que l'attachement du dirigeant à ses collaborateurs) est susceptible de faciliter son intégration.

7) Le fait que le diplômé s'assure une source d'appui ou de pouvoir en s'alliant à un autre cadre lui donne de meilleures chances de s'intégrer qu'un autre diplômé.

8) Des rencontres formelles entre le dirigeant et le diplômé facilitent l'intégration de ce dernier.

Les tâches

Les études antérieures nous amènent à penser que l'intégration dans une entreprise se fait d'abord et avant tout par le travail que l'on exécute à l'intérieur de cette entreprise. Plus spécifiquement, les lignes de recherche au niveau de la tâche sont les suivantes:

1) Une définition des tâches claire au départ (mandat clair) favorisera l'intégration.

2) Le diplômé qui prouve graduellement ses compétences à son entrée dans la PME en accomplissant des tâches simples, augmentera ses chances d'intégration.

3) Si les tâches du diplômé se situent dans un secteur-clé de l'entreprise, elles contribuent favorablement à l'intégration du gradué universitaire.

4) Le diplômé qui n'est pas en situation de conflit de tâches, c'est-à-dire qui n'empiète pas sur les tâches du personnel existant (par exemple, il exécute de nouvelles tâches dans l'entreprise) est susceptible de s'intégrer plus facilement.

L'entreprise

Il est normal de penser que l'intégration sera plus facile dans certains types d'entreprises que dans d'autres. Ainsi on pourrait penser par exemple qu'il est plus facile d'intégrer un diplômé universitaire dans une entreprise qui a une organisation et une structure minimum que dans une entreprise dans laquelle tout est informel. Ces arguments nous ont amenés à explorer les lignes de recherche suivantes:

1) L'intégration a plus de chances d'être un succès si l'entreprise connaît dans son évolution des moments propices à l'injection de sang nouveau (comme un diplômé universitaire); une telle situation peut s'illustrer par un passage de la petite à la moyenne entreprise.

2) Une entreprise ayant un organigramme montrant clairement deux paliers d'autorité ou plus, est susceptible de favoriser l'intégration d'un diplômé.

3) Une entreprise ayant une organisation minimum sera plus capable d'intégrer un diplômé. (La notion "d'organisation minimum" correspond à l'existence dans l'entreprise d'un partage du pouvoir décisionnel, de descriptions de tâches, de procédures, de mécanismes de contrôle et d'objectifs connus par le personnel cadre).

4) L'ouverture d'un nouveau secteur d'activité dans l'entreprise, qui serait pris en charge par le diplômé, est susceptible de favoriser l'intégration de ce dernier.

5) L'entreprise qui se situe dans un secteur dynamique et en croissance (secteurs "durs" vs secteurs "mous") a plus de chances d'intégrer un diplômé qu'une autre entreprise.

Méthodologie

La cueillette de l'information a été effectuée par des entrevues semi-structurées avec le responsable du diplômé dans l'entreprise (appelé le dirigeant) et le diplômé. Les deux personnes étaient interviewées séparément.

Une première entrevue avait lieu de un à deux mois après l'embauche du diplômé. Lors de cette première rencontre, le diplômé fournissait des précisions sur son passé, ses motivations et le bilan personnel de ses relations avec l'entreprise jusqu'à la date de l'entrevue. Quant au dirigeant, la première entrevue permettait de connaître ses antécédents professionnels et académiques, sa personnalité, son attitude face aux universitaires ainsi que les valeurs auxquelles il accorde le plus d'importance. De plus, le dirigeant répondait à des questions ayant trait à la situation concurrentielle de l'entreprise, aux motifs de l'embauche du diplômé, à la définition des tâches du diplômé, aux attentes de la direction et enfin à l'évaluation du travail du diplômé depuis son entrée dans la PME.

Une deuxième entrevue, tant pour le diplômé que le dirigeant, avait lieu, encore une fois séparément, 15 à 18 mois après la date initiale d'embauche du diplômé ou au moment du départ de ce dernier, le cas échéant. L'objectif de cette deuxième rencontre était d'examiner l'évolution du diplômé dans l'organisation, son influence ainsi que les difficultés rencontrées dans le processus d'intégration. Ce deuxième entretien permettait également de recueillir des commentaires sur la pertinence de la formation du diplômé pour oeuvrer dans la PME.

À la fin de ce processus nous avons donc les résultats de 344 entrevues: 2 entrevues avec les 86 dirigeants et 2 entrevues avec les 86 diplômés.

Le rapport des chercheurs examine les quatre avenues de recherche et se termine par une synthèse qui permet de mieux saisir la dynamique de l'intégration.

Le bulletin **PME GESTION** est une publication mensuelle
de l'École des Hautes Études Commerciales
5255, avenue Decelles, Montréal H3T 1V6

Composition et montage
Typographie Sajy Inc.